# Finding Y

# Finding Your Story

## A Lent Course

*Edited by*

MELVYN MATTHEWS

*with contributions from*

John Bell of the Iona Community
Rabbi Hugo Gryn
Sister Carol CHN
Gerard W. Hughes SJ
James Jones

*Foreword by Bishop Jim Thompson*

Drawings by Joan Moxey

DARTON, LONGMAN AND TODD
London

First published in 1992 by
Darton, Longman and Todd Ltd
1 Spencer Court
140–142 Wandsworth High Street
London SW18 4JJ

Reprinted 1993

ISBN 0–232–52000–3

A catalogue record for this book is available
from the British Library

Cover design by Sarah John

Phototypeset by Intype, London
Printed and bound in Great Britain by
Cox & Wyman Ltd, Reading

# Contents

# Foreword

The Church needs a revival in the reading of the Bible. Many Christians do not feel at home in its pages. As we look for guidance we seem to be offered either a hypercritical method which suggests that you need a theological degree to understand what you read and even if you do understand it, it's so diluted by criticism that our expectations are severely lowered; or we are told by people that every bit of it is true and then the Bible itself becomes a sort of idol which does violence to it and to us.

These study notes are based on Melvyn Matthews' deep and helpful book *The Hidden Word*, but they stand in their own right. They give clear guidelines to the study group leaders and we are allowed to eavesdrop into fascinating conversations with people for whom great passages of the Bible have become profoundly integrated into their own personal story.

I believe you will be excited by this journey and you will find some light being shone into key areas of your own pilgrimage.

These are exciting times to be a Christian and this invitation to step into the great stories and teaching of the Bible is just what is needed to integrate our life and our faith.

+ JAMES BATH AND WELLS

# Acknowledgements

The author and publishers are grateful to Janet Morley for permission to use prayers from *All Desires Known* published by the Movement for the Ordination of Women and from *Celebrating Women* published by SPCK. They are also grateful to Les Presses de Taizé for permission to use the prayer by Brother Roger on page 71 which appears in *The Wonder of a Love* published by Mowbrays.

# Introduction

The Bible is a book of memories. These memories are not just the memories of the different writers, although they are clearly essential. It is the book of our memories. It is the living memory book of the community of God's people in history. It tells us about our ancestors, about our family history, our wanderings, our unsettledness, our conflicts. For Jews and Christians, as well as Moslems, the Hebrew Scriptures are a collection of our earliest memories of God's dealings with us, his people. For Christians the Gospels tell us about our brother, Jesus, the one who showed us the way and who led us up to Jerusalem. In Paul's words, he was 'the first of many brothers' and sisters who have since followed his way and whose memories are held within the corporate life of the Church.

When we open the Bible and read it in church or in a Bible study group what we are doing is looking back over our past, listening to the corporate memory of our people and tracing the hand of God in our history. When we do that we are looking deep into the well of the past. But this past is not something strange, belonging to other people. When we look back into the Bible we are also looking deep into the well of ourselves and seeing that God is at work there in the same way as he was with the people of old, leading *us* out of Egypt into the Promised Land. When we look into ourselves we see that

1

Jesus has, as it were, come and left his mark in us. He has then gone on before us and now calls us to follow. When we look into ourselves we see too that the Holy Spirit has been given to us and is ready to lead us again today if we will place our trust in that leading. When we hear the book of memories read we know all this – we know that we are reading about our inner life. Our inward sight then clears, we see how we have been in the past and how we can be in the future. We know who we are.

In my book about reading the Bible, *The Hidden Word – Your Story in Scripture*, I compare the Bible to a Boots photograph album – the sort with plastic pages which you can add to as time goes on. This album contains all sorts of photographs of our family history. If we go back to the beginning we see our family as it used to be – in long skirts or funny hats, quite different, but still recognisably us. As we come through to the end we come to empty pages, but these pages have pockets ready to hold the photographs of today and tomorrow. The Bible is like that. It is not a finished book, we are still part of it and what we do now is in continuity with what went before. We may well be different – the church now is not the same as the church in the Acts of the Apostles or the Letters – but we are also clearly part of the same family. Reading the Bible is something like those Sunday afternoons when my mother used to get the family photograph album out – we look through the story of our past in order to rediscover who we are now and what we can be in the future.

The trouble is that we are not very used to looking at it like that. For us the Bible is probably more like a book to refer to, perhaps as history (if it can be proven that these things did occur), or as authority (they did not do it then so we cannot do it now) or in some similar *referential* way. Our primary use of

2

the Bible is as an objective reference point for church practice or doctrine or church law or something of that kind. This turns the Bible from being a living book which gives us life and identity into something objective and alien. To use the other image in *The Hidden Word*, it becomes no more than a box of old letters, the sort we might come across in the attic. These letters are about our past but they have yellowed with age and represent things which have ceased to be. We might find them interesting, but what happened then has little or no psychological continuity with what is happening now. They are about a past that has gone forever. We might refer to them if we want to find something out or if we want to revive the past and live without the present, but in the end they are about people who have died or moved or changed out of all recognition. They are not about us.

This Lent Course is based on the view that this way of reading the Bible, which lies behind so much church life, whether Protestant, Catholic or whatever, is very narrow and limited. Unfortunately, it is a way of reading Scripture which has, I believe, contributed to our lack of readiness to take the Bible seriously. Our willingness to read the Bible and our joy in reading it will be completely renewed if we can move into a new approach and see it, as I suggest, primarily as a book of *living memories*. It contains our story. It tells us how we were and how God dealt with us and so gives us some indication of how he might be dealing with us now and how he might lead us in the future. It is not a closed book. Our story goes on and we can fill in the blank pages at the back with new stories of the doings of this bit of the people of God. These memories also have patterns to them – what happened to our ancestors, our brothers and sisters in the faith also happens to us.

The patterns are constant and are re-found in each generation. This is because the memories are memories of the work of God in us and God's work in us is constant. He deals with us constantly and consistently, drawing us through the pattern of death into new life.

You will find a lot more about this in *The Hidden Word – Your Story in Scripture*, the book which this Lent Course accompanies. In that book I look at five passages or sections of Scripture and show how they are really still very much part of us and we part of them. The story which is told there is our story. In this study guide I continue that approach but this time illustrate it with the stories of five living witnesses, five people who are living those passages in their lives now. I ask them to tell me how they have found their story in Scripture. When we hear their witness (and their words are recorded on a cassette tape as well as in this book), we shall, in our turn, be able to live the Scripture rather than just refer to it.

The five witnesses are, first, John Bell of the Iona Community, who has revived our understanding of the creation with his hymns and music drawn from the Celtic tradition. Rabbi Hugo Gryn of the West London Synagogue tells us how the Joseph story gives us a pattern for living. Then Sister Carol CHN, now working at the Lee Abbey Community, shows us how the Beatitudes are so real for her and others she meets. Gerard W. Hughes SJ, who has played such a large part in the revival of the spiritual life in this country over the past few years, talks to us about Paul's Letter to the Romans and how it is part of his agenda for life and ministry. Lastly, James Jones, Vicar of Emmanuel, Croydon, talks about his experience of 'moments of recognition', showing that the patterns of life in Luke's Gospel are still part of the life of ordinary people today.

These five people represent a very powerful witness to the fact that the patterns of scriptural living are present in people today. They are not all from the same denomination – James Bell is a minister of the Church of Scotland, Gerard Hughes is a Catholic priest, Rabbi Gryn is, of course, Jewish, while James Jones and Sister Carol are, or at least were originally, from opposite ends of the Anglican spectrum. They all give a common witness to the centrality of scriptural patterns of being in their lives and so, incidentally, show that the Church need not be so divided about the interpretation of Scripture as it has been. If we learn to live it rather than talk about it then we might get further than we have done.

Each session is followed by some suggestions for further reading and some questions and exercises. These questions and exercises will, if followed, help individuals and groups see how what I have been talking about does actually happen and how they in their turn can step into the story of the Scriptures and become, as it were, one of the snapshots in the continuing saga of God's involvement with his people. That snapshot will then take its place in the photograph album we call the Bible and we will see that we are just as much God's friends as Joseph or Adam and Eve or the disciples in Luke's Gospel. We might then, in one phrase I use in my book, 'become the text'.

I want to record my grateful thanks to all of the contributors for their co operation and inspiration. I came away after each interview moved and inspired in different ways by what they had said. The course would not have been possible without the confidence and hard work of Russell Bowman-Eadie and Alan Ripley of the Diocese of Bath and Wells Department of Training. Bishop Jim Thompson gave his blessing to the project very early on in his ministry in the diocese, and we are enormously grateful to him for his warm-hearted support.

This course and the book it accompanies are dedicated to the St Julian's Community in Sussex, in whose beautiful and peaceful house some of the thinking and praying which brought it about was first done.

MELVYN MATTHEWS

# Notes for Group Leaders

This course is designed for use by church and parish groups during Lent. Everybody has different ideas about how groups work and each parish or congregation must find its own way, but here are my tips:

Ideally, groups should not be more than eight or nine in number or less than six.

Make sure the group has a leader who is able to prepare the material beforehand and is firm but courteous in his or her approach.

Each person in the group will need a Bible, a copy of this book and a notebook and pencil. Group leaders should ensure that if there is anybody in the group who cannot afford to buy a copy then the parish or church education fund provides one for them.

In addition, each group leader will need a copy of the larger book, *The Hidden Word – Your Story in Scripture*, a copy of the cassette tape which accompanies the course, a cassette player, and a supply of felt-tip pens and sheets of paper (A3 size – approx. 24 × 16 in. – is best).

Try to arrange to meet in comfortable circumstances where everybody can see each other. Agree amongst yourselves before you begin about such things as when the coffee or tea will be served and who will prepare it. The leader should not have to serve refreshments.

Once you have settled the physical arrangements make sure you as the leader have thought through carefully how each session is going to be structured and which of the suggested exercises you are going to use. Listen to the tape yourself beforehand so that you are familiar with the material. Have an aim in your mind for each session and make every effort, in a courteous but firm way, to see that the group does not get distracted from this aim. For example, you might want the group to look, during the session on the Beatitudes, at the question of how to be 'People of the Beatitudes'. If so, tell the group that is your aim for that evening and try to make them face up to the challenge of thinking through that issue at depth. Parish discussion groups are notorious for ending up talking about everything from the vicar's politics to the state of the weather-vane rather than the matter in hand.

Above all remember that this is a Lent Course intended to deepen people's understanding of the Bible and how they read it. It is not a course about how your parish or congregation should develop. Indeed, it is *deliberately* not about that. All of the churches in Britain face problems of personpower, of money and management. This course is *not* about those things and is underpinned by the belief that renewal in those matters will only properly come about when Christians rediscover the inner sources of their faith and allow that faith to transfigure their lives. Then all those other things will be added unto them. So group leaders should be especially vigilant in seeing that the group does *not* wander into the areas of church ministry and management, buildings or finance.

Apart from that the most important thing in this particular course is for groups to rediscover the way in which they belong to the narrative and the patterns of imagery in the Scriptures. The Bible is being studied not in order to analyse its historical truth or falsity – although the group leader will have to know something about that as far as each passage is concerned – but in order to help people see that *they are part of it* and so go away with a greater confidence that they are held in God. For this reason *how* the Scripture is read in the group is important. The group leader should read what I have said about this in chapter 1 of *The Hidden Word – Your Story in Scripture*. Bible passages which are read are best read aloud *slowly*. The group might also experiment with reading some of the passages corporately as I describe in that chapter. In any case, *silence* should be left after the reading for people to reflect upon their reactions. Plenty of time should be allowed for the actual reading of the Bible in this course. This will seem strange at first, but by the end, if it has been properly done, the group will not be able to do without it. Reading the Scriptures well, with silence, feeds our barren psyches.

There are some other important points:

At the first session leaders should make sure everybody knows each other. People might begin by telling the group why they have come and what they are hoping to go away with.

Whenever there is discussion people should be listened to carefully and attentively. This is particularly important when they are giving their reactions to the passage of Scripture under consideration. The course is an exercise in attention, both to the Scriptures and to each person present as a continuing part of the Scriptures. It is not – or at least not in the first place – an exercise in sharing opinions.

When the cassette tape is being played make sure that it is stopped and restarted according to the instructions on the tape itself. There will be various points when the tape asks you to stop listening and do certain things. Please follow these instructions carefully.

Simone Weil once said, 'Study is a preparation for prayer'. Reading the Scriptures should lead to prayer, so make sure you end each session with the opportunity for prayer and allow this prayer to be silent and spacious and thankful rather than just as busy and fast and achievement oriented as your day has been. In this book each session ends with a suggested prayer which you might like to use.

**To obtain the cassette** please send £6.50 (including post and packing) to:

Bath and Wells Training Department
The Old Deanery
Wells
Somerset
BA5 2UG

# Session 1

# 'The Smile of God'

## (Living the Creation)

# with John Bell of the Iona Community

Those who go to the island of Iona are always enthralled by its natural beauty. It lies off the west coast of Scotland and is washed by the warm waters of the Gulf Stream. It is a place of great simplicity, open to the skies, where prayer comes easily to the surface of the heart. It is also the island from which St Columba began his mission to Scotland and England in the sixth century and the place where many of the kings of Scotland are buried. It carries the past deep within it. It also carries the present and the future, for in the twentieth century the old Abbey Church has been rebuilt and the island has become the home of the Iona Community. In the summer pilgrims young and old come from far and wide to join the community in their programme of events; thinking, talking and worshipping together, renewing their faith in a place which has been a source of faith for hundreds of years.

John Bell is one of the members of the Iona Community. When we met he told me about the Community, explaining that only a handful of its members live on Iona. The rest of them are scattered about the country, men and women, ordained and lay, following their own professions wherever they may be. Indeed, any one of us may be living or working next to a member of the Community at this very moment! What links the members is their commitment to a particular discipline of life. John explained,

> Since 1939, when we were founded, we have been a Community of men and women, lay and ordained, everything from a consultant gynaecologist to a bus driver, who have become a Community by virtue of our keeping to a common rule or discipline in life, which has to do with prayer and Bible study, a com-

mitment to peace-making, to political involvement, and to an accountable use of our time and money. We meet once a month in regional groups. Three times a year we try to meet, as many as possible, in a national gathering and we support the work of the two centres in Iona which are places of retreat and pilgrimage for people from all over Britain and, indeed, from all over the world.

But I hadn't come to talk to John Bell just because he was a member of the Iona Community. I had come to talk to him because he is somebody who has found a way of 'living the creation'. I am sure that his way of 'living the creation' and his membership of the Iona Community are very closely bound up together and feed each other, but it was above all because of his understanding of what the creation means and his ability to 'live' this understanding that I wanted to talk to him.

But already I can hear people saying, 'Whatever does he mean by "living the creation"?' So before I go any further let me explain. Most Christians certainly *believe* in the creation – at least they say they do when they say in the creed, 'I believe in God, maker of heaven and earth'. But by this they probably mean that they believe God started it all off in the first place. They might not quite know how, or have much idea of exactly how a modern understanding of evolution squares with the accounts of the creation in the Book of Genesis and they might not be particularly worried about that. But they certainly accept that God began it all. They probably also accept that God continues to sustain and care for the creation. But generally speaking the creative activity of God and the human person are – sometimes consciously and sometimes unconsciously –

regarded as two different things. Men and women might well be thought to have a role 'towards' creation. We must care for it or steward it – indeed, Christians are taking stewardship of the created order far more seriously nowadays – but in the end it was not man, or woman, who made the world. Our role and God's creative role are regarded as two different activities. It is God who did, or who does, the creating. All we can do is look after it.

But it is just this point that is at issue nowadays. We are beginning to see that creativity has never been something which belongs to God alone. It also belongs to those whom he has created. In the accounts of the creation in Genesis God gave Adam a share in the whole procedure, inviting him to name all the living creatures (Gen. 2:19–20). These few verses are not intended to be an account of what happened in the beginning but they represent symbolically how God and humankind are always meant to be when they are true to themselves. The creation is not something which God did on his own, nor is it something which is over and done with; rather it is something which is still going on and it is something in which humankind has a share.

Just such a discovery was going on when we met John Bell. He was engaged in helping a small, voluntary community of Christians – the Waterside Community in Emsworth – to rediscover their own creativity through music. The Waterside Community's affirmation of faith contains the words, 'We affirm the sanctity of all creation'. When Wyn, one of the members, talked about this she said, 'We believe that the creation is here for our exploration, our support. We believe that we are responsible for it. We believe that we are part of it. *We believe that we are still creating it.*'

This notion of human participation in the

15

creativity of God shone through in the conversation I had with John Bell. John is leader of the Iona Community music group which is called the Wild Goose Worship Group. John and his group have written some wonderful hymns and songs and liturgical chants drawing on Celtic spirituality and the Celtic feel for the creation. I asked him about that. He said,

> It is a wee bit difficult to talk about Celtic spirituality because it is a rare breed. Something which emerges from fragments – fragments of poems and songs written by unknown lay people, in the main before the Reformation, perhaps around the tenth or eleventh century, who had, within the culture of the Western Highlands – as in Ireland and in Wales – kept alive some theological insights which the Celtic Church of the sixth and seventh centuries shared in these remote parts of the British Isles with regard to creation. For example, the Celts saw God as being totally through creation, as creation being charged with the goodness of God. Not that they worshipped stones or worshipped flowers but that in them they saw the carefulness of God's intention in making this a beautiful place and so they wanted to have a reverence for all the life of the world and not just for human life.

This all comes through in so many of the hymns John has written. I asked him about one of his hymn books where there is a section entitled 'This is a section of hymns about God creating and caring and they are songs about the making of the world and the kindness of the creator'. When I saw that phrase, 'the kindness of the creator', I thought it was an unusual one and I asked John about it. What did it mean? He said,

> Sometimes when we think of God as creator, we take a kind of mechanical relationship to God, as if it was all done by cold dictat. Now when you look at the intricacies of creation and how not just every person, but every stone is different, then there is behind that evidence of an amazing imaginative mind, a mind which has created a pattern within things as well as a randomness. And you only create that mixture of pattern and randomness if you really care for what you are creating. When a sculptor or painter is working on something it is because they really love what they are working on that they make it so detailed and so different from everything else that they have ever done. And that, to my mind, is a sign of the kindness. Now within the old Celtic poems and Celtic prayers you find the same kind of sentiment – people will ask that they have 'the smile of God'. And, you know, if God is a person – and we can only relate to God as person to person, that is why Jesus came – then we should be able to detect within God some of the virtues of which we, in our best moments, are a pale reflection. And kindness is a human quality, which I believe has its source in the being of God.

M.M. Yes. Another of the themes which comes out in your hymns is the idea of God having a *feminine* aspect, and in one of them here you talk about the love of God as being like the love of a woman – it's a hymn called 'A Woman's Care'.

J.B. But that's very biblical. We often shut out

17

parts of the Bible that we should look at more carefully and in Isaiah, on a couple of occasions, God says, 'Can I bring you to the point of birth and not let you be born?' which is a midwife talking. And then, 'I will love my people as a mother loves her child', and that is God speaking as a woman. If we are made in God's image and we are made male and female, then by simple deduction – and I suppose intellectuals and theologians might find this hard to take – but from a plain reading of the Bible that suggests that within God there is the potentiality of maleness *and* femaleness, there's the germ of maleness *and* femaleness. And I think that it is important that, when we speak of God, we allow that to come through. One of the images I have when I think of God is that of a weaver. Where I come from that is considered a woman's job. Yet part of the activity of God is to weave together the many strands of humankind and the many aspects of creation into a great intricate cloth which we call the world. And you have to acknowledge the gifts that womankind has given to human life and if these gifts, these potentialities, are in some way or other a reflection of the God-head, then we should be able to talk about God in the terms of womanhood as much as in terms of manhood.

M.M. And that's in the Genesis story, isn't it, too, because it says that Adam was made and then Eve was made – and the word which is used is helpmeet, or partner – and it is as if God wants these two people to be part of each other.

J.B. That's right. And before that in the first chapter of Genesis you have the story of the Spirit

18

brooding over the waters, and the Spirit, in Hebrew, is a female noun. Throughout the Scriptures you get these lovely pictures of the Holy Spirit doing what we might see as a feminine thing. No, we can't say God is a woman and God is a man, but I think we can say that within the Godhead there are the potentialities that we see in masculinity and femininity.

Our conversation then turned to issues of justice. We talked about the need for the whole of humankind to struggle alongside women for greater justice in the way women are regarded in society and in the Church and the need to struggle to make the world a place of justice and of peace in each generation. John said that he thought that human beings were created to struggle and that was part of being alive. I asked him whether this was not also part of their creativity, that people were made to be creative and to participate in the struggle of the Spirit to make things whole. John agreed to this with some enthusiasm. He said,

Absolutely. And this creative process for some will be seen in terms of music or art – for me, part of it is to do with what I do with words and music. For other people this creative struggle will be discovering how to forge alliances between the First World and the Third World. When people say: 'I am not very creative' sometimes I want to say to them, 'This is a nonsense! I have been in your house. I have sat at a table where you have cooked the food and it has been superb. That is a creative process, that is part of God's intention for you'. Some people will use their creativity in a political way, some in an artistic way,

19

some in a domestic way. But within us all is this potential which we have to fulfill.

This, I thought, was really very important. John was saying that it is not just a question of believing in the creation of the universe by God but also of living the creation and allowing the creativity of God to flower within you. He was also saying – and this was just as important – that this creativity was not just something for those with great gifts – like his gift for writing hymns or Rembrandt's gift for painting or drawing. This was a gift which was everybody's. Even the person who felt that their task in life was a pretty lowly affair was gifted. They had gifts which were unrecognised. Cooking a meal was a gift of the spirit. Our task was, then, not to lament that we were not as creative as somebody else, but to discover what our potentiality was and to use it, with the same joy and same thankfulness as the person with the great musical or artistic gift. In an age such as ours which values the spectacular achievements of the few and ignores the humble achievements of the many, this was truly good news.

As the conversation continued I saw that John related this 'living the creation' to how he understood Christ as the Word of God. I realised this when I asked him why so many of his hymns were hymns which mentioned the Word of God. He had said several times that St John's Gospel – the Gospel which explicitly calls Jesus the Word of God – was the favourite Gospel for Celtic people. Then he said,

I just find it a fascinating concept. Part of my apprehension of faith is intellectual, but more and more I apprehend faith as a mystery, or as a relationship and when you think about 'the Word being with God in the beginning',

20

what does that mean? I suppose that for me it means that the essence of a person very often comes out in what they say. If I were to talk to you from now until the cows come home then somewhere along that line you would reveal something of yourself in what you said. And when we call Christ the Word of God, who was with God in the beginning, then it is perhaps indicating that always within the mind of God there were some things that God wanted to say and Jesus came and said them, and, in so doing, revealed the Father, the God whom he was part of, to whom he was related.

M.M. And that's in Genesis, isn't it, where God spoke and it came to be?

J.B. That's right. Our God's word is a creative word, which addresses people at different levels, but I think that one of the levels is the realisation that the Word of God is spoken to us so that we will change. God doesn't say to the world certain things and the world was still without form and void. God addressed certain things to the great blankness that existed before creation and something happened . . . The Word makes a difference in the life of the world and the word of God addressed to us today is addressed not so that our ears might be titillated, but that our lives might change . . .

Then, at the end of our conversation, I asked John a crucial question. I had felt in listening to him and in finding out about his work with the Iona Community's Wild Goose Worship Group, that here was somebody who, as I said earlier, was 'living the creation'. The creation had become part of his story. Could the same thing happen to others? I asked him.

21

Do you think, John, that people can, as it were, come to God and to the wholeness which God offers them, by opening themselves to their creative spirit within, becoming part of the way in which God speaks?

John replied,

Yes and no. *Yes*, inasmuch as it is only when we stretch ourselves and develop the potentials that God has put in us that we begin to understand his intention in our lives. *No*, in that ultimately I believe that the word of grace and of acceptance has to come from outside and that no amount of titivating our creative potentials will, in the end of the day, be as totally fulfilling as believing, deep within us, that Jesus loves us.

## *Suggestions for Further Reading*

**A.** Group Leaders at least should read chapter 5 of *The Hidden Word – Your Story in Scripture* by Melvyn Matthews, which is the book on which this Lent Course is based.
**B.** Try not to read the opening chapters of Genesis without a commentary. The section on Genesis of *Peake's One Volume Commentary on the Bible* is very helpful. *Genesis 1–11* by Claus Westermann (SPCK) is the best commentary. There are now a number of books about the creation and our place in it. A really excellent treatment, with some hints about what to do now, is to be found in *God is Green* by Ian Bradley (DLT). *Original Blessing* by Matthew Fox (Bear and Co.) is a very important book which should be read by everybody interested

22

in this subject, but it is not the last word! Trevor
Dennis has a lovely chapter at the beginning of his
book *Lo and Behold*! (SPCK) which everybody
interested in reading the Old Testament with new
eyes should read.

Information about John Bell's hymns and other
Wild Goose Publications are available from:
Wild Goose Publications
The Iona Community
Pearce Institute
840 Goven Road
Glasgow G15 3UT

**Things To Do**

The group should choose to tackle those questions
or exercises on this list which are of particular
interest to them. They may, of course, find other
ways of engaging with the theme which are not mentioned here.

1.  Before coming to your meeting read slowly
    through the first three chapters of the book of
    Genesis. What do these chapters mean to you?
    Share your reactions with the group. You could
    do the same with Isaiah 40 or Job 38 or 39.
    These passages are short enough to read in the
    group.
2.  Follow the little 'guided fantasy' which is to be
    found at the beginning of chapter 5 of *The
    Hidden Word* by Melvyn Matthews. When you
    have finished each person should, if they can,
    share what they imagined with the group.
3.  Here is a simple exercise in the appreciation of
    creation: each member of the group must
    describe to the others his or her favourite

animal, tree, plant, bird or flower in some detail. He or she must then say why they find it beautiful. Then keep a silence for thanksgiving. Or: bring to your meeting something that is particularly special or beautiful to you and talk to the group about what it means to you. Again, keep a silence for thanksgiving.

4. Affirm the creativity of each member of the group. Do this by going around to each person and asking the group to tell that person what their creative gifts are. Spend several minutes affirming each person while that person remains silent. Then keep a space for thanksgiving.

5. John Bell has written a number of hymns which use feminine imagery about God. Discuss this honestly amongst yourselves. Go through one of your church's written prayers changing the language to make it accord with John's view that 'we should be able to talk about God in terms of womanhood as much as in terms of manhood'.

6. Name three, simple, practical ways in which you or your church community can contribute to the care of the creation. Decide to do one of them as from tomorrow.

7. John Bell said, 'The Word makes a difference'. What difference does your church community, which bears the creative Word of God in the lives of its worshippers, make to the town/city/village in which you live? In what ways could you make more of a difference?

8. How can you open yourself more fully to the creative activity of God? Tell the group what you think.


Use this prayer when you have finished your discussion:

Holy Spirit,
mighty wind of God,
inhabit our darkness
brood over our abyss
and speak to our chaos;
that we may breathe with your life
and share your creation
in the power of Jesus Christ. Amen.

*Janet Morley*

# Session 2

# The Uses of Adversity

(Living the Joseph Story)

## *with Rabbi Hugo Gryn*

I came away from my conversation with Rabbi Hugo Gryn profoundly moved. I felt we had been listening to a great teacher of Scripture. We had been listening to someone who had not only read the text and the commentaries but who had absorbed the meaning of the story deep within himself and so was able to talk about it as if it was really his and that of his people. As we listened the story of Joseph had become timeless, part of our lives that very day. It was unforgettable.

First I should explain that Rabbi Hugo Gryn is the Senior Rabbi of the West London Synagogue and President of the Reform Synagogues of Great Britain. He is also co-chairman, with Bishop Jim Thompson of Bath and Wells, of the Interfaith Network. His family was originally from Czechoslovakia and he has known at first hand the tragic conflicts of Europe in this century. Nowadays he has become well-known as a broadcaster and a leading figure of British religious life. I first met him at Ammerdown where the Reform Rabbis hold their annual three-day assembly. I have learned from those encounters and other similar ones that we Christians can have our understanding of the Hebrew Scriptures totally renewed by listening to the way a rabbi talks about them. And after all these are the Scriptures which belong to the Jewish community at least as much, if not so much more, as they belong to us Christians. So I had become convinced that a study course on the Bible which included passages from the Hebrew Scriptures (a far better term than 'Old Testament') had to involve a conversation with a Scripture teacher from our sister community. So I came to see Hugo.

What I wanted to know from him was how he talked about the Joseph story. So I launched straight in.

Now Hugo, Christians and Jews share the story of Joseph, and what we would like to hear from you is how you, as a rabbi in a big London synagogue, talk to your people about that story.

And he told me.

Well, it is true that the Christians and Jews share the story of Joseph and you can add to it – and so does Islam as well. In the Qur'an there is a magnificent chapter and description about the whole Joseph story. He is, of course, revered as a prophet in the Islamic tradition, though he is not quite that in the Jewish one.

The way the story begins – and I think it one of the great stories in the Bible, perhaps the fullest biographical story in our sacred literature – it always intrigues me and moves me that, when you come to chapter 37 in the Book of Genesis, where the Joseph story really takes off, it starts with the phrase, 'Jacob *dwelt* in the land of his ancestors . . .' And that Hebrew word *dwelt* means that it was very tranquil. There he was, Jacob just finished an extraordinary, difficult career – having run away from home, having cheated his brother Esau – and everything has finally come right. There he is, he is now back home with his family, comfortable . . . he is relaxed, he is 'laid back', and there is a rabbinic comment, 'Oi! . . .', 'My goodness! . . .' This great man Jacob, he forgot, as the rabbis say, 'There is no rest for the righteous in this world'. Of course we like to say, 'There is no rest for the wicked'. Not true! The wicked have all the rest in the world! It is the righteous who have a troubled life. And look at all the troubles that start. Because in the very next verse, there is Joseph, seventeen years old, the favourite son, and one day the father says to him, 'Go, look for your brothers who are pasturing the flock'. And we are in the midst of this great drama. So really the start of the story itself starts with this enormous paradox, just when you think everything is fine, it really isn't.

What you have is first this young spoilt child, the dreamer of dreams – and they are not just dreams, they are actually dreams of self-aggrandisement. There are the stars and the sheaves all bowing down to him. There is the father, besotted with this child – could be that he is the child of the favourite wife and there is great identification here with the child, and this is also the wife, not only that he loves, but also who dies young, and this is the child who gets what the Hebrews call 'the coat of many colours', or perhaps the coat that has sleeves, but something very special, a special uniform – even externally Joseph is set aside from his brothers. Now if ever you wanted to set up a child for sibling rivalry, you couldn't have done better. So that by the time he is seventeen his father adores him, he has the run of the house, of the estate and his brothers cordially hate him. From then on, of course, the story *has* to be a tragedy – and it is.

There is something of an irony here, that just as Jacob's story begins when he tells a lie to his father to get the blessings, now his sons come back and they tell *him* a lie about the way that they had lost the favourite son Joseph, who, of course, had not been eaten by a wild beast, but simply sold into slavery.

31

For the next thirteen years Joseph is in slavery. Again, at first, things go quite well with him. He does well in the household of Potiphar, but something of the character of Joseph begins to emerge when he resists the lady's temptations. And again, as literature goes, it is perfect. Not only is there romantic interest, but there is also loyalty, betrayal. Constantly in this story the theme of loyalty and the theme of betrayal run parallel and they criss-cross each other. Somehow he meets this moral test, but again, because he is successful, he now finds himself in real trouble, in real prison, and there he rots.

At this point I interrupted Rabbi Gryn to say that the story seems to show that early in his life Joseph was not able to meet the moral tests which life sets him, and so, for example, he shows off to his brothers; but that later in his life, after a very painful development, he *is* able to meet these tests. Hugo Gryn agreed and said,

The great thing in the Bible is that you have all the major characters, with all the patriarchs, you really have the development of character. None of them is perfect to begin with – that is true of Abraham, certainly of Isaac, though we know least about him, and again, of course, with Jacob himself. They grow. They mature. This is what makes them plausible. They are not born perfect, but with all the weaknesses with which we humans are endowed. And then it is a question of what happens to character and personality, and the ones we call our patriarchs are not the ones that we meet when they are, as it were, callow youths, but when they become the mature role models that they are for us to this day. That is clearly the transformation that takes place in Joseph. Of course, one of the great classics of the twentieth century is Thomas Mann's novel about Joseph and he, perhaps better than any contemporary writer, I think, chronicles the development of this character because Joseph, who finally appears before the Pharoah and does his dream interpreting and – because of that – gets power and position and really becomes the great Joseph, is a very different person from the one whom the brothers sold into initial slavery. He is now mature in wisdom, he has depth of compassion, he has also, I think, a very different view of himself. This comes up time and time again – when again, although God does not communicate with him directly, as is the case with many other of the key personalities of the Bible, nevertheless you know it as the reader, and Joseph certainly is aware that God is there the whole time and that there is, as it were, a destiny that shapes all of his ends.

M.M.  So, in a way, for you, Joseph isn't just a past example, but also a sort of pattern or parable of how human beings are through time.

H.G.  He is the example for us of how you can grow in and through adversity. Mind you, I don't think that is the only way to grow. My preferred way of growing is to be born into a nice family with a loving mother and father and growing up in it and actually be spared all the anxieties and stresses of a cruel world all around you. Well, that's nice, but that was not the case that happened with Joseph, and indeed, in Jewish history, the Joseph kind of

33

development was the one that we encounter more frequently than the one that I would prefer for my children and grandchildren.

It was at this point in the conversation that Hugo Gryn demonstrated just how much the story of Joseph was not just a story in which we can see into the past but also a story in which we can see the fate of the Jewish people through history. The first parallel Hugo drew was between the fate of Joseph and the process of assimilation. He said,

The fact is that for us contemporary Jews, Joseph is also a representative of what we call the process of assimilation and the fact is that Joseph becomes eventually wholly Egyptian. Though, when he is still in prison, he is referred to as a Hebrew, later on he changes his name, marries an Egyptian woman. I am quite sure that, in terms of his language, dress, demeanour, he would have been indistinguishable from any of the other people close to the top of the power pyramid in the Egypt of that day. And there are interesting little hints about this in the biblical story itself. When he becomes the father of his first child, Manasseh, that is a bit of a play on the Hebrew . . . *'God made me forget my hardship and my parental home'*. It is a kind of admission – I am away from it all. And when the second child is born, Ephraim, there again . . . *'God made me fertile in the land of my affliction'*. In other words, 'I have done well here, haven't I?' And yet you have the feeling that this is only on the surface, that on another level Joseph knows perfectly well all the time who he is.

The second parallel that Rabbi Gryn drew between the story of Joseph and contemporary life centred on the renewal of brotherhood at the end of the story. And this, he pointed out, has a particular poignancy for Jews and Christians.

> And when there is this great dramatic encounter with the brothers again, when the feelings of revenge and the feelings of love for his brothers are in such sharp conflict, and finally the feelings of love have the upper hand – when he reveals himself, he simply says, 'I am Joseph. Is my father well?' So I have to tell you, whenever I read that passage from the Torah in our synagogue, I cannot help my tears, because it is so powerful and it is so true to life and also because really that is a model of how brothers really ought to be. It doesn't mean that they necessarily are always like that – we see that in the beginning of the Joseph story – but there is here a biblical pointer: 'that is how it ought to be'. Of course, it remains a matter of speculation whether things might have begun differently had there not been that conflict. And I tell you when else I was moved to tears – when in October 1960 a delegation of Jews met with Pope John XXIII. He was a remarkable man, and when those two (as it were) groups encountered one another, he said to them in Hebrew, 'I am Joseph', which, of course, was his real name. 'I am your brother'. A remarkable moment and indeed Vatican II and all the things that have followed since then and, hopefully, may follow in terms of Jewish-Christian relations, it was a turning point. And there was something of that act of self-revelation in that turning point. With all

the hurt in the background and with an awareness of that hurt in the background and a
desire to show that brotherliness.

M.M. Perhaps when things are broken they mend
better at that point, when you actually get
round to the mending.

H.G. Well, this is, of course, what we are discussing
here in a way. Do you have to, as it were,
perfect creation by way of toil and trouble and
distress? I like to think it is not the only way,
but it certainly is the chief characteristic of the
Joseph story.

Rabbi Gryn then went on to talk about the legacy
of the Joseph story, and of how, because of its moral
truthfulness, it had an instant appeal to people of
almost any time and any generation. He said,

But all sorts of phrases have become part of
our tradition and language that come through
the Joseph story – the most recent is the wildly
successful *Joseph and the Amazing Technico-
lor Dreamcoat*, the musical. I have watched
audiences – I have seen the play several times
– children, middle-aged people, old people –
all respond to it. And when you think about
it, the Joseph story has been the grist for so
many poets, novelists, painters, composers. I
think that is what makes it a classic, and the
reason why it is a classic is because at various
times in your life you discover all kinds of
truths – there are also truths about you and
your relationship with your family, with your
community. Your relationship with your
power, position – and the loss of it. And it is
that truthness of the Joseph story that makes
it totally relevant to the present age, as it did

for the age of our parents, grandparents and will be for our children and grandchildren as long as people have contact with Scripture.

M.M. When we were talking earlier, you said that at the end of the story there was a particular way in which you saw it. Could you tell us about that?

H.G. To me, a Jew living at the end of the twentieth century, and having personally witnessed much of the tragedy of this century, the punch-line of the Joseph story really comes after the death of Joseph. When the Book of Exodus opens we come to the story of the other kind of slavery and redemption, which, of course, is perhaps where Jewish history itself begins. The opening line is so stark, 'And there arose a new king over Egypt who knew not Joseph.' But of course he knew about Joseph! But it suited his political purpose not to know Joseph. And it is this – well, when I was much younger and fancied myself as a poet, I once wrote a poem about the Jew and a couple of lines come to mind:

> When I pleased I was applauded,
> And when I failed, I was chased
> To find a new stage for my act –
> A gambler for life . . .

Because this, too, has been paradigmatic of Jewish experience. Yes, there were times, there were periods when Jews were welcomed, were honoured and tributed – they became Egyptians, they embraced their society. And then there arises a new political wind, or a new leader. Goodness knows what the various purposes are and all that is forgotten. And so

37

you have it through the medieval period, with the expulsions, admissions, re-admissions. Certainly much of the history of this country is characterised by that – think of the eleventh and twelfth centuries and then that terrible 1290[1] . . . and then the re-admission. This is true in so much of Europe and so much of other parts of the world as well. And then in the modern period we think of Germany and Austria, Hungary, Poland, Czechoslovakia, or, for that matter, France and then Western Europe as well. And the enormous contribution the Jews so gladly and enthusiastically make in the nineteenth century as it moves to the modern, industrial, scientific era. You have to think only of people like Sigmund Freud, Albert Einstein and the host of quite brilliant people who believe that they are building there the Kingdom of God. 'And there arises a new king . . .' over that part of the world who, of course, knows all that, but denies it, distorts it, makes it ugly, turns it into not just a sword, but into gas chambers and, in fact, if ever the twentieth century will be characterised, I suspect that one of its characteristics will be that it was the century of the refugee, and not just a Jewish phenomenon, it's a universal phenomenon. And you look beneath any sort of great refugee story and you will find that there has been a new king that arose over this or that country and suddenly all sorts of people, who are secure, safe, productive, find themselves marching along

[1] 1290 is the date of the expulsion of the Jews from England during the reign of Edward I. They were not officially re-admitted until 1656 under Oliver Cromwell.

roads to . . . where? Some to oblivion. Some to new life.

And going back to our story, in a way the Joseph story is necessary, and is the curtain-raiser for the great drama of the Exodus. And there, of course, the purpose of God is more clearly visible, and it is about not just slavery, but also redemption and it is the possibility of redemption that I believe is the thing that keeps us going. In our tradition the Festival of Passover marks, celebrates, commemorates the Exodus story. And we speak in our tradition of two kinds of Passovers. There is the Passover of the Past – which is the Exodus from Egypt – but we also cherish a vision of a Passover of the Future and that will be ultimate redemption, when, as the prophet said, 'They shall no longer hurt nor destroy in my mountain, but the earth shall be covered with knowledge of the Lord as the waters cover the sea'. And again the double image: there are waters that cover the sea, which can be very destructive as well as saving – as the crossing of the Red Sea – but there is the image of that other sea, which is the knowledge of the Lord, and when that happens, that is when the Joseph story will be ultimately fulfilled and that will be universal redemption and universal peace.

M.M. So do you think that the brotherhood which comes in at the end of the story and the renewed brotherhood is a sign that this will be the case in the future?

H.G. Yes, and then again, a little bit no. Because you know the Bible is an extraordinarily truthful document. You know, after the great manifestation of their love for each other and

39

everything is now fine, look at the end of the Book of Genesis and when Jacob dies, whom all the brothers had seen as their protector, these brothers actually think, 'Well, wait a minute, maybe now that our father isn't there any more, Joseph will be the kid that we still remember.' And then you have Joseph in his fullest dimensions. He says, 'Now don't be afraid. . .'. He understands perfectly well their anxiety. 'It is not you who sold me into Egypt. It was God's purpose and, as it turns out, what happened to me was to save life'. And that too is a great Jewish theme – always this business about saving life.

## Suggestions for Further Reading

**A.** Group leaders should read chapter 6 of *The Hidden Word – Your Story in Scripture*.
**B.** Apart from the text of Scripture (Genesis 37–50), which should be read slowly several times to absorb the imagery and the patterns of irony, there is little alternative to reading *Joseph and His Brothers* by Thomas Mann, the epic novel mentioned by Rabbi Gryn in his talk. It is available in Penguin.

For those who want to go further essential reading is *The Man Who Wrestled With God* by John A. Sanford, a very illuminating study using a Jungian approach (revised ed. 1987, Paulist Press). The book also includes studies of Jacob, Moses, and Adam and Eve which are equally illuminating. The chapter on Joseph in *The Book of God* by Gabriel Josipovici (Yale) has helped me a great deal, as has the section in *The Book of J* by Bloom and Rosenberg (Faber), although not everything Harold Bloom says has been accepted by other scholars. In thinking about the issues raised in question 5 below group leaders may find *The Difference in Being a Christian Today* by John Robinson (SCM) helpful.

## Things To Do

The group should choose to tackle those questions or exercises on this list which are of particular interest to them. They may, of course, find other ways of engaging with the theme which are not mentioned here.

1. Members of the group should be asked to read the Joseph story (Genesis 37–50) before coming to the session as it is too long to read during the evening. However extracts should be read, perhaps chapters 37 and 44–5. What are *your* reactions to this story?

2. Try to pick out some of the repeated themes of the story (what are called *leitmotiven*), such as *deceit, favouritism, 'bowing down'*, and see how they are used differently at different points in the narrative.

3. Think of somebody you know who has followed the same or a similar personal development that Joseph followed (i.e. from vanity to powerful compassion) and tell the group about him or her.

4. Rabbi Gryn asks, 'Do you have to perfect creation by way of toil and trouble and distress?' What do you think?

5. Rabbi Gryn pointed out how Joseph became an assimilated Jew in Egypt. Is assimilation into the prevailing culture just a Jewish problem? Think of different *Christian* groupings

who have resisted assimilation to the prevailing culture (e.g. Amish, Hutterites, monastic communities). Are they right? On paper let each person make a list of those Christian attitudes or beliefs which they think should *never* be abandoned, whatever circumstances Christians find themselves in, then spend some time comparing your lists and drawing up a list which is common to the group. What attitudes or beliefs do Christians have which are *not* part of our present society? Apart from going to church what makes us different? You might like to think about such things as abortion, sexual morality, attitudes to money etc.

6. 'It is the righteous who have a troubled life'. What do you think the word 'righteous' means? Do you expect trouble because you call yourselves 'righteous'?

7. 'We are not born perfect, but with all the weaknesses with which humans are endowed'. Are there experiences which members of the group can share which echo this? Why is it an important insight?

8. The Joseph story, as Rabbi Gryn points out, is a story which looks towards the restoration of brotherhood. Members of the group should tell stories from their own lives when brotherhood has been broken and restored. Compare these stories with the Joseph story. Afterwards spend some time in silent thanksgiving.

9. Suggest ways in which brotherhood between Jews and Christians might be restored.

10. The word 'redemption' is important in the Joseph story. Write down as many words as you can which are associated with the word redemption. Each member of the group should then select one of these words and tell a story

from their own experience of how it has meaning for them.

Use this prayer after your discussion:

O God,
Giver of Life
Bearer of Pain
Maker of Love,
you are able to accept in us what we
cannot even acknowledge;
you are able to name in us what we
cannot bear to speak of;
you are able to hold in your memory
what we have tried to forget;
you are able to hold out to us the
glory that we cannot conceive of.
Reconcile us through your cross to
all that we have rejected in ourselves,
that we may find no part of your creation
to be alien or strange to us, and that we ourselves
may be made whole.

Through Jesus Christ, our lover and our friend.
Amen.

*Janet Morley*

# Session 3

# 'A Space Within Which God Can Act'

## (Living the Beatitudes)

## *with Sister Carol* CHN

My attention kept being distracted by the small birds which came to perch on the birdfeeder stuck on the outside of the window. There was a constant stream of them – blue tits most often, but also bullfinches and great tits – and every so often Carol would get up and replenish the feeder with cereal. They stopped me concentrating on the interview. Another distraction was the view beyond the birdfeeder – a long sweep of the North Devon coast with the cliffs falling down to the sea far below. It was incredibly beautiful. Then Carol added another distraction. 'This was Jack Winslow's room', she said. Jack Winslow was an early chaplain of Lee Abbey, for that was where we were. I fell into a bit of a reverie thinking about this man who had gone to India and under the influence of the ashram in which he stayed, had returned to help bring this place into being, a hospitable, open, Christian community where men and women could live and work and grow together in fellowship and peace.

We were supposed to be interviewing Sister Carol about the Beatitudes, but with such a view to look at, such friendly birds so near and the memories of Jack Winslow so close, it became, at first, very difficult. We had to force ourselves to get on with the job. But then I realised that what we were experiencing was not so very far from the Beatitudes themselves. The room we were in was one which spoke very profoundly of the abandonment of the struggle to be anything in this world and of the pure delight which human beings can experience before God. The view, the presence of the birds and the spirit of Jack Winslow all gave a blessing – a Beatitude – which we, in our turn, were asked to accept in simplicity. This was what Jesus had spoken of and it wasn't two thousand years old, it was now. We had stumbled across it again as so many people have done in the history of the Church. Then Carol began to speak about it. She said,

> I suppose the Beatitude that strikes me most strongly is the first one, which is 'Blessed are the poor in spirit' and it's perhaps the one that religious need to take most note of because we are supposed to be spiritual experts – it's a trap religious can fall into. I love it because it's really saying blessed are those who are beggars, who've got nothing, including no spiritual stockpile of their own as it were, that I am completely poor and totally dependent on God for my life in the Spirit. It's the Beatitude that is the opposite from being proud, from having confidence in being a spiritual or religious person. It says simply I am a human being in all my poverty standing before God and totally dependent upon him in every respect. It strips away from me my need to compete in the spiritual world, to be good at being religious.

This was a bit of a surprising start because Sister Carol is herself a member of a religious order – an Anglican order of women called the Community of the Holy Name. She has taken upon herself the three traditional vows of the religious life – poverty, celibacy and obedience – vows which sound terribly negative, but which are really signs of a total abandonment to God. She wears a habit, and is pleased to do so because she believes it is a sign in the world of the need for abandonment to God. But as these opening words demonstrated she is far from being unrealistic or pious about the life she leads. She is currently living with the Lee Abbey Community as 'religious in residence', sharing in the work of wel-

48

coming hundreds of guests to a Christian conference and holiday centre. She is surrounded by young people and obviously enjoys that part of her work. She told us that she had just been part of a comedy sketch where she had had to replace her habit with something much less sedate! As I listened to her talk I felt that she was somebody who had found a lot of joy in her abandonment to God. She was *living* the Beatitudes. But, I thought, what about the ordinary Christian struggling to understand and live out what Jesus said? Surely you don't have to become a nun or a monk in order to live out the Beatitudes? I asked her how ordinary people could live these sayings of Jesus. She replied,

> It seems to me that the Beatitudes are very much about the human condition, although it's true that religious take a particular vow to be poor – that is not to have worldly possessions and so that underlines that first Beatitude. Its deeper meaning, I am sure, is about being empty within to receive the fullness of God and that's possible for any human being. . . . Any human being in the course of their life can come to a point of realisation that they really are, in one sense, nothing, and that God is all and that their nothingness is a blessing, because then God can fill their emptiness with his richness.

I had a New Testament open on my knees and as we talked was following the text of the Beatitudes. I wondered, as Carol was speaking about the human experience of poverty, if this led on to the second Beatitude where Jesus says, 'Blessed are those who mourn, for they shall be comforted'. Certainly 'mourning' was part of the human condition Carol was talking about, but how could *mourning* be a blessing? In her reply Carol spoke of how, instead of being a place of affliction, mourning '. . . can be the place again where we are open to receive the consolation of God.' The words she used reminded me of a phrase that I had come across in a book about the Beatitudes which I had read during a retreat I had made with the monks of Taizé in Burgundy some years ago. The writer had said that we must become 'a space within which God can act'. Carol put it in her own way. She said,

> I suppose it is that human relationships are what give meaning and heart to our life and when we lose a beloved person some of the meaning is taken out of life and the future looks less rich. That is the point at which I am beginning, I think, just beginning to see that here, when we have got *that space hollowed out within us*, [my italics] the comforting love of God can come towards us and it's something beyond our human comprehension. It's something coming towards us from God to fill the emptiness and God is the ultimate meaning in life, and sometimes I think we have to have a sense of meaninglessness before we can really discover that it is God who is the centre . . . It doesn't have to be just loss of a person. It can be all kinds of loss – loss of place, loss of a particular job. All these things can show us something of our mortality and cause us to look beyond.

I said to Carol that I found all that very important and helpful but that nowadays we were faced, as part of the human condition, with loss on a grand scale. Whole countries, whole peoples, whole regions were devastated by war or by famine. This was very much part of our twentieth century consciousness and Christians had to have something to say to that. Can this Beatitude about mourning help? Carol thought it could.

It's often only as we experience something painful in our own lives that our hearts become broken open and as they become broken open we become more sensitive to the pain of others and to the pain of the world. I have found it quite useful when I have this sense of loss and desolation to make it intercession, direct it Godward, hold on to God through it so that it becomes a prayer for people the world over who are suffering loss or bereavement. My little bit of experience can open me up so I can share in part of the world's pain and anguish and loss. To that extent it's also, I think, a blessing. St Benedict says that we must learn in the monastic life 'to run with hearts enlarged'. That's a rather strange phrase for our day but I think it means that our hearts have to be broken open so that they can be big enough to contain something of the compassion of God for the world . . .

At this point in our conversation it was becoming clear to me that what Sister Carol saw in the Beatitudes was something to do with the centrality of God and with living life with God constantly at the centre. When we discussed the Beatitude which speaks about purity of heart – 'How blessed are those whose hearts are pure' – Carol told me of a conversation she had had on a train with a young woman who was going off to spend the weekend in a Buddhist monastery. Buddhists, she said, talk about 'single-

51

mindedness or one-pointedness, and it seems to me that purity of heart is something to do with that, being completely single-minded for God, having a single focus, a single eye for God's glory.' Looked at in this light the Beatitude about being pure of heart was not about purity of morals, being morally upright and so on, but about having what Carol called 'a focus on God alone'. If that was the case, she implied, then everything else would follow. Carol was clear that this 'single-mindedness' was at the heart of the vocation to be a monk or a nun. The consequence was that this life was not one of denial but of abandonment to the blessing of God – it was a parable of the Beatitudes. But she also made it clear that whereas not everybody is called to the *formal* religious life, *everybody*, married or single, rich or poor, powerful or not, is called to live out the same ideals in their own way in their own place and within their own limitations.

We talked about this in connection with the other Beatitudes, the one about peace, the one about hungering and thirsting to see right prevail and the one about mercy, seeing how each one of them raised the issue of how to live religious lives in the modern world where peace, justice and mercy were apparently in very short supply. All of these attributes, she was saying, come from God and will be apparent in our lives when we live for God alone first of all. We have to live 'one-pointedly', for God first, and then all these things will be added unto us.

Carol emphasised all of this towards the end of our conversation when I asked her what she thought was the essence of the Beatitudes. I had remembered that both Matthew and Luke's Gospel contain the Beatitudes and in each case there are some differences. Obviously the two Gospel writers saw different things in what Jesus said and wrote them up with different emphases. There was nothing wrong with this because each of us then has our own favourite Beatitude and our own view of what is the most important of these sayings. What did Carol think was the essential point of what Jesus was saying?

I think I would probably use the word dependence. They all point to our being dependent upon God alone. They all point to a place where we recognise our true state about what we are really like – stumbling, fallible creatures and it's to get to that place of emptiness where we recognise God's overwhelming generosity. The Beatitudes are incredibly releasing. They set us free from all attempts to be top of the class, really and allow God to be top of the class. So perhaps the other word along with dependence is really humility – blessed word – to recognise our own imperfections so that God's perfection becomes all in all in us. So, a message of great hope really for those of us who are feeling we are having the rough side, or that we are not doing very well. They say it doesn't depend on us it depends on God . . .

My last question to Carol was a question about how the Beatitudes sound to a modern person. I wondered whether they might not sound just a bit masochistic, as if we were trying to beat ourselves to death in order to get to God. Wouldn't they sound, I said, as if we've got to *be* persecuted or *be* mourning if we are to be anywhere near God? Did she have an answer for people who reacted to them in that way? This is how we ended the conversation.

SR     Perhaps a parallel is that people sometimes
CAROL  say to me, how on earth could I be a religious
because you give up so many things, things
that, for a lot of people, make life worth
living. But that is not primary. What is primary is that you are laid hold of by God and
that you run to the source of your joy and in
the light of that the other things don't exactly
disappear, but they become bearable because
of what has been grasped.

M.M.    So even though the word isn't there, one of
the essential words behind the Beatitudes is
joy, and rejoicing?

SR     I would think so. Happiness I find a difficult
CAROL  word, but joy, blessedness, something like
that . . .

*Suggestions for Further Reading*

**A.** Group leaders at least should read chapter 7 of
*The Hidden Word – Your Story in Scripture*.
**B.** A very helpful commentary on the Beatitudes
is to be found in *The Good News According to
Matthew* by Eduard Schweizer (SPCK). There is a
classic discussion in *The Cost of Discipleship* by
Dietrich Bonhoeffer (SCM Press) and the most wonderful series of meditations in *Reflections on the
Beatitudes* by Simon Tugwell (DLT), although this
last involves serious reading! The spirit of the Beatitudes for modern men and women is probably best
found in *Parable of Community* by Brother Roger
of Taizé (Mowbrays) or *The Genesee Diary: Report
from a Trappist Monastery* by Henri Nouwen
(Doubleday).

**Things to Do**

The group should choose to tackle those questions or exercises on this list which are of particular interest to them. They may, of course, find other ways of engaging with the theme which are not mentioned here.

1.  Read the two versions of the Beatitudes (Matthew 5:1–12 and Luke 6:17–26) or listen to them on the tape which accompanies this study guide. Talk about the differences and similarities between the two versions. Why do you think they are different? Which of the two versions means most to you?

2.  When somebody says 'bless you' what do they mean? Look up some of the references to 'blessing' in the Old Testament (e.g. Deuteronomy 28:1ff; Psalms 1:1, 84:4–6, 128:1; Ecclesiasticus 25:7–10 etc.). What does 'blessed' mean in these verses? What did Jesus mean by 'blessed'?

3.  'Blessed are you poor' (Luke 6:20). In the light of current world economic conditions what can this possibly mean to people in poor countries?

4.  The phrase of St Benedict referred to by Sister Carol, 'We must run with hearts enlarged', comes from the Prologue to the Rule of St Benedict. The full version, in a recent translation, reads,

> But if for adequate reason . . . some degree of restraint is laid down, do not . . . run away from the way of salvation, for its beginning must needs be difficult. On the contrary, through the continual practice of monastic observance and the life of faith, our hearts are opened wide, and the way of God's com-

mandments is run in a sweetness of love that
is beyond words.

Share with the others in your group ways in
which your heart has been 'opened wide' and
you have been able to follow God's way.
5.  Think of two or three words (no more!) which
    sum up the Beatitudes for you. Write them
    down. How do you see these words at work in
    the life of your local Christian community?
6.  What is your favourite Beatitude? Why does it
    mean so much to you? If you are in a group tell
    them what you think.
7.  Sister Carol finds the Beatitude about 'mercy'
    the most difficult. Which Beatitude do *you* find
    most difficult? Why do you think that is? Tell
    the group about it.
8.  Think of somebody you know or have heard
    about who lives out the spirit of the Beatitudes
    most. Tell the others in the group about this
    person.
9.  Imagine that your group is going to form 'The
    Community of the Beatitudes'. Draw up a short
    rule of life for this new community.


Use this prayer at the end of your discussion or
reflection:

   God, give me the strength that waits upon you
       in silence and peace;
   Give me the humility in which alone is rest, and
       deliver me from pride which is the heaviest
       of burdens;
   And possess my whole heart and soul with the
       simplicity of love.  ·

                                    *Thomas Merton*

# Session 4

# 'Let God Be God in You'

## (Living Paul's Letter to the Romans)

## *With Gerard W. Hughes* SJ

Most people do not readily think that the Letter of Paul to the Romans is part of their story. It is a difficult book, and people do not find it easy to understand. If we think about the Letter to the Romans we think of it as a book the theologians argue over, not as a book which has a special place in our religious experience. Moreover, the popular image of St Paul himself is of a rather negative man who put the teaching of Jesus into a strait-jacket. He was the one, so people think, who gave rules to the growing Christian churches around the Mediterranean, who stopped women from speaking in church and who introduced the idea of sin into the Christian tradition in such a way that we have hardly been free of it since. And so for reasons like these Paul and his Letter to the Romans are not part of our story. We find more inspiration elsewhere in the New Testament, particularly in the Gospels.

Nevertheless Paul's letters *are* part of the Christian Scriptures and the Letter to the Romans has been immensely influential at various points in Christian history. It was very important to Martin Luther and so became a source book for the thinking of the Reformation. So are we moderns missing something? Does Romans contain hidden truths? Could it be that we have perceived it wrongly? Some of the books I have read recently about Paul and his thinking led me to suspect that perhaps we had, and that what he was really saying was very relevant to the problems of our own day, particularly the problems of living in a multi-faith and interdenominational religious culture such as exists today in Britain and many other European countries.

So in order to see if some of the difficulties of reading Paul's famous letter in the twentieth century might be overcome I went to talk to Father Gerard Hughes, the Jesuit priest who wrote *God of Sur-*

*prises*. This was the book which, apparently much to Father Gerry's own surprise, won the Collins Religious Book Prize in 1987 and which has sold thousands of copies since. Here, I thought, was a popular religious writer and speaker who had done much to make God accessible to ordinary, searching people. Surely he would be able to help us bring St Paul and the Letter to the Romans back into the possession of ordinary people?

So we drove to Birmingham and talked to Father Gerry in one of the rooms of the Jesuit Novitiate House where he lives. The novices, over twenty of them, were out for the day and so we had the place practically to ourselves. After a simple lunch we sat down in a corner to talk. Father Gerry is a quiet, softly spoken man who seems to grasp what you are trying to say long before you have had time to formulate it properly. Over lunch he had listened carefully but it was as if he had understood my quest from the outset.

When we sat down together the first thing I did was present him with the general problem of the difficulty of the Letter to the Romans. Wasn't it a difficult book and didn't people have a great deal of trouble in knowing what it was about at the end of the day? Father Gerry agreed. He said,

> Well, it is difficult. The language is difficult, the concepts are difficult.

But then he went on to say something which, although stated in a very quiet way, was actually revolutionary. He said,

> And if you say, 'What is the book about?' – well, one thing, Paul is trying to help Jews and the new Christians – the Jewish Christians and

the new Christians – to live together without condemning one another. Also he is struggling with his own identity. Here is a Jew, but he is also a Christian and he is struggling with that.

What was remarkable about this was that this was certainly *not* how most people have understood the matter. Most people who have thought about it would, I suspect, want to say almost the opposite – that Romans is a letter in which Paul proves that the old Jewish ways have been totally superseded and that those Christians within the community who had been Jews and who wanted to maintain Jewish ways were not just old-fashioned but wrong. Paul was writing, we think, to say that such people should accept that they were justified by faith in Christ, not by the law. No 'living together' there! But here was a Catholic priest, a Jesuit, in the end somebody who ought to know, saying pretty much the opposite, namely that Romans was written to enable different sorts of Christians, those who wanted to retain Jewish ways *and* those who had never been Jews, to live together! I remembered one commentary I had read which supported this by suggesting that the situation that Paul was addressing in the church in Rome was very similar to the situation in the Methodist Church in England in the eighteenth and nineteenth centuries when the break with Anglicanism was not complete. Then newly converted Methodists had to cope with the presence of older Methodists who still had a loyalty to the Church of England. I asked Father Gerry about this. I said,

That's how Romans really started, wasn't it? Because there were people around then who were being very condemnatory about other sorts of Christians who hadn't come into the

61

faith in the same way that they had. So would you say that really Romans is an ecumenical book?

Father Gerry warmed to this and replying in the affirmative, related it to his experience of working with other Christians in the struggle for justice and peace. He said,

> Yes. It is an ecumenical book and I think that working today in the twentieth century in Britain, ecumenically, you ask about this justification question. I work with people who are active in justice and peace in some form or other and invariably the groups are of different Christian denominations. I experience in that a much closer affinity, very often between Christians of different denominations, than there is within a denomination, because the Spirit of God, that Spirit of compassion takes hold of them and, in their efforts to promote peace and justice, they are drawn together by the one God and therefore in their activity and in their prayer together they experience a unity which they do not experience when they are sitting in their separate denominations.

M.M. So really it is a question of trusting that God is at work in other people and that one of the things that Romans is talking about is that trust, not just for yourselves, but for another person's journey.

G.H. Yes, And that lovely phrase: *whenever you work with people of different denominations, of a different faith, or of no faith, always tread warily because God has been there before you.* Now when we get to heaven, I am sure we are all going to have shocks when we see whom

62

we are with because God's ways are not our ways, his thoughts are not our thoughts, but what will draw us together will be that compassion and feeling for one another. And that is not just a nice little virtue we should practise, it is of the very nature of God.

M.M. So when Paul says, 'Now there is therefore no condemnation for those who are in Christ Jesus' (Romans 8:1), he doesn't just mean that *you* are not condemned, but also he is talking about your attitude to others and not being condemnatory because God is not condemnatory. Would you say that?

G.H. Yes. We condemn ourselves and we condemn one another because we don't let God be God in us and through us.

I must admit I found this way of looking at the Letter to the Romans much more exciting and interesting than some of the explanations I had heard. Father Gerry was saying that it was really a book about living together in compassion within the Christian family and that if you press Paul to say why we should live with each other in compassion the answer is that it is *God* who justifies us, *God* who makes us righteous, not how we came into the faith, or the particular way of faith which we follow. I began to feel that the letter was about me and the state of the Church today after all. But I began to wonder what some people might be making of all this. I wondered whether they might be thinking that for the sake of something rather vague called 'compassion' we had thrown away what was essentially Christian in our faith. When I asked Father Gerry about this he clearly disagreed and answered from within a very profound appreciation of what St

Paul was saying in the Letter to the Romans. I put my question like this,

> Gerry, I think a number of people listening to you might say, 'Well, this sounds that all you need to be is compassionate and it really doesn't matter whether you have got any *particular* religious faith'. How do you answer that?

He said, quite strongly,

> Well, when you say all that matters is to be compassionate, I think it matters so much . . . In fact we get so preoccupied with myself, my ego, the way I look upon myself etc., it is extraordinarily difficult to be compassionate and that people find, as so many have found, that, for example, they found religion wasn't helping them, they've given up religion, they don't go to church any more, but God is still at work in them. They feel compassion for their neighbour, it might be housing the homeless, or it might be working for peace and justice in some other area. As they do this, they begin to experience the difficulty in themselves really of being compassionate; the difficulty of being peaceful within oneself; the difficulty of being *just* within one's own immediate circle. And as they come up against this, they realise more and more their own powerlessness and helplessness. It is what Paul is on at in Romans 7. This principle of sin at work in me – they become aware of this, they know they need something more, they need something, some help, and religion then starts speaking to them because they have touched

their own inner helplessness. They are really grasping Paul's message of Romans: 'Your righteousness does not come from your achievements or your own merits. It is a free gift of God' (Romans 5). And with so many people it is only when they are on their knees, having failed in so many things, that they begin to realise the truth of that message. I cannot earn justification, I cannot merit it and I can't work to secure it. I can only receive it. But, as I try to obey the promptings of compassion within me, then I realise my need – my total need – of this help from one who is greater than I.

By this time I really knew that Romans was my book, if only because I knew how often in my life I had tried to be right and had used my actions, my qualifications, my religion even, to justify myself. Indeed, that word, 'justify' and the noun, 'justification', which Father Gerry had used then, was a common word in Paul's language. Why was it so important? What did it mean? I asked Father Gerry. He said,

Justification means being in a right relationship with God, which therefore means being in a right relationship with one's fellow human beings and in a right relationship with creation.

M.M. How do you think people can tell whether they are in this right relationship?

G.H. One brief answer is: 'We can't'. To be in a right relationship with God, Paul, in Romans, is emphasising – again and again – it is not enough to be descended from Abraham to be assured of being in a right relationship with God. It is not enough to be an observer of the

Law to be in a right relationship with God. In other words, there is no sort of external litmus paper test which you can find which I can then do and say: 'Oh good! I am in a right relationship with God'.

Then Father Gerry went on to say some very remarkable and important things.

I am a Roman Catholic, a priest and a Jesuit. I don't think that the fact that I am a Roman Catholic, that I am a priest, that I am a Jesuit, is any sign of justification, or, rather, is any guarantee of justification. There is an ancient counsel of the Church which, I remember, when I first read it, depressed me no end. It said, 'No one can be sure of their salvation'. But, on reflection, I am sure that the statement is true because, if we could be sure – by some external criterion – then, as it were, we wouldn't need trust in God. It's trust. We have to trust that we are called by God. We have to trust that we are with him – we can't see him, we can't touch him. But in that trusting, there grows a kind of inner knowing that God is there, even though at another level of my being I can be full of uncertainty, doubts, anxieties. If you think of life as a pilgrimage, it's a pilgrimage of trust and that trust enables one to go into the unknown territory, to go through crises etc., and to know that it is all right – he is leading us.

M.M. This isn't the way that most people think about religion. Most people think that, if they have become a Christian, then they are sure of their salvation and that the Christianity in their faith

66

gives them this surety. What do you say about that?

G.H. I would say, *read Romans* because it is not these outer things – these outer things are very important, but they cannot give us that inner – only God justifies, God alone justifies, God alone saves and it is only in God that we can have the assurance.

When Father Gerry mentioned 'assurance' I was reminded of a hymn I used to sing as a young Christian – 'Blessed assurance, Jesus is mine . . .'; but I was also reminded of some present-day young Christians who claim to have found in their new faith an assurance of freedom from sin. We talked about such people and Father Gerry said,

If I met anyone who was sure that they were free from sin, I should feel uneasy because again Paul is so helpful in Romans. The more one lives in trust that God is my ultimate reality – he is the ground of my being – the more one lives in that trust the more one begins to see our own life – the pettiness of it, the weakness of it and the malice of it too. So that the growth in trust shows up our own sinfulness. But any thought that I am justified and therefore there is no sin in me, that I am pretty sure, is an illusion.

M.M. What do you think sin really is then?

G.H. One description of sin, which I find very helpful, is – *sin is not letting God be God to us and through us*. What is God like? In the Old Testament, if you were to pick out the one outstanding quality of God constantly emphasised, it is his compassion for his creation. He is a God who loves his creation. . . . And therefore sin is not letting God be the God of compassion *to me* – and that again, you see, we sin in our very Christian activity. Do I see God as the God of compassion to me, or do I see God as the God who is judge? And therefore do I live in a constant state of guilt and uneasiness because the judge is out to get at me? Or do I walk with a God who has compassion with my weakness, who understands it and a God who is compassionate with all his creation and therefore Jesus, in whom God lives, said, 'Condemn no one'?

At this point we were back to compassion and back to how the Letter to the Romans came to be written in the first place.

As we drove away from Birmingham I reflected on the interview, and particularly on the remarkable way in which Father Gerry Hughes had made the meaning of the Letter to the Romans his own. He is, as he said, a Catholic, a priest and a Jesuit. But he doesn't hold that to be an advantage. Above all he has allowed God to be God to him and so encouraged countless others – of all denominations – to allow God to be God to them.

*Suggestions for Further Reading*

**A.** Group leaders at least should read chapter 8 of *The Hidden Word – Your Story in Scripture*.

**B.** There are a large number of commentaries on the Epistle to the Romans, so great care should be exercised in choosing one to follow. The best one for the ordinary reader is *Paul's Letter to the Romans* by John Ziesler (SCM Press). A very good little book which is like a commentary but does not have all of the academic details is *Wrestling With Romans* by John Robinson (SCM Press). Two other books which are very readable and which correct the mistakes of past interpretations are: *Paul* by E. P. Sanders (OUP Past Masters Series) – this is really a little masterpiece and very easy to read – and *Paul* by the popular Dutch Dominican writer Lucas Grollenberg (SCM Press). Those who are engaged in preaching and who are aware of the anti-Semitism which some of the Christian tradition contains will find much help in *Interpreting Difficult Texts: Anti-Judaism and Christian Preaching* by Williamson and Allen (SCM). It contains a section on how to preach on Romans 7.

**Things To Do**

The group should choose to tackle those questions or exercises on this list which are of particular interest to them. They may, of course, find other ways of engaging with the theme which are not mentioned here.

1.  Before coming to your group read through slowly some of the sections of Paul's Letter to the Romans (e.g. 1:18–3:31 then 5:1–6:11). What do these passages mean to you? Share your reactions in the group.
2.  Perform this little 'rôle play': try to imagine that you are a member of the congregation in Rome to which Paul has written this letter. In your group allocate different rôles to each other (e.g. a Jewish Christian who has been exiled from Rome but has just returned to find the church full of non-Jewish Christians; a newly converted Christian who has never been

69

a Jew; another new Christian who believes entirely in 'the Spirit' as his/her guide to behaviour; someone who believes in keeping all the Jewish food laws; another who does not (see chapter 14); another who is deeply concerned with morality (described in 2:17–21) and so on. Imagine that your pastor has just read Paul's letter to you from the pulpit on Sunday and has divided you into discussion groups to give your reaction. Act out your response for 15 minutes. Does Paul provide a way forward for your church?

3. Think about the different sorts of Christians in your own congregation or in your national Church. Imagine you are a latter-day St Paul. What would you say to them to keep them respecting each other? Agree on three points *your* 'Letter to the. . . .' would contain.

4. Look up the words 'justify' and 'justification' in the Letter to the Romans (e.g. 3:23ff, 5:11, 5:15–21 etc.). What do you think Paul meant when he used that word? Are all the different Christian ways to God equally 'justified'? If not, why not?

5. In the interview Father Gerry Hughes said that *compassion* was the essence of God's nature. Think of somebody or some group who has had compassion on *you*. What difference did it make? Tell the group about it. What makes 'living together in compassion' so difficult? What can we do about it?

6. Read chapter 6:5–22. Paul thinks that human life is lived under the sway of one power or another, either in God's sphere of power or in the sphere of the power of sin. Is this image outdated now? Can human beings be domi-

nated by the power of sin? Give concrete examples.

7.  In what ways is Father Hughes' definition – 'Sin is not letting God be God to us and through us' – helpful to the members of the group? What other definitions of sin have the group come across? Discuss them.

8.  List the reasons why human beings need moral codes. Then think of somebody who has decided that 'being in Christ' has compelled him or her to break or change the prevailing moral code. Discuss why they felt compelled to do this. Think of occasions when *you* have been in a similar situation. What did you do? Why?

9.  'Life is a pilgrimage of trust and that enables one to go into unknown territory . . . to go through crises etc . . . and to know that it is alright . . .' What incidents can members of the group think of where this has been true for them? How were they able to trust that it was God who was leading them?

10. How has God been compassionate with you?


Say this prayer together:

Lord Christ,
the mystery of your presence is beyond price,
and mysterious is the road on which you wait to
lead us to the Father.
Even when we understand so little of your life,
your Spirit who dwells in our hearts
makes God comprehensible to us.
And so you work a miracle:
you make us into living stones in your body,
your Church.

71

O Christ,
you are love, and you do not want us to be judges
who stand on the outside and condemn,
but rather leaven in the dough of every community,
and of the human family – a ferment able to raise
the enormous weight of all that has become stiff
and hardened.
Amen.

*Brother Roger of Taizé*

# Session 5

# 'In the Most Surprising Places'

## (Living the Gospel of Luke)

## *with James Jones*

It was five years since I had seen James Jones. We had worked in neighbouring parishes in Bristol. He is now a well established writer and broadcaster and has produced a number of well-received religious books. When we met he was in the course of giving a number of radio broadcasts every Saturday morning on Radio Four's *Thought for the Day*. He had also moved from Bristol and is now the vicar of a large church in South London – Emmanuel, Croydon.

I had asked to talk to him about St Luke's Gospel. The reason was that I remembered James had been someone who, in his ministry as a priest, always remained very close to people's religious experience. He is from the evangelical tradition in the Church of England and has tried to marry that tradition, with its strong emphasis on biblical preaching and clearly defined doctrine, to the contemporary emphasis on the importance of personal experience and life in the Spirit.

St Luke was somebody for whom this 'life in the Spirit' mattered tremendously. In many ways his is the Gospel of the Holy Spirit. Indeed, it is full of 'spiritual moments', occasions when the disciples come to 'see' what is happening to them and, like Jesus, 'full of the Spirit' decide upon a course of action. In my reading of the Gospel – and of the Acts of the Apostles – I had come to the conclusion that these 'spiritual moments', or 'magic moments' as we might call them, had a pattern to them. This pattern is broadly the same at whatever point in the Gospel the moment occurs, whether it be the recognition of Jesus as the Messiah of God by Peter in chapter 9 or the recognition of the stranger's true identity by the two on the Emmaus road in chapter 24. For Luke these moments are 'openings', both opening us to the presence and reality of the divine and providing an opening through which God uplifts and empowers his people. The pattern of these moments is the same. They involve the participants in a moment of recognition and accompanying that recognition there is always an acknowledgement of the inevitability of the cross. The recognition happens in the context of the breaking of bread and, once the recognition has occurred and been acknowledged, 'the recognisers' are swept up into the wind of the Spirit of God. And there is often a reference to Jerusalem, the focal point of God's dealings with humankind where that long drama is played out through the crucifixion and resurrection of Jesus. So there is a pattern of *recognition, feeding, commissioning* and then a movement in *response to the Spirit of God*.

When I found this pattern in Luke's writing the first thing I wondered was whether or not this was all past history. Did it just happen to the disciples or could it be a pattern which could unfold for us now? Could these 'spiritual moments' be ours? Were they even now no more than a part of history, or did things still happen like that? James was one of the people I turned to as I sought to answer this question. His reading of people's current spiritual experience was very close.

We began by talking about *his* early religious experiences. He told me how he had gone to a military boarding school where even the uniform was battle dress and they marched to every meal! In the chapel they had a succession of preachers who had a considerable effect upon him. He told me,

> I remember one Saturday night going into the chapel and kneeling down at the altar rail and asking Christ to come to me. I was around fourteen or fifteen at the time. I was over-

whelmed with a sense of joy and I remember wanting to dance back to my boarding house across the playing fields, but, as you can imagine, dancing across playing fields in a boy's military boarding school wasn't exactly the thing to do, so I stifled this desire. But when I got up to university I came across people from the Christian Union who told me that you couldn't be a Christian unless you were born again and this really mystified me. I remember going back to my room in hall and kneeling by my bed and saying to God, 'Lord, I am sure I am a Christian. I have no doubt about that; but I just do not understand what they are telling me about this being born again'. And as I prayed, into my mind very clearly came this moment when I *had* knelt at the altar rail and asked Christ to come to me. And I think that also was a very important stage of my own spiritual growth.

I had, of course, told James that I wanted to interview him because people would be studying the moments of recognition which I found in St Luke's Gospel and the common pattern that these moments displayed. I asked him whether there was any parallel in his own life. He replied,

Yes, and in particular the moments they had in and around Jerusalem because, as your book[1] points out, Jerusalem has a very special place in Luke's thinking. For him and for the disciples Jerusalem was the place of the cross and the place of the resurrection. And for me I

[1] James is referring to chapter 9 of *The Hidden Word – Your Story in Scripture*.

think the cross speaks most powerfully of forgiveness and the resurrection speaks most powerfully of Christ continuing to be with me as he was with those disciples. And so, yes, I think for me there have been moments of recognition when I have become particularly aware of God's love for me and his forgiveness and I have become particularly aware that he is with me, even in some of the most traumatic moments of my life.

What James said reminded me that in St Luke's Gospel there is a movement *to* Jerusalem, with Jesus constantly on a journey to that city, and a movement *away* from Jerusalem at the end of the Gospel when the disciples go out under the influence of the Spirit. What James was saying was that this was also a movement to and away from the cross. He said,

It is a constant daily coming back to the cross because I think we are all aware of what we are – and of what we ought to be – and of the gap between those two. And for me the cross is important because it is God telling me that he forgives me and that he accepts me as I am and not for what I would like to be because I think that very often we try to be something else – and we fail miserably – and it is always when we realise that God accepts us just as we are, that that becomes a moment of freedom.

Then I asked James what I thought was really the crucial question – about the similarity between the moments experienced by the disciples and those we experience today. I said,

Now you are the pastor of a fairly big church

in the south of London, in Croydon. Do you see the people that you minister to having similar faith journeys up to Jerusalem and moments of recognition? Is it the same for the people you minister to?

In reply, James told me a story from his experience of ministry.

Just the other day I was in my office, which is in the church, and I sensed that there was a man walking around the church and in the end he pressed the doorbell and I let him in. I could see that he was in quite a lot of distress and he said could he come in and pray, so I showed him where he could sit. After about half an hour I went through to him and I said, 'Is there any way that I can help?', and he started talking and after telling me his story, which in fact didn't differ from the story of most of us – which is the story of trying to survive, trying to do it your own way, getting to the end of your resources and then reaching out for God . . . And at the end of it, having listened to him, I asked him if he would like me to pray for him, and he said yes. So I started praying and, as I prayed, I asked that God would come to him and would forgive him and would remove all the blockages from his life to God's love and the love of other people. And afterwards he said to me, 'You know, when you prayed that God would forgive me, I didn't know that was what I needed, but the moment you said it, I knew that was exactly what I needed.' Now for him, and for countless other people, I think there is this common experience of God in his forgiveness which is vital; and yes, I do see that forgiveness coming to people and affecting their lives.

M.M. So you would say that there is a sort of fairly common pattern for people. You said the man who came into the church was like most of us, so there is a pattern for these moments of recognition?

J.J. Yes, I think you can never ever predict when they are going to happen – that's the problem. You can't sit in a chair and conjure it up and say, 'Right, now Lord, let's have this moment of revelation!' – because, in fact, that's what it is, you see, it is a moment of revelation; it's not a moment of discovery. And the difference between discovery and revelation is that discovery is person-driven and revelation is grace. It is God, for no apparent reason at all that we can see, giving us this moment of recognition, opening our eyes to see Jesus, to see the truth about ourselves, to see the truth about him and his love, to see the truth about the world.

I then moved the discussion away from the moments of awareness to what happened after those moments when the disciples are commissioned and sent out into the world. I felt this was something I wanted to clarify in an age the Church was calling the Decade of Evangelisation or Evangelism. I asked James,

Now in St Luke's Gospel, when these moments are described, things happen to the disciples, they seem to be changed, or to be sent. For example the disciples are sent on their mission after the moments of recognition. And at the end of the Gospel, after the

Emmaus Road incident, the disciples run back to Jerusalem. What happens to people now? What's happened to you? What happens to the people you minister to?

James replied,

I was very taken with the book's focus on Jerusalem, to see the pivotal place it has, and it reminded me that, of course, in the Old Testament everybody is expected to come *to* Jerusalem, all the nations of the world are expected to come to Jerusalem; whereas in the New Testament everyone is sent out *from* Jerusalem to all the nations, and I think that in the Christian life there is this coming and going, that we, if you like, retreat and come back to Christ and his forgiveness and then he sends us out into the world. Now what I observe is that a lot of people do come to church on Sunday, as a retreat from the world. They come to find ointment for the wounds they have experienced in their work. But what they and the church are not very good at doing is helping people to see that when they go back into the world, Christ goes with them, which seems to me is what it is all about – the being sent out. And one of the things I am trying to do in my own church family is to help people to see that they are as much servants of God in their work as they are teaching in the Sunday School or leading a house group or whatever. And one of the things that I do myself – to try and affirm this calling that God has given them – is that I take time out of my diary about once every few months and spend a day with

81

a member of the congregation in their place of work. That does two things. Firstly it roots and earths me in my teaching ministry, in the world that I am addressing as I am teaching from the Scriptures. But secondly, I hope it is affirming people in their job that it is *that* important for the vicar to come and spend a day with them. Some wonderful things have happened to me doing that.

M.M.  So really you see the question of being sent out by Christ into the world, which comes at the end of St Luke's Gospel, not so much as being sent out in glorious missionary terms to convert the heathen, but actually sending Christians out into their place of work to find Christ alongside with them there . . . ?

J.J.  . . . and to serve, to serve people. And when you do that, then people will start coming to you with their questions, like . . . 'Well, how can you believe in a God of love when there is so much suffering in the world?' . . . 'How can you believe in miracles?' . . . 'How can you believe in things like the resurrection?' I think the church has got to be ready to answer people's questions when they start putting them. But the context for evangelism is *serving* in God's world.

I found James' emphasis on finding God in your place of work an important insight, and thought that, if we were not careful, much of the content of the many programmes of congregational renewal which were, quite rightly, being established, would undermine that insight and lead to a sort of clericalising of the laity. And it also seemed to me that this emphasis on seeing God where we were was something we had been given by St Luke to cherish. I decided to press him further on this issue and asked,

> Do you think that there are various ways in which people, in their places of work, can recognise the presence of Christ, just as the disciples recognised his presence amongst them, as portrayed in the Gospels? How do you think they *see* him where they are?

J.J.  Well, if I am to be honest, I think they don't see him at all. I think they see him in church and in the Bible study and in the Eucharist – that's all right – but I think we have a major problem that people don't see him there. When they go through the office door they have left Jesus outside. And I think we have got to re-educate ourselves theologically about where Christ is. For me, I came to see that the view of the world that I had been brought up with was rather inadequate. I think that when we talk about creation we always see it in the past tense . . . God made the world x thousands of years ago. What I have come to see is that it is not that God made the world thousands of years ago, but that God is making the world now, that he is at work in the world, that he is continuing with his creation. It is not as if he made it and then it stopped and he sent Jesus in to crank it up again. It is that he has never ceased to be at work making all things new, so that when the Scriptures tell us that 'Christ is the agent of creation . . .', 'Christ is sustaining the whole of creation . . .', that '. . . all creation was through him and for him', it is giving us a picture of God still at work in his world. It is a bit like those spinning tops that my three young children loved playing with, where you just had to keep pumping the energy into the spinning top to make it do what it was meant to do, which was to hum and whirl around. And creation is like that, that God is continuing all of the time to supply the energy for creation to hold together, to cohere, and that if God ceased that, ceased to will it, then it would all implode like a sort of bursting light bulb. And if we have that view of creation then we can understand that God is Lord of the *workplace* as well as the church. And it is that sort of theological thinking that needs to influence us much more.

M.M. So you would say that if we are to recognise Christ now then we shall have to recognise his presence with us in the world where we are.

J.J. Yes, and of course that is the thrust of that remarkable passage towards the end of St Matthew's Gospel where he says that you will find him in the most surprising places, amongst the poor and the outcast, the distressed, the prisoner. I think that was a shock for people when they heard him say that. And it is probably still a shock. We read these passages in church with such bland voices that we don't understand what Jesus is saying – that he can be found in the most surprising places.

*Suggestions for Further Reading*

**A.** Group leaders at least should read chapter 9 of *The Hidden Word – Your Story in Scripture*.
**B.** I feel quite strongly that there is no substitute for reading the text of Luke's Gospel itself. It is not very long, the equivalent of only two or three chap-

ters of a paperback novel, and if you read all of it slowly several times you will naturally soak up all of the patterns and images which it contains.

If you want a commentary then use the little Penguin commentary by John Fenton or the excellent one by Eduard Schweizer (SPCK). An important study is that by John Drury entitled *Tradition and Design in Luke's Gospel* (DLT) which is summarised and brought up to date in the beautiful chapter on Luke by the same author in *The Literary Guide to the Bible* (Fontana). Those who really want to investigate religious experience should read *Easter in Ordinary* by Nicholas Lash (SCM).

James Jones' latest book is *Falling into Grace* (DLT).

**Things To Do**

The group should choose to tackle those questions or exercises on this list which are of particular interest to them. They may, of course, find other ways of engaging with the theme which are not mentioned here.

1.  Read slowly through Luke 9:1–10:24. What does this passage mean to you? Share your reactions with the group.
2.  Read slowly through Luke 24:13–35. What does this passage mean to you? Can you find any similarities between it and the passage in question 1? Talk about it amongst yourselves in the group.
3.  Try to think of some other events or parables in Luke's Gospel when a moment of recognition or deep awareness took place. Here are a few

possibilities: 2:8–10; 2:25–32; 3:21–2; 8:9–17; 12:35–40; 15:11–32. Try and find others.

4. Give each member of the group a large sheet of paper (A3 size is best) and two felt-tip pens of different colours. Tell them that the left-hand edge of the sheet represents the day they were born while the right-hand edge is today. Ask them to draw a line like a graph across the page which represents their experience of life from infancy until now. When life was good the line should go up, when it was bad the line should go down. They can mark the high and low points with a few words (e.g. 'had first child' or 'lost my job'). It helps to discuss this in pairs or, if you prefer, with the whole group.

With the second pen they should draw a second line, on the same sheet. This time the line represents how close they felt to God. When in their life they felt close to God the line should go up, when they felt that God was absent or non-existent, the line should go down. Again different points can be annotated and again the experience should be shared. The way in which the two lines diverge or come together through the same experiences should be noted. At the end spend some time in thankful prayer.

If this exercise is attempted the group, and in particular the leader, should be aware of any individual who finds some of their memories difficult to talk about. Nothing should be forced.

5. James Jones said that for him the principal characteristic of a moment of revelation is a sense of forgiveness. Is that what you would say?

6. Talk together about religious experience. Here are some of the questions which should come up: Should Christians have spiritual experi-

ences? If they do not are they fully in touch with God? Is religious experience always genuine? If not, how can you tell?

7. James Jones emphasises how God is God of the workplace as well as the church. Share with each other how that is true – or not true – for you. Suggest one or two *practical* methods by which Christians in your congregation might understand more clearly and put into practice the truth of what he says.

8. Think of the prayers that were said in your church last Sunday. Did they really reflect the workplaces of the members of the congregation? What areas of our lives are never really mentioned? Why do you think this is? What can we do about it?


**Summary question:**

As this is the last session of this Lent Course members of the group might like to spend the last five or ten minutes reflecting on where they have gained new insights, fresh challenges, and through the sharing of their stories have found God at work in their lives.


Use this prayer at the end:

Christ our teacher,
you reach into our lives
not through instruction, but story.
Open our hearts to be attentive;
that seeing, we may perceive,
and hearing, we may understand,

and understanding, may act upon your word,
in your name, Amen.

*Janet Morley*

# MÉTAPHYSIQUE DES MŒURS

I

# EMMANUEL KANT

# MÉTAPHYSIQUE DES MŒURS

## I

Fondation de la métaphysique des mœurs
Introduction à la métaphysique des mœurs

*Traduction, présentation,*
*bibliographie et chronologie*

par
Alain RENAUT

GF Flammarion

*Traduit avec le concours
du Centre national du Livre*

# PRÉSENTATION

Se trouvent rassemblés dans les deux présents volumes, pour la première fois de manière systématique,
les trois moments à travers lesquels — si on laisse de
côté la *Critique de la raison pratique* — Kant avait envisagé de développer la cohérence de sa philosophie
pratique. Publiés à douze ans d'intervalle, la *Fondation
de la Métaphysique des Mœurs* (ainsi m'a-t-il semblé
devoir transcrire, contre l'usage établi par les précédentes traductions, le titre de la *Grundlegung zur Metaphysik der Sitten* de 1785) et la *Métaphysique des Mœurs*
(*Metaphysik der Sitten*) proprement dite (*Doctrine du
droit, Doctrine de la vertu*, 1797) ont toujours été dis-
jointes par leurs éditeurs [1] comme par leurs traducteurs [2]. Ce choix se peut certes justifier par la chro-

1. L'édition de l'Académie de Berlin, qui, entreprise par Dilthey
en 1894, reste l'édition de référence, fait apparaître la *Grundlegung*
dans son tome IV (AK, IV, p. 385-463) et la *Metaphysik der Sitten*
dans son tome VI (AK, VI, p. 203-491). C'est cette édition qui a
été suivie ici (une reproduction photomécanique en a été donnée en
1968, sans modification du texte original, par les éditions Walter de
Gruyter & Co., Berlin) ; la pagination s'en trouve reportée dans le
corps de la traduction.
2. Après une première traduction par H. Lachelier sous le titre
*Etablissement de la Métaphysique des Mœurs* (1904), la *Grundlegung* a
été traduite par V. Delbos en 1907 sous le titre resté usuel de
*Fondements de la Métaphysique des Mœurs* : c'est cette traduction
datant aujourd'hui de bientôt quatre-vingt-dix ans qui a été revue
par A. Philonenko pour la Librairie Vrin (1980) et par F. Alquié

nologie : il m'a semblé qu'il pouvait aussi être, sinon discuté, du moins concurrencé par un autre projet éditorial, soucieux de faire ressortir plus nettement la systématicité de la philosophie pratique kantienne [1].

*1785-1797 : un programme différé*

La chronologie des écrits de Kant a en effet, en l'occurrence, quelque chose de paradoxal. Annoncée, je vais y revenir, dès 1781, dans le chapitre de la première *Critique* consacrée à « l'architectonique de la raison pure [2] », la « métaphysique des mœurs » trouve dans ce qui se présente comme sa « fondation » — et dont on sait par divers témoignages que la rédaction en était achevée vers septembre 1784 [3] — la première

pour son édition des *Œuvres philosophiques de Kant*, Bibliothèque de la Pléiade, t. II, 1985. J. Barni avait pour sa part publié en 1853 une traduction des *Metaphysische Anfangsgründe der Rechtslehre*, intitulée *Premiers Principes métaphysiques de la théorie du droit*, et en 1855 une traduction des *Metaphysische Anfangsgründe der Tugendlehre*, sous le titre *Premiers Principes métaphysiques de la théorie de la vertu*. J. Tissot (*Principes métaphysiques du droit*, Librairie De Ladrange, 1855) a isolé tout autant la *Métaphysique* de sa *Fondation*. Ni les traductions d'A. Philonenko (*Métaphysique des Mœurs*, 1ʳᵉ partie, *Doctrine du droit*, 1971, 2ᵉ partie, *Doctrine de la vertu*, 1968, Vrin), ni celles (dues à J. et O. Masson) des *Œuvres philosophiques de Kant* (où *Doctrine du droit* et *Doctrine de la vertu* figurent dans le tome III, 1986) ne rétablissent la cohésion de l'ensemble.
    1. Ce souci avait déjà animé d'autres tentatives, aboutissant à d'autres regroupements : ainsi, parmi les éditions de Kant, les *Sämmtliche Werke* publiées par K. Rosenkranz et F. W. Schubert (Leipzig, L. Voss, 1838) font-elles apparaître dans le même volume VIII (éd. par Rosenkranz) la *Fondation de la métaphysique des mœurs* et la *Critique de la raison pratique*, et dans le même volume IX (éd. par Schubert) la *Métaphysique des mœurs* et la « pédagogie » de Kant ; au plan des traductions, Tissot avait, de façon intéressante, regroupé avec la *Doctrine du droit* le *Projet de paix perpétuelle*, *Qu'est-ce que les Lumières ?* , *Théorie et pratique*, l'opuscule sur *Le Droit de mentir* et quelques autres écrits mineurs de portée juridique.
    2. A 842/B 870, tr. par J. Barni, revue par A. Delamarre et F. Marty, *Œuvres philosophiques de Kant*, Bibl. de la Pléiade, p. 1391 : « La métaphysique se divise en métaphysique de l'usage *spéculatif* et métaphysique de l'usage *pratique* de la raison pure, et elle est ainsi ou une *métaphysique de la nature*, ou une *métaphysique des mœurs* ».
    3. Voir la documentation rassemblée par P. Menzer dans sa notice de l'édition de l'Académie, AK, IV, p. 626 sqq.

étape de sa réalisation. Sur la lancée de cette « fondation », rien ne semblait devoir exclure, dans l'esprit de Kant, une mise en chantier immédiate de la « métaphysique » ainsi fondée — comme en témoigne l'indication fournie à cet égard par une lettre à Schutz du 13 septembre 1785 : « Je vais maintenant sans davantage de délai, écrit Kant, me préoccuper de l'achèvement complet de la métaphysique des mœurs [1] ». Pourquoi cet « achèvement complet » a-t-il en fait, apparemment contre toute attente de la part de Kant, requis un « délai » de douze ans ?

Kant, à vrai dire, n'en était pas à sa première erreur d'appréciation sur le rythme selon lequel devait s'accomplir un programme pourtant clairement tracé. On se souvient qu'en février 1772, la si fameuse lettre à Marcus Herz où s'opère la mise en place du problème critique de la représentation (celui de savoir « sur quel fondement repose le rapport de ce qu'on nomme en nous représentation à l'objet ») n'hésitait pas à annoncer :

« Je puis dire que j'ai réussi dans l'essentiel de mon projet, et que je suis actuellement en état de présenter une *Critique de la raison pure* contenant la nature de la connaissance théorique aussi bien que pratique, dans la mesure où elle est purement *intellectuelle*. Je mettrai d'abord au point la première partie, qui comprend les sources de la *métaphysique*, sa *méthode* et ses limites, puis j'élaborerai les principes purs de la moralité. Ce qui tient à la première partie sera publié dans environ trois mois [2] ».

---

1. Kant, *Briefwechsel*, I, p. 383. Indépendamment des renseignements qu'il nous donne sur ce qu'étaient alors les projets de Kant, ce texte présente l'intérêt de considérer à l'évidence que la « métaphysique des mœurs » rassemble la *Fondation* et ce qu'il pense alors entreprendre d'écrire pour conduire cette « métaphysique » à son complet achèvement, c'est-à-dire les doctrines du droit et de la vertu (« métaphysique » *stricto sensu*) : en ce sens large, la *Fondation* fait partie de la « métaphysique des mœurs » — ce qui justifie le titre global donné aux présentes traductions.
2. Lettre du 21 février 1772, tr. par J. Rivelaygue, *Œuvres philosophiques de Kant*, Bibl. de la Pléiade, I, p. 694.

Les trois mois prévus deviendront en fait neuf ans, et l'on peut même ajouter que la *Critique de la raison pratique*, dont il faut noter au passage que le projet se trouvait donc en germe dès le début des années 1770 [1], ne paraîtra que seize ans après son annonce implicite à Marcus Herz. Reste que, dans le présent cas, on n'ignore guère pourquoi il fallut neuf ans à Kant pour mener à bien, sous le titre de *Critique de la raison pure*, ce qu'il croyait être « en état de présenter » au cours de 1772 : le question de l'origine de la représentation était alors envisagée selon diverses solutions possibles dont aucune, à l'épreuve, ne devait apparaître comme susceptible d'être retenue — requérant ainsi un profond et inédit réaménagement de la question elle-même en termes d'interrogation, non plus sur le rapport de l'esprit et de ses représentations à la chose en soi, mais sur la relation par laquelle, à l'intérieur de l'esprit, des concepts en viennent à synthétiser des données sensibles [2].

Faut-il envisager, pour expliquer le retard pris par l'achèvement de la *Métaphysique des mœurs*, la rencontre de difficultés comparables ? Rien, à proprement parler, ne permet de le penser, et il semble plus vraisemblable [3] de prendre en considération, ici, les raisons qui ont pu conduire Kant, entre la *Fondation* et la *Métaphysique*, à écrire successivement une *Critique de la raison pratique* (1788) et une *Critique de la faculté de juger* (1790) — bref : à compléter la dimension « critique » ou « propédeutique » de sa philoso-

1. Voir antérieurement, selon la notice de l'édition de l'Académie de Berlin, qui date le projet des années 1760 (*Eine Vorlesung über Ethik*) (sur la genèse de l'idée de « métaphysique des mœurs », voir AK, V, p. 489 sqq.).
2. Sur « l'aporie de 1772 », voir la parfaite analyse de J. Rivelaygue, *Leçons de métaphysique allemande*, II, Grasset, 1992, p. 29 sqq.
3. C'est en tout cas une hypothèse que partage Natorp, éditeur de la *Critique de la raison pratique*, dans son introduction du t. VI de l'édition de l'Académie de Berlin, p. 516 sqq.

phie avant de développer, du moins dans le domaine pratique [1], sa dimension « métaphysique [2] ».

*Fondation de la métaphysique des mœurs et Critique de la raison pratique*

La question engage tout d'abord la relation, complexe, entre *Fondation de la métaphysique des mœurs*

1. Dans le domaine théorique, l'analogue de la *Métaphysique des mœurs* a été développé sans attendre — puisque les *Premiers Principes métaphysiques des sciences de la nature* (*Metaphysische Anfangsgründe der Naturwissenschaften*, AK, IV, tr. par F. De Gandt, *Œuvres philosophiques de Kant*, t. II) parurent en 1786. Chronologiquement proches de la *Fondation de la métaphysique des mœurs*, ils sont pourtant, systématiquement, à rapprocher des *Premiers Principes métaphysiques de la doctrine du droit* et des *Premiers Principes métaphysiques de la doctrine de la vertu*. Ce décalage dans le temps entre les deux « métaphysiques », même si celle de la nature, considérablement moins développée, requérait certes, intrinsèquement, un effort moindre, renforce l'hypothèse selon laquelle, dans le domaine pratique, le délai qui est intervenu entre la *Fondation* et les deux *Doctrines* a quelque chose à voir avec l'écriture de la deuxième, puis, requise par celle-ci, de la troisième des *Critiques*.

2. Sur cette distinction, voir l'« Architectonique de la raison pure », A 841/B 869, tr. citée, p. 1391 : « La philosophie de la raison pure est ou une *propédeutique* (un exercice préliminaire) qui examine le pouvoir de la raison par rapport à toute connaissance pure *a priori*, et elle s'appelle alors *critique*, ou elle est, en second lieu, le système de la raison pure (la science), toute la connaissance philosophique (vraie aussi bien qu'apparente) venant de la raison pure dans un enchaînement systématique, et elle s'appelle *métaphysique* ». On expliquera ci-dessous pourquoi la dimension systématique, qui va donner lieu à ce que Kant nomme aussi « doctrine » (*Lehre*), se peut ainsi désigner comme « métaphysique » (de la nature, des mœurs). A noter que la suite de ce passage indique que, nonobstant cette distinction rigoureuse, dans la philosophie de la raison pure, entre critique et métaphysique, « ce nom (de métaphysique) (peut) être donné aussi à l'ensemble de la philosophie pure, y compris la critique, pour embrasser ainsi aussi bien la recherche de tout ce qui peut jamais être connu *a priori* que l'exposition de ce qui constitue un système de connaissances philosophiques pures de cette espèce, mais se distingue de tout usage empirique, ainsi que de l'usage mathématique de la raison » : indication (à mettre en relation avec la célèbre désignation de la « critique » comme « métaphysique de la métaphysique », dans la lettre à M. Herz du 11 mai 1781) par laquelle se trouve justifiée une seconde fois notre présentation de l'ensemble constitué par la *Fondation* (dont on va voir en quoi elle participe du moment critique ou propédeutique) et les deux *Doctrines* sous le titre de *Métaphysique des mœurs* entendu, à l'invitation même de Kant, *lato sensu*.

et *Critique de la raison pratique*. Pourquoi, après la *Fondation*, la *Critique*, qui, à certains égards, remplit une fonction parallèle ? De la lettre à Schutz annonçant en 1785, donc à un moment où la *Fondation* est écrite, le passage, « sans davantage de délai », à « l'achèvement complet de la métaphysique des mœurs », certains commentateurs ont conclu que Kant ne songeait nullement, dans un premier temps, à rédiger, après l'opuscule fondateur, une *Critique de la raison pratique* [1]. Ce que V. Delbos, pour sa part, contestait, sans apporter à cette fin, il est vrai, beaucoup d'arguments [2]. Difficile à trancher décisivement, le débat ne saurait en tout cas faire l'économie de sa pièce essentielle, telle qu'elle est fournie par la Préface même de la *Fondation* :

« Me proposant de publier un jour une métaphysique des mœurs, je la fais précéder par ce qui en constitue ici la fondation. Assurément n'y a-t-il proprement pas d'autre fondement à apporter à une telle métaphysique que la Critique d'une *raison pure pratique*, tout comme, pour la métaphysique, la Critique de la raison pure spéculative que j'ai déjà publiée sert de fondement. Simplement, d'une part, cette Critique de la raison pure pratique n'est pas d'une aussi extrême nécessité que la Critique de la raison pure spéculative, parce que la raison humaine, dans le registre moral, peut être facilement conduite, même chez l'intelligence la plus commune, à une grande exactitude et précision, alors qu'en revanche, dans son usage théorique, mais pur, elle est entièrement et véritablement dialectique ; d'autre part, pour la Critique d'une raison pure pratique, je tiens pour acquis qu'il est indispensable, si elle doit être complète, de pouvoir montrer en même temps son unité avec la raison spéculative dans un principe commun, étant entendu qu'en définitive il ne saurait en tout cas y avoir qu'une

1. Telle est la thèse défendue par E. Adickes, *Kants Systematik*, p. 138.
2. V. Delbos, *La Philosophie pratique de Kant*, 3ᶜ éd., 1969, p. 336.

seule et même raison qui ne doit se différencier que
dans son application. Or, il se trouve qu'à un tel degré
de complétude je ne pourrais atteindre encore ici sans
introduire des considérations d'une tout autre espèce
et sans embrouiller le lecteur. Ce pourquoi je me suis
servi, au lieu de l'intitulé de Critique de la raison pure
pratique, de celui d'une Fondation de la métaphysique des mœurs [1]. »

On ne saurait dire plus clairement que l'écrit ainsi
présenté devrait correspondre à cela seul qui, d'une critique complète de la raison pratique, serait indispensable pour fonder la métaphysique des mœurs, savoir
l'effort pour (précisent les lignes suivantes) établir « le
principe ultime de la moralité » : en ce sens, rien n'exclut que Kant ait pu avoir l'intention, en écrivant la
Fondation, de compléter un jour l'entreprise critique,
dans le registre pratique, par un ouvrage spécifique, dont
le projet était en germe, nous l'avons noté, dès la lettre
de février 1772 à Marcus Herz (même s'il n'était pas
alors envisagé qu'il dût être scindé, il est vrai, de la
Critique de la raison pure) ; mais il n'en demeure pas
moins que la Fondation a été écrite dans l'espoir qu'elle
pût suffire, en matière de critique de la raison pratique,
pour rendre possible le passage à la métaphysique des
mœurs et que, de ce point de vue, Kant n'envisageait pas
alors qu'une critique plus complète de la raison pratique fût nécessaire.

La question dès lors se précise : pourquoi, après la
Fondation, Kant a-t-il éprouvé le besoin de compléter
la critique de la raison pratique avant de se consacrer
aux doctrines (droit, vertu) ? Tout indique que la
réponse doit être cherchée dans ce qui différencie du
point de vue méthodique ses deux contributions successives à la critique dans le domaine pratique : ainsi
qu'on l'a souvent noté [2], la démarche de la Fondation
est analytique, comme celle que, dans le domaine
théorique, venaient d'adopter les Prolégomènes à toute

1. AK, IV, 391-392.
2. Par exemple V. Delbos, op. cit., p. 255 sqq.

*métaphysique future* (1783), tandis que celle de la *Critique de la raison pratique* sera synthétique, à l'imitation, sur ce point, de la *Critique de la raison pure*. Encore faudrait-il cependant cerner à la fois la signification précise et surtout la logique de ce déplacement. Dans son principe, cette distinction des deux démarches, thématisée par le § 5 des *Prolégomènes*, est bien connue :

— Suivre un ordre analytique d'exposition, c'est aller du conditionné aux conditions : ainsi les *Prolégomènes* partent-ils des sciences de la nature telles qu'elles sont données pour remonter aux facultés humaines, dont il faut supposer, si l'on veut expliquer le fait scientifique, qu'elles ont telle ou telle propriété et qu'elles se combinent de telle ou telle manière ; de même la *Fondation de la métaphysique des mœurs*, du moins dans ses deux premières sections, part de l'expérience morale telle qu'elle est vécue par la conscience commune pour remonter jusqu'à ce qui, permettant d'en rendre compte, apparaît comme le « principe ultime de la moralité », à savoir l'autonomie de la volonté.

— Inversement, la *Critique de la raison pure* adopte une démarche synthétique en ceci qu'elle part d'une théorie des facultés (sensibilité, entendement, raison) pour montrer comment, à travers le jeu de ces facultés humaines, l'expérience est possible : en ce sens, elle va des conditions au conditionné ; ce qui va être aussi le cas de la *Critique de la raison pratique*, en son effort pour déduire de la raison pratique elle-même (c'est-à-dire de la capacité de la raison pure à poser des fins) la possibilité de l'expérience du devoir, ainsi que celle des maximes (de l'impératif catégorique) qui expriment le sens de cette expérience.

On objectera que la troisième section de la *Fondation* anticipe sur la démarche synthétique de la *Critique de la raison pratique* : de fait, Kant y part du résultat de l'analyse de l'impératif catégorique et de ses diverses formules, à savoir la notion d'autonomie de la volonté, telle qu'elle contient en elle l'Idée de liberté, et s'efforce de montrer comment, à partir de cette Idée de la liberté, l'impératif catégorique est possible. Je n'ai pas ici à examiner le détail de cette démonstration célèbre, ni les éventuelles limites à l'intérieur desquelles Kant, de ce point de vue, se serait tenu — au point que certains commentaires n'ont pas hésité à évoquer, sous ce rapport, un « échec » de l'ouvrage [1] : reste que Kant lui-même a esquissé, dans la *Fondation*, le principe de ce renversement de l'ordre analytique en ordre synthétique qu'allait reprendre et compléter la *Critique de la raison pratique*, et qu'il est fort tentant de considérer que ce sont les insuffisances de la démarche analytique, voire de son complément synthétique tel qu'ébauché dans la troisième section, *et cela du point de vue même d'une fondation de la métaphysique des mœurs*, qui ont imposé une reprise de l'entreprise fondatrice, sous la forme de l'écriture d'une deuxième *Critique*, avant le passage à la rédaction des *Doctrines*.

A cet égard, la réception de la *Fondation de la métaphysique des mœurs* par les contemporains de Kant n'a pu que jouer un rôle non négligeable. A. Philonenko, suivant les indications fournies par De Vleeschauver [2], l'a souligné à diverses reprises [3] : dès 1785, nombre de lecteurs furent heurtés qu'on les invitât à faire reposer la moralité sur un principe (la volonté bonne, c'est-à-dire la liberté) dont la réalité ne se trouvait pas véritablement démontrée au terme de l'ouvrage [4], et ont estimé qu'il ne s'agissait là, selon le mot de Hamann,

1. Voir sur ce point le cours de F. Alquié, *La Morale de Kant*, CDU, sixième leçon.
2. *L'Évolution de la pensée kantienne*, Paris, 1939, p. 128 sqq.
3. Voir notamment son Introduction à la reprise de la trad. Delbos, éd. Vrin, p. 22
4. Le développement passionnant qui clôt la troisième section (AK, IV, 454 sqq.) insiste sur le fait que « la liberté est seulement une *Idée* de la raison pratique », et que « le concept d'un monde intelligible (dont l'homme, comme volonté autonome, serait membre) n'est qu'un « *point de vue* » d'où nous sommes obligés de nous placer si nous voulons nous penser comme une volonté morale ; mais rien n'est acquis par là quant à la question de savoir « *comment la liberté est possible* » (AK, IV, 459).

que d'une « chimère [1] ». Bref, ainsi que l'écrivait à Kant l'un de ses correspondants dès juillet 1786, « le malentendu sur la métaphysique des mœurs (semblait) plus grand encore que sur la Critique [2] ». Que, devant cette réception sévère, Kant eût estimé devoir aller plus loin en matière de fondation et se fût résolu à tenter de fonder la liberté comme réelle [3], cela se pouvait dès lors concevoir — même s'il n'est pas certain qu'il n'allait pas s'exposer ainsi à des difficultés plus redoutables encore que celles devant lesquelles il avait laissé les lecteurs de son ouvrage de 1785.

*Raison théorique et raison pratique : la Critique de la faculté de juger*

L'écriture de la *Critique de la raison pratique* devait en effet d'autant plus fortement retarder l'achèvement de la *Métaphysique des mœurs* qu'elle allait requérir la construction d'une troisième *Critique*, plus délicate encore à mener à bien. Car la confrontation des deux premières *Critiques* ne pouvait que placer le philosophe devant un grave problème, celui de la coexistence de deux conceptions de l'objectivité (= de la réalité du réel) ou, si l'on préfère, de deux ontologies :

— La *Critique de la raison pure* avait établi que, dans la nature, tout est conditionné et que, dans le temps, « tous les changements se produisent suivant la loi de la liaison de la cause et de l'effet » (deuxième analogie de l'expérience). Apparemment, la révolution copernicienne laissait donc intacte la thèse leibnizienne selon laquelle le principe de raison s'applique à la totalité du réel — selon une conception « déterministe » de l'ob-

---

1. Lettre à Herder du 14 avril 1785.
2. Lettre de L.H. Jakob à Kant du 17 juillet 1786, citée par A. Philonenko, *loc. cit.*
3. La Préface de la *Critique de la raison pratique* montre qu'il se soucie de répondre aux objections qui avaient pu être faites à la *Fondation* : voir AK, V, 8-9, tr. par L. Ferry et H. Wismann, *Œuvres philosophiques de Kant*, sous la dir. de F. Alquié, Bibl. de la Pléiade, II, 1985, p. 613-614 (voir les notes des trad., p. 1487-1488).

jectivité théorique qui valut d'ailleurs à Kant de se voir impliquer dans la « querelle du panthéisme » (ou du « spinozisme »), au point de devoir défendre les Lumières, en 1786, contre l'argumentation antirationaliste de Jacobi [1].

— En revanche, la *Critique de la raison pratique* fournissait une tout autre définition de l'objectivité (une tout autre ontologie), puisque ce qui est objectivement pratique (à savoir une fin morale) y apparaît comme produit par la liberté. Fichte, découvrant la deuxième *Critique* dans l'été 1790, deux ans après sa parution, ne s'y est pas trompé, qui écrivit à Weisshuhn :

« Je vis dans un nouveau monde depuis que j'ai lu la *Critique de la raison pratique* : elle ruine des propositions que je croyais irréfutables, prouve des choses que je croyais indémontrables, comme le concept de la liberté absolue, de devoir, etc., et de tout cela je me sens plus heureux. Avant la *Critique*, il n'y avait pas d'autre système pour moi que celui de la nécessité. Maintenant, on peut de nouveau écrire le mot de *morale*, qu'auparavant il fallait rayer de tous les dictionnaires [2]. »

Un « autre monde », de fait — puisque, si la *Critique de la raison pure* donnait à penser l'univers (phénoménal) comme intégralement conditionné, la *Critique de la raison pratique* développe le thème selon lequel « toute action faite avec intention a pour fondement

---

1. On connaît l'argument de Jacobi : tout rationalisme est déterministe, donc spinoziste, et, comme tel, rend inconcevable la moralité, laquelle suppose en effet la possibilité de la liberté et du choix. Ouverte en octobre 1785 par Jacobi dans ses *Lettres à Mendelssohn sur la doctrine de Spinoza*, puis en avril 1786 par sa *Réponse aux accusations de Mendelssohn*, la querelle voit Kant entrer en scène en octobre 1786 à travers la publication de *Qu'est-ce que s'orienter dans la pensée ?* En même temps qu'elle contribuait elle aussi à détourner Kant, dans les mois qui suivirent la publication de la *Fondation*, du projet de rédiger d'emblée la *Métaphysique des mœurs*, la « querelle du panthéisme » ne fut sans doute pas pour rien dans l'effort entrepris, à travers la *Critique de la raison pratique*, pour fonder davantage la « réalité » de la liberté que ne l'avait fait la dernière section de la *Grundlegung*.

2. *Fichte's Leben und Briefe*, p. 110.

une causalité libre », donc l'inconditionné d'une spontanéité absolue. Que, pour autant, tout fût dès lors
résolu et que Kant pût passer, dès 1788, de la critique
à la métaphysique, c'était néanmoins loin d'être évident : car l'ontologie théorique et l'ontologie pratique
ne pouvaient être simplement juxtaposées, comme si
elles cernaient deux sphères de l'objectivité parfaitement extérieures l'une à l'autre. Cette distribution,
qui correspond au fond à la solution de la troisième
antinomie — solution déjà délicate dans la *Critique de
la raison pure* [1] — ne saurait subsister simplement
comme telle après la *Critique de la raison pratique* :
distinguer le déterminisme des phénomènes (nature)
et l'existence nouménale d'une liberté, c'est laisser de
côté la question décisive de savoir comment la liberté
peut inscrire ses effets dans une nature qui lui est
hétérogène, comment la spontanéité de l'action libre
peut imprimer une trace dans le déterminisme de la
nature.

Cette inscription de la liberté dans la nature définit,
on le perçoit sans peine, le domaine de l'*Histoire* : car
certes l'événement historique intervient dans le champ
des phénomènes, soumis qu'il se trouve aux conditions de l'espace et du temps (comme tel, il relève de
la *nature*), et cependant, en tant qu'il s'agit d'un acte
qu'on peut juger moralement, ce phénomène renvoie
aussi à l'Idée de *liberté*. Ainsi existe-t-il, par définition,
un domaine où les deux sphères de l'objectivité, au
moins partiellement, se chevauchent, et ce domaine a
nom : l'*Histoire*. Et l'Histoire — entendre ici : l'inscription de la liberté dans la nature — est requise au
nom même de la *Critique de la raison pratique*, puisque,
si la liberté n'avait pas d'effets dans le monde sensible,
la morale serait une absurdité : l'impératif catégorique
ne pourrait jamais se réaliser, et la soumission à la loi
morale, bien qu'impérative, ne serait qu'un mot. Ce
pourquoi, après la *Critique de la raison pratique*, le pro-

1. Voir J. Rivelaygue, « De quelques difficultés concernant la troisième antinomie », dans *La Passion de la raison, Hommage à
F. Alquié*, P.U.F., 1983.

blème de l'accord entre nature et liberté ne pouvait
que devenir central dans la réflexion kantienne,
condamnée que celle-ci se trouvait dès lors à affronter
la problématique du *système* : accorder nature et
liberté (*Critique de la raison pure* et *Critique de la raison
pratique*), c'était en effet trouver une unité entre philosophie théorique et philosophie pratique — et l'on
sait comment c'est précisément à mettre en place une
telle problématique (celle du « passage » entre liberté
et nature) que seront consacrés, en 1790, les trois
premiers paragraphes de l'Introduction à la *Critique de
la faculté de juger*.

Il n'entre pas dans mon propos d'examiner quel
développement et quel type de solution la troisième
*Critique* a apportés à cette problématique du système [1] ; ni d'indiquer quel retentissement cette solution
devrait avoir, pour une relecture de la *Critique de la
raison pratique* à partir de la *Critique de la faculté de
juger*, sur le statut même de la liberté morale [2]. L'essentiel était ici d'apercevoir que c'est la logique même
des exigences auxquelles s'est affronté Kant en cher-
chant à fonder, dans son écrit populaire de 1785, la
métaphysique des mœurs qui lui est apparue rendre
nécessaires successivement la *Critique de la raison pratique*, puis la *Critique de la faculté de juger*, et qui ne
pouvait qu'éloigner à ce point, selon la chronologie,
une *Fondation de la métaphysique des mœurs* et les deux
parties de cette *Métaphysique* même, pourtant si indis-
sociables selon la systématicité (ou, si l'on préfère :
selon l'architectonique de la raison pratique [3]). Que ce

1. Voir sur ce point A. Renaut, *Le Système du droit*, P.U.F., 1986,
pp. 60-99.
2. Je me permets de renvoyer, sur cette question décisive, à *L'Ere
de l'individu*, Gallimard, 1989, pp. 288-299.
3. De 1790 à 1797, le délai peut apparaître encore long — d'autant que Kant ne paraît guère avoir tardé, après la parution de la
*Critique de la faculté de juger*, à se mettre au travail (dès 1792, la
correspondance annonce la *Doctrine de la vertu*). Mais, d'une part, il
faut tenir compte des difficultés intrinsèques de l'entreprise, notamment de la *Doctrine du droit* (voir sur ce point les remarques judi-
cieuses d'A. Philonenko dans la présentation de sa traduction de la

qu'il faut donc bien considérer comme un gigantesque et majestueux détour — auquel nous devons deux des plus grandes œuvres de toute l'histoire de la philosophie — ait modifié sur certains points, entre 1785 et 1797, les perspectives qui définissaient initialement l'entreprise, assurément n'est-ce pas douteux [1] : pour autant, avertis que nous sommes de ce qui a motivé ce détour et de ce qui s'y est joué, rien ne nous interdit

---

*Doctrine de la vertu*, p. 7-8) ; d'autre part, les circonstances politiques ne doivent pas être négligées. Et ce à un double égard :

— Après la mort de Frédéric II (1788), la politique de censure développée par le ministre Wöllner (dont les édits répressifs, pris dès l'avènement de Frédéric-Guillaume II, ne devaient vraiment porter leurs conséquences qu'à partir de l'institution, en 1791, de la « Commission d'examen immédiat ») exposa Kant, lors de la parution de *La Religion dans les limites de la simple raison* (1793), à des démêlés tels qu'il devenait douteux de pouvoir publier librement des ouvrages traitant de morale et de politique (voir V. Delbos, *La Philosophie pratique de Kant*, p. 540 sqq.). La situation devait heureusement changer avec l'avènement de Frédéric-Guillaume III, en novembre 1797 : les deux parties de la *Métaphysique des mœurs*, qui étaient alors parues depuis quelques mois, ne rencontrèrent nulle difficulté, pas plus qu'en 1798 *Le Conflit des facultés*.

— Les circonstances politiques, à partir de 1790, furent aussi marquées par la naissance, en Allemagne, du débat sur la Révolution française, ouvert par la publication de l'article critique de Justus Möser *Sur le droit de l'humanité comme fondement de la Révolution française* (« Berlinische Monatsschrift », juin 1790), puis par les diverses traductions allemandes des *Réflexions sur la Révolution française* de Burke (en 1791, à Vienne, puis, en 1793, à la fois à Vienne et à Berlin, cette dernière traduction étant l'œuvre de Fr. Gentz, assez proche de Kant pour que celui-ci lui eût confié, en 1790, la correction des épreuves de la *Critique de la faculté de juger*), enfin par les *Recherches sur la Révolution française* de Rehberg (1793) (voir ici A. Renaut, *Rationalisme et historicisme juridiques : la première réception de la Déclaration de 1789 en Allemagne*, « Droits », nᵒ 8, 1988, pp. 143-149) : on sait que Kant, d'abord discret sur les événements de France, devait intervenir dans le débat dès lors que, l'*intelligentsia* allemande basculant progressivement du côté « burkien » (comme en témoigne l'évolution de Gentz), le rationalisme juridique et les acquis des Lumières lui apparurent menacés : chacun à sa manière, l'opuscule dit *Théorie et Pratique* (1793) et le *Projet de paix perpétuelle* (1796) constituèrent ainsi des défenses, au moins partielles, de la Révolution française. Ces interventions directement liées aux circonstances ne purent qu'interférer avec les tâches plus spéculatives de la rédaction des *Doctrines*.

1. Ainsi A. Philonenko observe-t-il avec raison que, si, dès 1785, il est question de fonder la métaphysique des mœurs *en ses deux parties*, le texte même de la *Fondation* conduit bien davantage à la

désormais de reconsidérer plus systématiquement l'édifice global — d'autant qu'à l'envisager ainsi, il n'est pas interdit d'espérer faire mieux paraître l'étonnante actualité de son projet pour la philosophie pratique contemporaine.

*La Métaphysique des mœurs : entre fondation et application*

On a souvent, pour des raisons diverses, miminisé l'importance des différentes pièces de la *Métaphysique des mœurs* : celle de la *Fondation*, à la fois parce que, vis-à-vis de la *Critique de la raison pratique,* il s'agirait, selon l'aveu même de Kant, d'un exposé seulement « populaire [1] » et parce que cet exposé, nous l'avons vu, aboutirait, du point de vue même de l'entreprise fondatrice, à un « échec » (surmonté seulement par la deuxième *Critique*) ; celle des *Doctrines,* parce que l'effet de l'âge, plus manifeste encore dans les ouvrages de 1798 (*Conflit des facultés, Anthropologie*), commencerait à s'y faire sentir (Kant a 73 ans en 1797) et que, vis-à-vis du droit notamment, le souci d'une précision désignée par l'auteur lui-même comme « scolastique » y aurait pris le pas sur la richesse des contenus [2]. Tant et si bien que, partagée

_____

*Doctrine de la vertu* qu'à la *Doctrine du droit* : même si l'on ne peut en conclure que la structure de la métaphysique des mœurs (allant du droit à la vertu) n'était pas encore perçue, du moins restait-elle à justifier — ce pourquoi Kant, en 1797, éprouvera le besoin de faire précéder sa *Doctrine du droit* d'une *Introduction à la métaphysique des mœurs* qui complète à cet égard la *Fondation*. Par là se justifie la réunion de la *Fondation* et de l'*Introduction* dans le tome I de la présente édition systématique de la *Métaphysique des Mœurs*, le tome II se trouvant ainsi réservé aux *Doctrines*.

1. Sur la dimension « populaire » de la *Fondation*, souvent soulignée par les commentateurs, on observera combien Kant, à la fin de sa préface (AK, IV, 391-392), fait preuve de prudence.

2. La Préface de la *Doctrine du droit* (AK, VI, 206) revendique pour l'ouvrage, qui est dit participer d'une « métaphysique formelle », une « ponctualité scolastique » et exclut qu'il puisse jamais devenir « populaire ». M. Villey, dans sa Préface à la traduction d'A. Philonenko (Vrin, p. 7), souligne que, de ce fait, un aussi « lourd travail de pensée », « dépourvu de charme », ne pouvait « mordre sur la science et la vie concrète du droit ». Dans ses *Lectures on Kant's*

entre les facilités du « populaire » et l'aridité du « scolastique », la *Métaphysique des mœurs* risquerait fort
d'avoir manqué les exigences d'une authentique philosophie pratique. Je crois ces reproches fort injustes
et que, *restitué dans sa systématicité*, l'édifice possède
l'immense mérite, indépendamment des qualités de
son contenu, d'organiser la philosophie pratique selon
deux problématiques qui en constituent aujourd'hui
encore — ainsi que les tentatives contemporaines de
recomposition de la rationalité pratique en témoignent
— les principaux axes : celle de la fondation ultime de
l'éthique d'une part, celle de l'éthique appliquée
d'autre part.

## La problématique de la fondation ultime

Kant, nous l'avons déjà souligné, recherche en sa
*Grundlegung* de 1785 le « principe ultime » de toute la
sphère pratique. Recherche devenue si peu caduque
qu'à travers le thème de la « fondation ultime » (*letzte
Begründung*), elle anime aujourd'hui la recherche d'un
K.O. Apel. Ce serait par soi-même tout un travail,
impossible à entreprendre ici dans le détail, que de
montrer quelles options de type « kantien » interviennent dans la définition même de ce que Apel a éla-
boré, partiellement en commun avec Habermas, sous
le nom d'« éthique de la discussion » :

1. On sait tout d'abord que l'« éthique de la discussion » vise ouvertement, contre toutes les variantes
post-nietzschéennes du « subjectivisme moral »
(consistant à estimer qu'il ne saurait y avoir nulle
« vérité » concevable à propos des questions d'ordre
pratique), à renouer avec la tradition kantienne d'une
éthique « cognitiviste » défendant l'idée d'une « objectivité pratique [1] ».

---

*political philosophy*, H. Arendt ne fait guère preuve de plus de ten-
dresse à l'égard de la *Doctrine du droit*, où elle voit un texte aride,
formaliste et sans grande originalité.

1. Sur une première dimension « kantienne » de l'éthique de la
discussion, voir notamment J. Habermas, *Morale et Communication*
(1983), tr. par C. Bouchindhomme, Ed. du Cerf, 1986, pp. 63-130 :

2. Il est permis de considérer, ensuite, que l'éthique de la discussion accomplit pour l'essentiel une reconstruction de l'éthique kantienne soucieuse d'expliciter la signification de l'impératif catégorique à la lumière du « tournant linguistique » de la pensée contemporaine. De ce point de vue, Habermas considère expressément (et Apel serait ici en parfait accord avec lui) que toutes les éthiques cognitivistes (= toutes celles qui ne nient pas d'emblée la validité possible des jugements moraux) se rattachent à ce que Kant avait exprimé à travers la notion d'impératif catégorique — savoir l'idée du caractère impersonnel ou universel des commandements moraux valides (inversement, les normes incapables de rencontrer « l'adhésion qualifiée de toutes les personnes concernées » sont considérées comme non valides). En ce sens, l'éthique de la discussion gratifie Kant d'avoir fourni, avec l'impératif catégorique, une sorte d'intuition de son propre principe, savoir qu'une norme ne peut prétendre à la validité que si toutes les personnes concernées sont d'accord (ou pourraient l'être), en tant que participants à une discussion pratique, sur la validité de cette norme. Plus précisément : il s'agirait simplement d'apercevoir aujourd'hui, pour reformuler de façon satisfaisante l'éthique kantienne, que, s'il est vrai qu'une norme n'est valide que dans la mesure où tout ce qui résulte de son application universelle pourrait être accepté par toutes les personnes concernées ou susceptibles de l'être (principe d'universalisation = explicitation du contenu intuitif de l'impératif catégorique), alors l'éthique doit prendre pour principe que seule la discussion argumentative fonde la validité d'une quelconque norme (principe de la discussion). Déplace-

---

« Notes programmatiques pour fonder en raison une éthique de la discussion ». Habermas oppose ainsi au décisionnisme nietzschéo-weberien les tentatives qui, chez Rawls et Apel, constituent selon lui les deux plus grandes éthiques contemporaines, et qui ont en commun d'« analyser les conditions qui rendraient possible une évaluation impartiale ne s'appuyant que sur des raisons ».

ment important peut-être, qui engage en tout cas la
conviction selon laquelle le paradigme supposé
« monologique » du sujet (fût-il sujet pratique) serait
épuisé et devrait désormais céder la place, après le
« *linguistic turn* », au paradigme « dialogique » de la
communication [1] ; mais déplacement qui pourtant
n'engage pas la définition même du critère de l'objectivité pratique : pour constituer des normes
valides, il s'agit de produire au fond, comme la *Fondation de la métaphysique des mœurs* y invitait déjà à
travers la notion d'impératif catégorique, un « décentrement » du sujet, en prévenant les déformations de
perspective qu'introduit la considération des intérêts
personnels. Cela étant, on peut concevoir la produc-
tion de ce décentrement par abstraction méthodique
de ce qui nous différencie et nous individualise [2] ; on
peut aussi la concevoir à partir de la discussion, par
la « participation effective de chaque personne
concernée à la discussion » : dans le dernier cas, c'est
une « discussion réelle » qui fonde le décentrement ;
dans le premier, il s'agit plutôt d'une sorte d'argumentation en pensée ; les deux démarches ne se
situent certes pas exactement sur le même plan
(l'éthique de la discussion s'intéressant davantage
que Kant, ou que Rawls aujourd'hui, au processus
effectif du décentrement), mais il ne me paraît pas
certain qu'elles soient incompatibles *dans leur esprit*.

    3. Quoi qu'il en soit de ce débat avec l'éthique kan-
tienne, reste alors, dans le cadre d'une éthique de la
discussion, à poser le problème de savoir comment

    1. Je ne prends pas position ici sur la validité de cette critique du
paradigme du sujet comme « solipsiste » : j'ai essayé d'argumenter,
dans *L'Ere de l'individu*, en faveur d'une tout autre compréhension
de l'idée de subjectivité.
    2. Habermas rapproche à cet égard de la démarche kantienne
celle de Rawls dans sa *Théorie de la justice*, où le procédé du « voile
d'ignorance » symbolise l'élévation de chacun, à partir de l'indivi-
dualité différenciée, jusqu'à l'universalité du sujet pratique. Le rap-
prochement me semble judicieux. La critique qu'en tire Habermas
de la *Théorie de la justice* en lui reprochant la même illusion monologique où s'était inscrite à ses yeux la raison pratique kantienne me
paraît évidemment plus contestable.

fonder le principe d'universalisation. Comme on sait, c'est précisément à propos d'une telle « fondation ultime » que se met en place le débat qui oppose aujourd'hui, parfois fort vivement [1], Habermas et Apel. Je ne peux ici rappeler que le nerf de ce débat : Apel s'engage dans un processus de fondation transcendantale du principe d'universalisation, laquelle constitue précisément la troisième dimension « kantienne » de sa version de l'éthique de la discussion ; au contraire, Habermas conteste à la fois l'efficacité et la nécessité d'une telle démarche en objectant que le principe d'une éthique de la discussion pourrait être justifié sans être fondé au sens d'une fondation transcendantale [2].

Je ne saurais ici analyser les termes de ce débat, ni le contenu de la fondation ultime à laquelle Apel croit devoir parvenir. Simplement un tel débat est-il significatif, à mon sens, de ce que conserve ainsi de vivant, *au moins dans sa forme*, le projet kantien d'une fondation de l'éthique dans un principe ultime (chez lui : la liberté comme autonomie de la volonté) permettant de comprendre comment l'impératif catégorique (donc l'objectivité pratique) est possible [3]. La même

1. Voir notamment K.O. Apel, *Penser avec Habermas contre Habermas* (1989), tr. par M. Charrière, L'Eclat, 1990.

2. Pour identifier la position de Habermas telle qu'elle consiste à justifier les règles de l'éthique de la discussion par une théorie de la société montrant par quelles procédures les normes valides se constituent et sont reconnues comme telles dans le fonctionnement démocratique des sociétés modernes, on se reportera à l'exposé parfait qu'en propose J.-M. Ferry, *Habermas, L'éthique de la communication*, P.U.F., 1987, notamment p. 364 sqq. Apel objecte bien sûr à Habermas que nulle théorie de la société, de caractère « descriptif » ou, si l'on veut, phénoménologique, ne saurait permettre de faire l'économie d'une réflexion de type transcendantal mettant en évidence la nécessité *a priori* de se conformer, pour le sujet de l'argumentation en matière pratique, aux principes de la discussion rationnelle.

3. C'est là une des raisons pour lesquelles j'ai tenu à traduire le titre *Grundlegung zur Metaphysik der Sitten* par : *Fondation de la métaphysique des mœurs*. D'une part, la fidélité à la terminologie choisie par Kant (*Grundlegung*, « fondation », au sens actif ou dynamique du terme, n'est pas *Grundlage*, « fondement ») imposait cette rectification de la traduction usuelle qui n'avait cessé d'être rituel-

observation me semble pouvoir être faite concernant l'autre démarche constitutive de la *Métaphysique des mœurs*, savoir celle, caractéristique des *Doctrines*, de l'application.

## Vers une éthique appliquée

On a souvent reproché à la philosophie pratique de Kant son formalisme, pour lui opposer, parfois avec talent, le projet d'une « éthique concrète [1] ». Après Nietzsche, Scheler [2], N. Hartmann [3], d'autres encore, ont, chacun à sa manière, creusé l'objection : la philosophie pratique kantienne repose sur un dualisme rigoureux qui, isolant le monde moral du monde empirique, ne saurait permettre d'appréhender l'unité de l'action.

Une large part de ces objections, qui vaudraient si la contribution de Kant en la matière se bornait à son moment *critique* (*Fondation*, *Critique de la raison pratique*), perd tout sens dès lors que l'on considère dans toute son ampleur l'architectonique pratique, et notamment la manière dont la *Fondation* ouvre sur la

lement dénoncée depuis Delbos lui-même, mais n'avait jamais été amendée (outre qu'on voit quels auraient été *ces* fondements annoncés au pluriel par le titre français, là où Kant, par définition et expressément, recherche, à travers sa tentative de fondation, un « principe ultime », donc unique ! ). D'autre part, la restitution philologiquement correcte du titre permettait aussi de faire ressortir, en parlant désormais de *Fondation de la métaphysique des mœurs*, quels harmoniques profonds relient la problématique kantienne de la raison pratique à certaines tentatives contemporaines de recomposition de la philosophie pratique, si malmenée par les courants post-nietzschéens et post-heideggeriens.

1. Je pense évidemment à G. Gurvitch, *Fichtes System der konkreten Ethik*, où l'auteur trouve chez le dernier Fichte et chez Hegel le modèle d'une rationalité pratique échappant à l'« intellectualisme » kantien et s'affirmant sans écarter toutes les prétentions de la sensibilité et des penchants.

2. M. Scheler, *Le Formalisme en éthique et l'éthique matérielle des valeurs* (1916), tr. par M. de Gandillac, Gallimard, 1955. Voir notamment, p. 31-33, l'« Observation préliminaire », expressément et directement dirigée contre Kant. Dans sa Préface à l'édition de 1926 (tr., pp. 22-26), Scheler analyse les critiques parallèles adressées par Hartmann au « formalisme » kantien.

3. N. Hartmann, *Ethik*, Berlin, De Gruyter, 1926.

*Doctrine du droit* et la *Doctrine de la vertu*. Car si, pour l'essentiel, le moment critique est constitué par une théorie de l'objectivité pratique en général, consistant à indiquer à quelles conditions une quelconque fin peut être dite objective (donc, valide au regard de la raison pratique [1]), cette définition formelle de l'objectivité pratique, qui correspond en fait au concept de la moralité pure (comme la table des catégories, dans la première *Critique*, correspond à la nature au sens formel, c'est-à-dire aux déterminations les plus générales d'un objet de la raison théorique), n'est que l'étape préliminaire ou propédeutique de la philosophie pratique : au-delà, il appartient précisément à la *Métaphysique des mœurs* au sens strict (*Doctrine du droit, Doctrine de la vertu*) d'*appliquer* les critères de la moralité pure, selon une méthode que l'on va indiquer, en insérant la considération des exigences de l'objectivité pratique aussi bien dans les institutions (droit, Etat) que dans le sujet agissant (vertu).

Ce pourquoi il m'est apparu si important, en rapprochant la *Fondation* et la *Métaphysique des mœurs*, que seule la temporalité de l'œuvre avait écartées l'une de l'autre, de faire paraître combien est en réalité inhérente à la démarche même de Kant en matière de philosophie pratique le souci de *concrétiser* les maximes dégagées, à un extrême niveau de généralité, par le moment critique : en ce sens me semble-t-il possible de faire justice de la manière dont il est devenu usuel d'opposer à la raison pratique kantienne, rigoureuse, mais vide, la « pru-

1. A cette question de l'ontologie pratique, dont on voit mal comment, en tant que telle (= comme ontologie, comme définition générale de l'objectivité pratique), elle pourrait ne pas être formelle, répondent, dans la *Fondation*, l'analyse de l'impératif catégorique et de ses maximes, dans la *Critique de la raison pratique*, le chapitre II de l'Analytique de la raison pure pratique (« Du concept d'un objet de la raison pratique ») — tel qu'il se clôt par la construction d'une table des « catégories de la liberté » qui, analogue à celle des catégories de l'entendement dans la *Critique de la raison pure*, énonce les déterminations purement formelles d'un objet pratique en général (c'est-à-dire d'une fin qui puisse être poursuivie par la liberté) (AK, V, 58-71, tr. par L. Ferry et H. Wismann, *Œuvres philosophiques de Kant*, Bibl. de la Pléiade, II, pp. 677-695).

dence » aristotélicienne, ouverte à la particularité du *kairos* ou de la situation en sa contingence. Le lecteur qui suivra Kant sur le trajet conduisant de la formulation de l'impératif catégorique jusqu'à l'examen des « questions casuistiques » qui, au fil de la *Doctrine de la vertu*, accompagne l'établissement des devoirs moraux se demandera ainsi de quelle singulière illusion d'optique a procédé la légende, si pieusement entretenue, du rigorisme et du formalisme kantiens. Mieux : ce lecteur, confronté à cet immense effort d'application qu'est la *Métaphysique des mœurs*, appelé par le texte même à discuter tel ou tel point de cette application (nombreuses sont en effet les « questions casuistiques » qui restent, significativement et délibérément, non tranchées par Kant), en viendra à songer qu'il ne serait pas absurde ni excessif de considérer que les *Doctrines* ouvrent sur cette dimension de l'« éthique appliquée » dont, par importation des recherches anglo-américaines en la matière, nous commençons désormais à apercevoir combien elle est sans doute inscrite dans la vocation même de la raison pratique.

De la fondation ultime de l'éthique à l'éthique appliquée : resterait alors, pour avoir cerné dans son principe le fonctionnement de cette *Métaphysique des mœurs*, à apercevoir comment s'opère l'application elle-même. Il est bien évident en effet que l'on ne saurait mesurer avec rigueur la portée des *Doctrines* sans prendre en considération la conception même que Kant s'était forgée d'une telle application — je veux dire : de son procédé comme de ses limites.

## La méthode de l'application

Dégager le procédé selon lequel Kant a conçu l'application de la définition formelle de l'objectivité pratique, c'est comprendre en quel sens, depuis la *Critique de la raison pure*, il désigne comme « métaphysique », de manière apparemment déconcertante, les parties de sa philosophie transcendantale qui excèdent, aussi bien du côté théorique (*Métaphysique de la nature*) que du côté pratique (*Métaphysique des mœurs*), le moment critique. A cette fin, il faut rappeler que le terme « métaphysique » possède dans le vocabulaire kantien une quadruple signification :

— La « métaphysique générale » désigne cette activité intellectuelle, sans doute légitime, mais relativement stérile, qui consiste dans l'analyse des concepts traditionnels de l'ontologie.

— La métaphysique « spéciale » est celle que déconstruit la dialectique transcendantale.

— La métaphysique comme « disposition naturelle » indique cette capacité que l'homme possède de s'arracher au monde simplement naturel.

— Enfin, la « métaphysique des mœurs » et, parallèlement, celle de la « nature » désignent une activité intellectuelle légitime et utile qui vient compléter celle, encore formelle, des deux premières *Critiques* [1].

Ces deux *Critiques* (il faut laisser ici de côté le cas, tout différent, de la troisième Critique [2]) se tiennent en effet à un niveau bien particulier : ainsi qu'on l'a déjà entrevu, elles définissent, chacune dans sa sphère propre, l'objectivité en général (le transcendantal). C'est clair pour la *Critique de la raison pure*, où la table des catégories énumère les critères qui définissent en général et *a priori* la forme de tout objet, quel qu'il soit. En revanche, dans le domaine de la philosophie pratique, par rapport à laquelle se situeront la *Doctrine du droit* et la *Doctrine de la vertu* (ce qui ne veut nullement dire qu'elles s'en « déduisent »), la théorie de l'objectivité est moins aisée à percevoir.

1. C'est aussi en ce sens qu'il peut être question de « métaphysique » dans le titre des *Prolégomènes à toute métaphysique future qui voudra se présenter comme science*.

2. Indice de cette différence : la *Première introduction à la Critique de la faculté de juger* explique qu'ici nulle « doctrine » ne correspond à la « critique », précisément parce que la faculté de juger (comme faculté de juger réfléchissante — celle à laquelle est consacrée la troisième *Critique*) n'a pas pour fonction de constituer une classe d'objets spécifiques, mais de rapporter des objets déjà constitués à une exigence de la raison humaine (tant théorique : l'Idée de système, que pratique : l'Idée de liberté).

Si on choisit de ne pas entrer ici dans l'examen (fort complexe) de la table des catégories de la liberté que propose la *Critique de la raison pratique*, on peut cependant, en s'en tenant à la *Fondation de la métaphysique des mœurs*, indiquer que la représentation pratique de l'objectivité se laisse au mieux repérer dans la célèbre distinction des trois types d'impératifs.

Si l'on demande en effet ce que peut être un « objet pratique », donc, en quel sens il peut y avoir aussi une théorie de l'objectivité pratique (une ontologie pratique), on répondra qu'un objet pratique est une fin. Mais non pas n'importe quelle fin — ce qu'est destinée précisément à suggérer la tripartition des impératifs :

— Je puis en effet me proposer de réaliser par mon action des fins très différentes, et rechercher par exemple celles qui ne valent que pour moi, qui sont, en ce sens précis, purement *subjectives* : je suivrai alors les seuls impératifs de l'*habileté*, qui concernent uniquement la relation moyen/fin et relèvent de ce que nous appelons aujourd'hui la « raison instrumentale » ou encore, en termes wébériens, la « rationalité par raffort à une fin ». Ces impératifs nous disent : *si* tu veux obtenir telle fin — peu importe laquelle : il peut s'agir, selon l'exemple même de Kant, aussi bien de guérir que d'empoisonner —, *alors* il faut utiliser tels moyens.

— Je puis m'élever d'un cran dans l'objectivité (dans la recherche de fins qui soient moins subjectives) en me conformant aux impératifs de la *prudence*. Les impératifs restent alors *instrumentaux*, hypothétiques, ils envisagent cependant des fins communes à l'humanité, et non plus particulières à chaque sujet. Car avec la prudence, je me propose de réaliser des objectifs qui ne valent plus simplement pour moi, mais aussi pour l'espèce humaine tout entière — l'exemple le plus simple étant ici celui de la santé : nous ne sommes plus dans l'arbitraire pur, et pourtant ce qui distingue encore la prudence de la véritable moralité, c'est que les fins qu'elle aide à réaliser ne

sont communes à l'humanité qu'en tant qu'on la
considère comme espèce animale ou biologique.

— Je puis enfin accéder à l'objectivité suprême en
m'imposant pour principe de réaliser des fins valant
universellement, telles qu'elles peuvent même aller
tout à fait à l'encontre de celles qui ne vaudraient que
pour moi. J'entre alors dans la sphère de l'*impératif
catégorique*, c'est-à-dire dans la sphère de la *moralité*,
où sont prescrites uniquement des fins que seul un
être libre peut choisir : fins de la raison qui ne sont
plus seulement communes à l'humanité en tant qu'espèce biologique, mais aussi en tant qu'elle constitue
l'ensemble des êtres doués de liberté et de raison (ne
pas mentir, ne pas traiter autrui comme pur moyen,
etc.).

Sans qu'il soit besoin de s'appesantir davantage sur
ces distinctions fort connues, on perçoit ici en quel
sens le moment critique de la philosophie pratique
(moment dont participe, nous l'avons vu, la *Fondation*) peut être tenu pour une théorie de l'objectivité :
la Critique nous fournit en effet, en énonçant l'impératif catégorique, le critère permettant de distinguer
les fins subjectives (valables seulement pour moi) des
fins objectives (valables pour l'humanité entière en
tant qu'espèce raisonnable). Bref, en allant de l'habileté à la moralité en passant par la prudence, on
s'élève des fins *particulières* aux fins *universelles* en passant par les fins *générales*. La question morale par
excellence est donc bien la suivante : à quelles conditions puis-je penser que les fins que je me propose ne
sont pas seulement mes fins subjectives, mais aussi des
fins susceptibles de valoir objectivement, donc d'être
admises par tous ? La moralité suppose par conséquent que l'on dépasse son point de vue particulier,
son égoïsme et ses intérêts, pour considérer le bien
commun ; et cet effort suppose à son tour la liberté,
entendue comme la faculté de n'être pas entièrement
déterminé par ses penchants. Où l'on perçoit ainsi,
même à ce niveau d'extrême généralité (la moralité
pure), que ces exigences formulées par Kant expri-

ment au mieux la conscience moderne de la morale :
de même que nous pensons toujours plus ou moins la
légitimité en termes de convention et de contrat (d'adhésion volontaire), nous identifions spontanément la
moralité avec la quête désintéressée d'objectifs universels.

Pour autant, avec une telle exigence morale d'universalité, la Critique, du côté pratique (comme c'est
aussi le cas, au demeurant, du côté théorique), ne
saurait dépasser, je l'ai déjà suggéré, la sphère formelle
du transcendantal : elle ne nous indique pas par elle-
même comment passer de la définition générale de
l'objectivité à la détermination d'objets particuliers
réels. La morale pure nous dit qu'il faut viser l'universel, mais elle ne nous dit pas ce que cet universel
est effectivement dans tel ou tel cas, elle en décrit
seulement la forme désincarnée — ce pourquoi, si l'on
réduit la philosophie pratique de Kant à ce moment
fondateur, l'on pourra en dénoncer à satiété le formalisme.

Formulé autrement, et pour mieux faire percevoir la
teneur de la difficulté : dans le cas de la philosophie de
la nature (de la physique), on dira, techniquement,
que les catégories sont *constitutives* par rapport à l'expérience possible, mais seulement *régulatrices* par rapport à l'intuition [1] — ce qui signifie, en clair, qu'on ne

1. Voir sur ce point capital *Critique de la raison pure*, A 179/ B
222. Ainsi que l'établit la Déduction transcendantale, les catégories
sont la forme de l'expérience en général — ce qui signifie que, s'il y
a une expérience possible, je sais *a priori* qu'elle sera structurée
selon les déterminations catégoriales : en ce sens, les catégories ou,
plus techniquement dit, les principes (= les catégories, plus le
temps) sont constitutifs vis-à-vis de l'expérience *possible* (= vis-à-vis
de la *forme* de l'expérience, ou encore de l'expérience *en général*, ce
que Kant appelle « l'objet transcendantal = X ») ; dans la mesure
cependant où rien n'implique *a priori* qu'aucun contenu effectif
viendra se ranger sous cette définition formelle de l'objectivité
(implication *a priori* qui exigerait que le réel soit intrinsèquement
rationnel, soit : la thèse de l'idéalisme absolu), catégories et principes ne sont que régulateurs par rapport aux intuitions (donc aux
expériences *réelles*) — si l'on préfère : par rapport à l'*existence* des
phénomènes, laquelle ne se peut donc, par définition, construire *a
priori*. Ce pourquoi le projet d'une physique *a priori*, cher à l'idéa-

peut pas, à la différence de ce qui avait lieu chez les
cartésiens par exemple, entreprendre d'élaborer une
physique intégralement *a priori*. Seules les mathématiques peuvent en fait procéder absolument *a priori*
parce qu'elles, et elles seulement, ne s'intéressent qu'à
la forme de l'expérience, non à son contenu empirique.

De même, dans le cas de la philosophie pratique,
qui seul nous retient ici, il est impossible de « déduire »
*a priori* les fins concrètes que je dois me proposer de
réaliser dans telle ou telle circonstance particulière. Je
dispose certes d'un principe, mais le problème de l'application de ce principe à l'existence suppose un
« saut ». Ce « saut » ne s'effectue cependant pas de
façon arbitraire, et c'est justement l'œuvre de la *métaphysique* de la nature (pour la partie théorique) et des
mœurs (pour la partie pratique) que d'en déterminer
les conditions exactes.

Dans ce contexte, Kant nomme en effet « métaphysique » le procédé non seulement légitime, mais nécessaire, par lequel nous pensons le rapport de l'universel
au particulier. Ce procédé [1] consiste à ajouter à la
structure catégoriale formelle un minimum d'empiricité, une donnée sensible aussi abstraite que possible
par rapport à l'empiricité (ce pourquoi le procédé peut
être dit « métaphysique »), donc aussi proche que possible du transcendantal, de sorte que le saut soit lui-
même le plus restreint possible. C'est sans doute dans
la préface aux *Premiers Principes métaphysiques de la
science de la nature* que l'on trouve les indications les
plus précises sur cette méthode de détermination des
catégories [2].

A suivre ces indications fournies par Kant au sujet
de la métaphysique de la nature, le minimum ajouté à

---

lisme allemand à partir de Schelling, n'a rigoureusement aucun sens
dans le cadre du criticisme.
   1. Pour une analyse plus complète, on peut se reporter à : B.
Rousset, *La Doctrine kantienne de l'objectivité*, Vrin, 1968.
   2. *Premiers Principes métaphysiques de la science de la nature*, tr.
citée, in *Œuvres philosophiques de Kant*, II, p. 370 sqq.

la structure catégoriale sera la représentation d'un mobile dans l'espace et le temps. Cette simple adjonction, qui se peut effectuer *a priori* et donc, répétons-le, peut être dite, en ce sens, « métaphysique » (puisque je sais *a priori* de l'objet donné, quel qu'il puisse être, qu'il est situé dans l'espace et dans le temps, à quoi correspond la notion de mouvement), permettra ensuite d'en déterminer le produit à l'aide des quatre titres de la table des catégories, faisant ainsi surgir la phoronomie (quantité), la dynamique (qualité), la mécanique (relation) et la phénoménologie (modalité).

On peut alors construire par analogie ce qu'il va en être dans l'optique d'une métaphysique des mœurs. Le premier élément, véritablement minimal, qui puisse être ajouté *a priori* aux catégories de la liberté réside dans la représentation de l'existence des choses et des personnes. L'ajout d'un second « minimum », si l'on peut dire, interviendra dans la *Doctrine de la vertu* (l'existence des penchants inscrits dans les différents sujets), mais il supposera déjà la prise en compte du premier — raison pour laquelle, architectoniquement, la *Doctrine du droit* précède ce que Kant appelle aussi l'éthique.

### La portée de la méthode : l'exemple de la Doctrine du droit

Ce procédé de la « métaphysique » appellerait bien des remarques. Il faut souligner tout d'abord que la portée n'en est pas simplement formelle. En ne retenant ici qu'un seul exemple, on aperçoit que, de la manière même dont se trouve construit l'objet de la *Doctrine du droit*, résultent les deux questions centrales qui vont fonder les divisions principales de l'ouvrage, ainsi que l'ordre dans lequel elles seront abordées :

1. Qu'est-ce qu'être libre à l'égard des choses ? Cette première question fonde la théorie de la propriété et, plus généralement, du *droit privé*.

2. Comment les diverses libertés individuelles peuvent-elles s'accorder entre elles, c'est-à-dire s'auto-

limiter ? Ou encore : comment puis-je être libre sans qu'autrui soit asservi, et, réciproquement, comment autrui peut-il être libre sans que je sois asservi ? Cette seconde question fonde la théorie du *droit public*.

Or, la dichotomie ainsi produite du droit privé et du droit public a bien évidemment une portée considérable pour toute la théorie politique ultérieure, dont elle constitue même en quelque sorte l'acte de naissance [1]. Elle correspond en effet pour l'essentiel, on le perçoit sans peine, à la distinction plus contemporaine de la société (civile) et de l'Etat — ce dernier s'entendant en l'occurrence comme le lieu du droit de contrainte qui garantit la limitation réciproque des libertés. Mais, conformément à l'usage en vigueur dans la tradition jusnaturaliste, Kant désignera cette dichotomie par les deux expressions consacrées : « société naturelle » pour la sphère privée, et « société civile » pour la sphère publique — par où l'on comprend pourquoi le terme de « société civile » correspond encore chez lui, d'une manière qui, de prime abord, pourrait déconcerter le lecteur, à ce que nous nommerions plutôt aujourd'hui l'Etat. Reste que, quels que soient les termes qui la désignent, la dichotomie de la société et de l'Etat, non seulement est ici en place, mais se trouve philosophiquement fondée. Et, de ce point de vue, la *Doctrine du droit* marque un virage véritablement capital dans l'histoire de la réflexion juridico-politique, puisqu'elle opère la synthèse, inédite, d'une problématique morale et d'une problématique jusnaturaliste. Plus précisément : elle situe le droit par rapport à la morale (pure) comme en étant l'incarnation et, ce faisant, prenant en compte l'empiricité, elle conduit à distinguer de façon purement philosophique la société et l'Etat — par où elle apparaît très exactement comme le lieu où s'accomplit le passage des théories du droit naturel moderne, en

---

1. Je reprends ici une thèse déjà développée, selon une perspective sensiblement différente, dans *Des droits de l'homme à l'idée républicaine* (*Philosophie politique*, III) P.U.F., 1985, p. 96-103 (en collaboration avec L. Ferry).

tant que réflexions sur la légitimité et la souveraineté, aux théories politiques contemporaines, en tant que réflexions sur les rapports de la société et de l'Etat. Ce couple étant produit, les relations qu'entretiennent les deux termes vont en effet pouvoir être envisagées selon trois modalités fondamentales :

— La réduction de la société à l'Etat fondera philosophiquement le projet d'un *socialisme étatique,* voire totalitaire, au sein duquel l'Etat deviendrait l'instance prétendant organiser, contrôler et, en définitive, absorber la société.

— La réduction de l'Etat à la société fonde, toujours au niveau des principes philosophiques, le projet *anarchiste* d'une suppression totale de l'Etat au profit d'une société supposée pouvoir être harmonieuse par elle-même.

— La limitation réciproque de la société et de l'Etat fonde la conviction *libérale* que leur coïncidence parfaite est impossible, et que la visée de l'unité absolue s'avère en dernière instance inévitablement catastrophique.

Que Kant lui-même, en sa *Doctrine du droit*, ait développé de façon plus ou moins ambiguë le troisième de ces modèles, c'est une question qui, engageant sa compréhension de la relation entre droit privé et droit public, nourrit bien des débats interprétatifs et sera examinée, indirectement, ci-dessous. Encore fallait-il toutefois apercevoir d'abord que là n'est peut-être pas cependant, quant à la portée de la *Doctrine du droit*, le point essentiel : en fondant une division claire de la société et de l'Etat, la première partie de la *Métaphysique des mœurs* nous aura permis d'apercevoir rétrospectivement pour quelles raisons au fond systématiques il n'était et n'est sans doute possible, dans le cadre de la pensée politique moderne, de concevoir que trois théories politiques fondamentales, l'anarchisme, le socialisme (nécessairement étatique) et le libéralisme.

Reste que, précisément dans la mesure où la *Doctrine du droit* correspond au moment de la transition

entre les théories du droit naturel et les théories politiques, l'on peut se demander ce que Kant conserve
de la problématisation jusnaturaliste : on peut se le
demander d'autant plus aisément que quelques appa-
rences ont pu nourrir le soupçon d'une éventuelle
contribution de Kant à la genèse du positivisme juridique.

## Kant et le droit naturel

Il faut en effet le rappeler : un historien de la philosophie du droit aussi brillant que M. Villey estimait
qu'au sein d'une pensée moderne tendant globalement au positivisme, c'est la « doctrine kantienne »
qui, pour la première fois, « livre les juristes à l'empire des lois positives, sans restriction, ni condition ».
Et M. Villey, avec beaucoup de dédain envers les
philosophes, précisait que certes « une interprétation
courante fait de Kant un jusnaturaliste », mais qu'en
vérité cette appréhension du kantisme, « largement
répandue chez les philosophes », manque l'essentiel
— savoir que « Kant a détruit tous les remparts que
l'histoire avaient édifiés contre la toute-puissance des
lois » : bref, l'œuvre de Kant, « en dépit de ses
étiquettes, et peut-être de ses intentions, signifiait
la victoire totale, effrénée, du positivisme juridique [1] ».

Face à cette condamnation sans nuances [2], force est
bien évidemment de se demander ce qui a pu venir
l'étayer. Dans la *Doctrine du droit*, Kant soutient,
comme on le verra, qu'il n'est de droit que par le
passage de l'état de nature à l'état civil, et qu'il
n'existe donc pas de droit en dehors de l'Etat [3].

1. M. Villey, *Leçons d'histoire de la philosophie du droit, op. cit.*,
p. 254-259 ; voir, dans le même sens, la préface à la traduction de
la *Doctrine du droit*, éd. Vrin.
2. On pourrait l'étayer tout autant sur les thèses de L. Strauss
concernant la dissolution du droit naturel par les vagues successives
de la modernité, où Kant, comme on sait, se trouve inscrit en bonne
place (parmi les philosophes de la deuxième vague).
3. VI, 242.

De même écrivait-il en 1793, dans *Théorie et Pratique*, que « tout droit dépend des lois » : proposition que la *Doctrine du droit*, quatre ans plus tard, ne fait que développer en établissant que c'est seulement dans le droit politique, dans la constitution publique de l'état civil, qu'il y a place pour un véritable droit privé et qu'il n'existe de droit qu'à partir de l'avènement d'un Etat.

De ces formules si souvent citées vient que certains interprètes ont tenu que Kant était le fossoyeur de l'idée de droit naturel. Ainsi, suivant à cet égard les suggestions de M. Villey, S. Goyard-Fabre a-t-elle pu croire trouver chez Kant, pour qui « il n'y a pas de droit véritable supérieur ou antérieur à l'Etat », « les prémisses du positivisme juridique [1] ».

Je crains, à vrai dire, qu'il n'y ait là une singulière méprise, fortement encouragée par certaines maladresses des traducteurs — tant il est vrai qu'affirmer, comme le fait Kant avant Fichte, qu'il n'y a pas de droit avant l'Etat, ce n'est encore nullement rompre avec tout jusnaturalisme pour basculer dans le positivisme juridique : pour que tel soit le cas, il faudrait en effet que Kant eût estimé, non seulement qu'il n'existait pas de droit *antérieur* à l'Etat, mais aussi qu'il n'était point de droit *extérieur* et *supérieur* au droit institué des Etats existants ; car seule une telle affirmation définira expressément le positivisme juridique, par l'exténuation qu'elle implique de toute référence possible à une instance métapositive du droit. Or, cette affirmation positiviste n'a, fort heureusement, rien à voir avec ce que souligne Kant dans la *Doctrine du droit*.

Il faut en effet être attentif (ce que certes les traductions n'ont pas toujours permis et qui, entre autres considérations, imposait de les actualiser) à la manière dont, au-delà de rares flottements, Kant distingue

---

1. S. Goyard-Fabre, *Kant et le problème du droit*, Vrin, 1975, p. 255 sqq. Il est juste de préciser que cet auteur a ultérieurement nuancé son propos : voir *Philosophie politique*, XVIe-XXe siècle, P.U.F., 1987, p. 356 sqq.

avec « subtilité » non pas deux, mais trois niveaux du droit [1] :

— tout d'abord ce qu'il appelle *das natürliche Recht*, si l'on veut : le droit de l'homme naturel, le droit éventuel de l'homme à l'état de nature, soit (puisqu'il s'agit d'une fiction produite par abstraction de l'Etat) : ce que serait le droit privé indépendamment de son inscription dans un système de droit public ;

— ensuite, ce qui est désigné comme *Naturrecht*, le droit naturel proprement dit, niveau métapositif du droit qui transcende le droit établi et, constituant un *Sollen*, permet de le juger ;

— enfin, le droit public, droit civil ou droit politique (*das öffentliche Recht*), qui désigne le droit existant dans l'Etat [2].

Cela souligné, pour que Kant prépare le positivisme, il faudrait 1) qu'il soutienne que le droit de l'homme naturel n'existe pas par lui-même et qu'il n'acquiert véritablement de consistance que dans un

---

1. Sur cette « subtilité », voir la Réflexion 7084 (1776-1778), même si la tripartition de la *Doctrine du droit* n'y est pas encore pleinement établie (trad. par M. Castillo, *in : Kant et l'avenir de la culture*, P.U.F., 1990, p. 275) : « L'usage du mot *droit naturel* (*natürliche Recht*) étant si équivoque, il nous faut recourir à une subtilité pour éviter cette équivoque. Nous distinguons le droit de la nature (*Naturrecht*) du droit naturel (*natürliche Recht*) ». Il faut, à cet égard, savoir gré à J. Masson et O. Masson d'avoir pour la première fois, dans leur traduction de la *Doctrine du droit* (Kant, *Œuvres philosophiques*, Bibl. de la Pléiade, t. III, 1986), pris en compte cette subtilité : voir leur note de la p. 1424 .

2. Je suis d'autant plus enclin à imputer une lecture comme celle de M. Villey à un malencontreux effet de l'ambiguïté des traductions que celle qu'il préface, quels qu'en soient les mérites, commet sur ce point précis une erreur redoutable : traduire par « droit naturel » aussi bien ce que Kant appelle « Naturrecht » que ce qu'il nomme « das natürliche Recht », c'était rendre malaisément intelligible la structure même de la *Doctrine du droit* ; confondre les deux en parlant à chaque fois de « droit naturel », c'était accréditer (puisque Kant soutient que le « natürliche Recht » n'acquiert de consistance que par le droit public) l'absurde, mais tenace légende selon laquelle Kant, soumettant le droit naturel au droit positif, prépare le positivisme juridique d'un Kelsen — là où jamais dans le texte le « Naturrecht » (le droit naturel) n'est dit trouver sa vérité dans les systèmes de droit positif existants (qu'au contraire, en tant que *Sollen*, il permet de juger).

système de droit public, c'est-à-dire dans l'Etat, — ce qu'il soutient effectivement en faisant du droit public la vérité du droit privé (comme la Déclaration de 1789 fait des droits du citoyen la vérité des droits de l'homme) ; mais il faudrait aussi 2) qu'il nie toute consistance et toute fonction assignables au droit naturel, au *Naturrecht*, en posant que la vérité du *Naturrecht* se trouve dans les systèmes de droit positif existants : or cela, pas plus que Fichte, Kant ne le fait jamais, mais il place au contraire aussi bien le droit de l'homme naturel que le droit civil sous la dépendance du droit naturel, c'est-à-dire sous la dépendance du pur concept de droit qui les transcende comme une norme rationnelle. Le schéma kantien est donc le suivant :

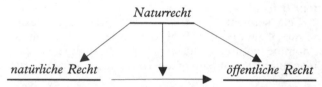

*Naturrecht*

*natürliche Recht*                          *öffentliche Recht*

Soit : un schéma qui n'a absolument rien de positiviste et enregistre simplement, en fidélité à la lettre comme à l'esprit de la Déclaration de 1789, qu'il est conforme au droit naturel de l'homme en tant qu'être sociable que ses droits individuels (droits de l'homme naturel) trouvent leur garantie en même temps que leur accomplissement dans un système de droit public fondé sur l'exercice des droits du citoyen (ce que Kant appelle la « constitution républicaine »). Et, de ce fait, tout le schéma inscrit la pensée du droit dans une perspective universaliste, puisque c'est l'instance du droit naturel (= du droit qui revient à tout homme en tant qu'homme) qui régit l'articulation du droit privé et du droit public. Rigoureusement dans le même sens, Fichte peut écrire en 1796 (j'inscris entre parenthèses mon commentaire) :

« L'Etat (= l'Etat rationnel, conforme au *Sollen*) devient l'état de nature de l'homme (= ce que la tradition jusnaturaliste s'était jusqu'ici représenté comme la condition correspondant à la nature de l'homme en tant qu'homme), et ses lois ne doivent être rien d'autre que le droit naturel réalisé [1] ».

Ici comme chez Kant, la référence au *Sollen* paraît suffire à écarter toute tentation de lire, dans l'affirmation qu'il n'est de droit que dans une communauté politique (= de droits de l'homme que comme du droit du citoyen), une quelconque anticipation du positivisme juridique. Bref, *le criticisme juridique conserve un moment de jusnaturalisme* : quand bien même, comme j'ai essayé de le montrer ailleurs [2], il entreprend de réélaborer profondément cette notion du droit naturel, c'est en dehors du droit positif et de son fonctionnement qu'il cherche la pierre de touche du droit, dans une notion méta-positive (en même temps que méta-historique) du juste.

Cette mise au point interdit-elle toutefois pleinement le soupçon de positivisme ? A vrai dire, l'accusation mise en place par M. Villey ne perdrait pas pour autant, à partir de ces seules considérations, toute sa vigueur. Ne niant pas que l'expression de « droit naturel » ait été conservée par Kant pour désigner un « droit juste » découvert par la seule raison et destiné à guider le législateur, celui-ci estime en effet que « ce beau système théorique n'est pas, *hic et nunc*, applicable », et que le « droit rationnel » dessine un cadre trop « flou » ou trop « vague » pour constituer dans la pratique la source des décisions et des jugements [3]. Bref : le criticisme serait bien un *jusnaturalisme théorique*, mais, parce que sa référence à un droit rationnel lointain et trop indéterminé demeurerait sans prise sur « l'empire des lois positives », il induirait aussi un *positivisme pratique*.

La difficulté, cette fois, nous reconduit directement vers cette problématique de l'application de la morale pure, telle qu'elle concerne aussi bien la *Doctrine du droit* que la *Doctrine de la vertu* — plus précisé-

1. Fichte, *Fondement du droit naturel*, tr. par A. Renaut, P.U.F., 1985, p. 163.
2. A. Renaut et L. Sosoé, *Philosophie du droit*, P.U.F., 1991.
3. M. Villey, *op. cit.*, p. 255-257.

ment : elle nous invite à interroger, pour mettre un terme à cette présentation, les éventuelles *limites* que Kant, *de facto* ou *de jure*, a cru devoir imposer à sa philosophie pratique dans l'ordre de l'application.

### Limites de l'application : finitude de la raison pratique

Très logiquement, ce devrait être au terme de la *Doctrine de la vertu* que nous pourrions trouver la mise au point la plus explicite sur ces limites au-delà desquelles le procédé de la métaphysique des mœurs perdrait toute légitimité. Très logiquement en effet, puisque, si limites de l'application il devait y avoir, c'est bien là où la définition formelle de l'objectivité pratique est susceptible d'atteindre son plus haut degré de remplissement qu'elles seraient à même de surgir — autrement dit : là où, à la forme vide de l'objectivité (l'exigence d'universalité), ont été intégrées successivement deux dimensions qui lui étaient extérieures, à savoir l'extériorité du côté de l'objet constituée par l'existence des choses et des personnes (droit), puis l'extériorité du côté du sujet constituée par les inclinations (vertu).

Avouons-le : la conclusion de la *Doctrine de la vertu*, si elle frôle cette question, ne la thématise pas véritablement [1], et c'est plutôt par analogie avec les indications dont nous disposons dans le domaine théorique (métaphysique de la nature) qu'il nous faut concevoir la façon dont Kant s'est représenté les limites de sa métaphysique des mœurs.

On sait [2] que, dans le registre théorique, les maté-

1. On lira cependant avec attention (AK, VI, p. 486 sqq.) ces pages où Kant, sur l'exemple de la religion comme doctrine des devoirs envers Dieu, suggère qu'il existe *de jure* des limites infranchissables de l'« éthique en tant que philosophie pratique pure » : au-delà de ces limites, l'ajout qu'il faudrait à nouveau intégrer à la définition formelle de la moralité pure ne pourrait plus être accompli *a priori*, mais il serait de nature pleinement empirique en requérant que la « doctrine » considérée soit « appliquée à une histoire donnée ».

2. Je ne peux, là encore, que renvoyer aux indications précieuses de B. Rousset, notamment p. 227 sqq., p. 249 sqq.

riaux amassés par Kant durant les dernières années de
sa vie et rassemblés dans l'*Opus postumum* envisagent,
au-delà de la métaphysique de la nature, la question
du « passage » (*Übergang*) à la physique empirique [1].
Ajoutant à la structure catégoriale, non plus seulement
le mouvement, mais les forces motrices comme substrat du mouvement, Kant semble avoir été très loin
dans la déduction de l'empiricité, et corrélativement
très près de ces philosophies de la nature qu'allait
construire l'idéalisme allemand, notamment chez
Schelling. Pour autant, même dans ces textes éton-
nants où paraît s'amorcer le programme d'une déduction de l'*a posteriori* lui-même, Kant reste fidèle à l'esprit de la philosophie critique : sa déduction de la
matière n'est pas constitutive, mais elle fournit seulement un fil conducteur ou une méthode (si l'on veut :
un schème), non pour construire le donné *a priori*,
mais pour se repérer dans l'empirique [2]. En ce sens,
même ainsi schématisée plus avant, l'objectivité théorique demeure régulatrice par rapport à l'intuition :
elle ne la produit pas, mais l'attend — ou, si l'on
préfère, l'existence, comme il convient dans un système de la raison finie, n'est pas déduite du concept et
la science empirique reste extérieure à la philosophie.

1. Voir sur ce point les indications rassemblées par le P. Marty
dans la présentation de sa traduction de l'*Opus postumum*, P.U.F.,
1986 : dans une lettre à Garve de 1798, Kant dit préparer un
ouvrage portant sur le « passage des principes métaphysiques de la
science de la nature à la physique ». Cette entreprise semble avoir
été abordée depuis 1796, et c'est à elle que, surtout après 1800,
Kant consacrera ses dernières forces.
2. Voir *Opus postumum*, tr. par F. Gibelin, Vrin, 1950, p. 177 :
« Le schématisme des concepts de l'entendement est le vestibule du
passage des principes métaphysiques à la physique » (pour d'autres
textes, voir D. Rousset, *op. cit.*, p. 255). A ce niveau de l'application,
il ne s'agit donc pas d'une construction, mais d'une subsomption
du donné sous des concepts qui, pour s'appliquer à un donné de
moins en moins concevable *a priori*, ont besoin d'un surplus de
schématisation (sur le schématisme comme procédé général de l'application, voir *Opus postumum*, AK, XXII, 25, tr. par F. Marty, p.
142 : « Là où les catégories trouvent un emploi, il y a un schématisme des concepts de l'entendement, qui concerne simplement leur
*application* à l'expérience »).

Rien n'autorise à penser que Kant eût envisagé autrement le problème du « passage » sur son versant pratique. Quelques lignes du paragraphe 45 de la *Doctrine de la vertu*, qui abordent expressément une telle entreprise, semblent à cet égard sans équivoque :

« Tout comme l'on réclame, de la métaphysique de la nature à la physique, un passage qui possède ses règles particulières, on attend à bon droit de la métaphysique des mœurs quelque chose d'analogue — à savoir que, par application des purs principes du devoir aux cas de l'expérience, elle *schématise* pour ainsi dire ces principes et les présente prêts pour l'usage moralement pratique [1]. »

A la différence des *Premiers Principes métaphysiques de la science de la nature*, la *Doctrine de la vertu* amorce-t-elle déjà par elle-même le « passage » (*Übergang*) ? La fin du paragraphe 45 peut apparaître à cet égard fort indécise, puisque Kant, successivement, y indique 1) que ces « espèces d'application » (*Arten der Anwendung*) ne peuvent ici « être développées comme des sections de l'éthique », mais doivent bien plutôt lui « être ajoutées », — puis 2) que « cette application (*Anwendung*) même relève de la présentation complète du système » (de la raison pratique). Comprendre, me semble-t-il, que les applications effectives, dans la particularité de leur contenu, échappent à la *Doctrine de la vertu* (à l'éthique), mais que celle-ci peut et doit fournir (là est sa limite) le principe méthodique de l'application — présenté ici aussi, et ce n'est évidemment pas négligeable, en termes de schématisation (c'est-à-dire en termes d'adjonction d'éléments d'empiricité qui ne seraient plus, à la différence des précédents, concevables *a priori*). A quoi

1. Il existe un texte parallèle concernant le passage dans l'ordre *juridique* (et non plus *éthique*), in *Opus postumum*, AK, XXI, 178)-traduit par B. Rousset, *op. cit.*, p. 512 : « Une discipline de ce genre (= passage du *droit pur* au *droit statutaire*, A.R.) serait fort utile et même indispensable pour juger de la rationalité du droit empirique », et pour éviter qu'il ne se réduise à « une œuvre artificielle, purement mécanique, nullement objective (c'est-à-dire découlant des lois de la raison), mais simplement subjective (issue de l'arbitraire du Pouvoir) ».

correspond très précisément la présence, dans la *Doctrine de la vertu*, de ces fameuses casuistiques qui, sans déduire jamais les fins concrètes que doit épouser le sujet moral *hic et nunc*, proposent, en considérant la diversité des circonstances, des types de particularisation (schématisation) des exigences de la moralité pure : il n'en demeure pas moins que l'application effective n'est pas davantage effectuée, ici, qu'elle n'est envisagée par l'*Opus postumum* comme relevant, au-delà de l'indication de seule méthode, de la philosophie transcendantale.

Le système critique de la philosophie ouvre ainsi, d'un côté, sur la science empirique, de l'autre, sur la pratique du sujet agissant — savoir la politique comme horizon de la *Doctrine du droit*, l'éthique concrète comme horizon de la *Doctrine de la vertu* : l'une comme l'autre tombent en dehors de la métaphysique des mœurs, non parce que celle-ci serait restée trop abstraite ou trop formelle par rapport à ce qu'elle aurait dû être, mais parce qu'il appartient à une philosophie de la raison finie de savoir, à travers les limites de l'« application » (ou du moins de ce qui, dans l'application, relève du philosophe), reconnaître la radicalité de la finitude pratique comme elle avait su apercevoir, dès la *Critique de la raison pure*, la radicalité de la finitude théorique.

Ainsi que cette présentation s'est efforcée de le justifier, le tome I de la *Métaphysique des mœurs* ici offerte à la lecture selon sa systématicité regroupe la *Fondation de la métaphysique des mœurs* (1785) et l'*Introduction à la métaphysique des mœurs* — laquelle figurait, en 1797, en tête de la *Doctrine du droit*. Le tome II regroupe la *Doctrine du droit* et la *Doctrine de la vertu* : par rapport à l'édition de l'Académie de Berlin, seul l'ordre qui faisait apparaître dans la *Doctrine du droit*, d'ailleurs de façon déconcertante, l'*Introduction générale à la métaphysique des mœurs* entre l'*Avant-Propos*

de la *Doctrine du droit* et son *Introduction* spécifique a
donc été modifié — dans le souci même qui a présidé
à l'ensemble de ce travail : faire ressortir la structure
systématique de la philosophie pratique kantienne.

Les appels de nos notes, lesquelles, à la différence
de celles de Kant, ont été reportées à la fin de chacun
des deux volumes, figurent en exposant. Les notes de
Kant sont appelées par des astérisques.

Concernant les deux *Doctrines*, on sait qu'il existe
de multiples variantes entre les deux premières éditions (1797 et 1798 pour la *Doctrine du droit*, 1797 et
1803 pour la *Doctrine de la vertu*) : celles de ces
variantes qui sont les moins négligeables, ou qui
requéraient un choix significatif de la part du traducteur, ont été signalées en bas de page, là où elles interviennent ; elles sont appelées alphabétiquement.

Indications bibliographiques et chronologie se trouvent au terme du tome II.

Alain RENAUT.

# MÉTAPHYSIQUE DES MŒURS
## I

# FONDATION
## DE LA
## MÉTAPHYSIQUE DES MŒURS

# PRÉFACE

(IV, 387) L'ancienne philosophie grecque se divisait en trois sciences : la *physique*, l'*éthique* et la *logique* [1]. Cette division est parfaitement adaptée à la nature des choses, et sans doute n'a-t-on rien d'autre à y améliorer que d'ajouter ce qui lui tient lieu de principe, pour qu'ainsi, d'une part, on s'assure de sa complétude, et que, d'autre part, l'on puisse déterminer exactement les subdivisions nécessaires.

Toute connaissance rationnelle est ou bien *matérielle* et porte sur quelque objet, ou bien *formelle* et se préoccupe uniquement de la forme de l'entendement et de la raison en eux-mêmes et des règles universelles de la pensée en général sans tenir compte de ce qui distingue les objets. La philosophie formelle se nomme *logique*, alors que la philosophie matérielle, qui a affaire à des objets déterminés et aux lois auxquelles ils sont soumis, est à son tour divisée en deux. Car ces lois sont ou bien des lois de la *nature*, ou bien des lois de la *liberté*. La science de la première s'appelle *physique*, celle de la seconde s'appelle *éthique* ; celle-là est nommée aussi philosophie naturelle, celle-ci philosophie morale [2].

La logique ne peut avoir de partie empirique, c'est-à-dire posséder une partie où les lois universelles et nécessaires de la pensée reposeraient sur des principes qui seraient empruntés à l'expérience ; car, si tel était le cas, elle ne serait pas une logique, c'est-à-dire un canon pour l'entendement ou la raison qui vaut pour toute pensée et doit être démontré [3]. En revanche, aussi bien la philosophie naturelle que la philosophie morale peuvent avoir chacune leur partie empirique, dans la mesure où il leur faut déterminer, l'une pour la nature en tant qu'objet de l'expérience, l'autre pour la volonté humaine en tant qu'elle est affectée par la nature, les lois qui les régissent et en vertu desquelles, dans le premier cas, tout (388) arrive, dans le second cas, tout doit arriver, mais néanmoins compte tenu aussi des conditions qui font que, souvent, les choses n'arrivent pas comme elles devraient.

On peut appeler *empirique* toute philosophie s'appuyant sur des principes de l'expérience, et *pure*, à l'opposé, toute philosophie qui expose ses doctrines exclusivement à partir de principes *a priori*. Cette dernière, quand elle est simplement formelle, s'appelle *logique*, tandis que, si elle est limitée à des objets déterminés de l'entendement, elle s'appelle *métaphysique*.

Ainsi surgit l'idée d'une double métaphysique, une *métaphysique de la nature* et une *métaphysique des mœurs*. La physique aura donc sa partie empirique, mais aussi une partie rationnelle ; l'éthique également, même si ici la partie empirique pourrait bien se nommer en particulier *anthropologie pratique*, alors que la partie rationnelle pourrait recevoir proprement le nom de *morale* [4].

Toutes les industries, tous les métiers et tous les arts ont tiré profit de la division des travaux, car ainsi ce n'est pas un seul qui fait tout, mais chacun se borne à un certain travail qui se distingue notablement des autres par son type d'opération, cela pour pouvoir s'en acquitter de la manière la plus parfaite et avec davantage de facilité. Là où les travaux ne sont pas ainsi distingués et divisés, où chacun est un homme qui doit savoir mille métiers, les professions demeurent encore dans la plus grande barbarie. Mais ce ne serait, à vrai dire, un objet nullement, en lui-même, indigne d'examen que de se demander si la philosophie pure ne requiert pas, dans toutes ses parties, quelqu'un dont ce soit la spécialité et si, pour l'ensemble des activités savantes, il ne vaudrait pas mieux que ceux qui ont pris l'habitude de débiter, conformément au goût du public, un mélange d'empirique et de rationnel, selon toutes sortes de proportions ignorées d'eux-mêmes, et qui se donnent le label de penseurs authentiques tout en désignant comme des esprits abstraits ceux qui se consacrent à la partie uniquement rationnelle, — s'il ne vaudrait pas mieux, dis-je, leur conseiller de ne pas pratiquer en même temps deux activités qui sont en fait très différentes dans leur mode d'exécution, dont chacune réclame peut-être un talent particulier et dont la réunion en une seule personne ne produit que des bousilleurs d'idées. Quoi qu'il puisse en être, je me borne ici à poser la question de savoir si la nature de la science n'exige pas que l'on isole toujours avec soin la partie empirique de la partie rationnelle et que l'on fasse précéder la physique proprement dite (empirique) par une métaphysique de la nature et l'anthropologie empirique par une métaphysique des mœurs qui, l'une comme l'autre, devraient être épurées scrupuleusement de tout élément empirique, — cela en vue de savoir tout ce que la raison pure serait capable de faire dans les deux cas (389), et à quelles sources elle puise elle-même cet enseignement *a priori* qui est le sien, qu'au demeurant cette dernière activité soit pratiquée par tous les moralistes (dont le nom est légion) ou simplement par quelques-uns qui se sentent appelés à cette tâche.

Comme mon projet porte ici proprement sur la philosophie morale, je limite la question posée à cette seule interrogation : ne pense-t-on pas qu'il soit de la plus extrême nécessité de mettre une bonne fois en œuvre une philosophie morale pure qui soit complètement débarrassée de tout ce qui ne peut être qu'empirique et qui appartient à l'anthropologie ? Qu'il doive en effet y avoir une telle philosophie, cela se dégage à l'évidence de l'idée commune du devoir et des lois morales. Chacun doit reconnaître que, si une

loi doit avoir une valeur morale, c'est-à-dire situer sa
valeur dans sa capacité de fonder une obligation, il lui
faut contenir en elle une absolue nécessité ; que le
commandement : « Tu ne dois pas mentir », ne vaut
pas seulement pour les hommes, tandis que d'autres
êtres raisonnables n'auraient pas à s'en soucier [5], et
qu'il en va de même pour toutes les autres lois
morales proprement dites ; que par conséquent le fondement de l'obligation ne doit pas ici être cherché
dans la nature de l'homme, mais *a priori*, uniquement
dans les concepts de la raison pure, et que toute autre
prescription se fondant sur des principes de la simple
expérience, même s'il s'agit à un certain égard d'une
prescription universelle, dès lors que pour la moindre
part, peut-être seulement en ce qui touche à un
mobile, elle s'appuie sur des principes empiriques, ne
peut jamais être désignée comme une loi morale.

Ainsi non seulement les lois morales, y compris
leurs principes, se distinguent essentiellement, dans
toute connaissance pratique, de tout ce qui contient
quelque chose d'empirique, mais toute philosophie
morale repose entièrement sur sa partie pure et, appliquée à l'homme, elle se garde d'effectuer le moindre
emprunt à la connaissance de celui-ci (anthropologie),
mais elle lui donne au contraire, en tant qu'il est un
être raisonnable, des lois *a priori*, lesquelles requièrent
encore, certes, une faculté de juger aiguisée par l'expérience, pour qu'il soit possible, d'une part, de dis-
cerner dans quels cas elles sont applicables, et, d'autre
part, de leur ménager un accès dans la volonté de
l'homme et une énergie de nature à permettre leur
mise en pratique : il est clair en effet que l'être
humain, dans la mesure où il est lui-même affecté par
tant d'inclinations, est assurément capable de concevoir l'idée d'une raison pure pratique, sans avoir pour
autant aussi facilement le pouvoir de la rendre efficace
*in concreto* dans la conduite de sa vie.

Une métaphysique des mœurs est donc absolument
nécessaire, non pas seulement du fait d'un besoin de
la spéculation, pour explorer la source des (390) prin-

cipes pratiques qui résident *a priori* dans notre raison, mais parce que les mœurs elles-mêmes restent soumises à toutes sortes de corruptions, tant que ce fil conducteur et cette norme suprême qui en permet l'exacte appréciation font défaut. Car, pour ce qui doit être moralement bon, il ne suffit pas qu'il y ait *conformité* à la loi morale, mais il faut en outre que ce soit *par amour de la loi morale* que la chose se produise ; si tel n'est pas le cas, cette conformité n'est que très hasardeuse et chancelante, parce que ce sur quoi les actions reposent et qui est étranger à la moralité en suscitera certes, de temps en temps, qui seront conformes à la loi, mais engendrera aussi, fréquemment, des actes contraires à la loi. En fait, la loi morale en sa pureté et son authenticité (ce qui, précisément, a le plus d'importance quand il s'agit du domaine pratique) ne saurait être cherchée nulle part ailleurs que dans une philosophie pure ; il faut par conséquent que celle-ci (métaphysique) vienne en premier lieu, et sans elle il ne peut jamais y avoir de philosophie morale : bien plus, celle qui mélange ces principes purs avec les principes empiriques ne mérite pas le nom de philosophie (car cette dernière se différencie justement de la connaissance rationnelle commune par la manière dont elle expose sous la forme d'une science distincte ce que la connaissance commune saisit uniquement en le mêlant à autre chose), et elle mérite encore beaucoup moins d'être appelée philosophie morale dans la mesure, précisément, où, à travers cette confusion, elle porte même atteinte à la pureté des mœurs et va à l'encontre de son propre but.

Il ne faut pas imaginer, cependant, que ce qui est ici requis, on le possède déjà dans la propédeutique dont le célèbre Wolff a fait précéder sa philosophie morale, c'est-à-dire dans ce qu'il a appelé lui-même *Philosophie pratique universelle*, et qu'il n'y ait donc pas exactement ici un champ entièrement nouveau à explorer [6]. Justement parce qu'elle devait être une philosophie pratique universelle, elle a pris en considération, non pas

une volonté de quelque espèce particulière, comme
pourrait l'être une volonté déterminée sans aucun
mobile empirique, entièrement à partir de principes *a
priori*, et que l'on pourrait appeler une volonté pure,
mais le vouloir en général, avec toutes les actions et
conditions qui, dans cette signification générale, en
relèvent, — et par là elle se distingue donc d'une
métaphysique des mœurs exactement comme la
logique générale se distingue de la philosophie transcendantale : la première expose les opérations et les
règles de la pensée *en général*, alors que la philosophie
transcendantale expose seulement les opérations et les
règles particulières de la pensée *pure*, c'est-à-dire de
celle par laquelle des objets sont connus entièrement *a
priori*. La métaphysique des mœurs doit en effet soumettre à examen l'idée et les principes d'une volonté
*pure* possible, et non pas les opérations et les conditions du vouloir humain en général, lesquelles, pour
leur plus grande part, sont puisées à la psychologie.
Que, dans la philosophie pratique générale (391), l'on
traite aussi (au mépris, cependant, de toute question
de compétence) de lois morales et de devoir, cela ne
constitue nullement une objection contre ce que
j'affirme. Car les auteurs de cette science demeurent,
même en procédant ainsi, fidèles à l'idée qu'ils s'en
font : ils ne distinguent pas les mobiles qui, comme
tels, sont représentés entièrement *a priori* uniquement
par la raison et sont proprement moraux, de ceux qui
sont empiriques et que l'entendement élève au rang de
concepts généraux par la simple comparaison des
expériences ; au contraire les considèrent-ils sans
prendre en compte la différence de leurs origines, en
ne se préoccupant que de leur nombre plus ou moins
grand (puisque, de leur point de vue, ils sont tous de
la même espèce), et c'est ainsi qu'ils forment leur
concept d'*obligation*, lequel n'est alors, à vrai dire, rien
moins que moral et dont, en tout cas, les propriétés
sont ce à quoi l'on ne peut que s'attendre dans une
philosophie qui, sur l'*origine* de tous les concepts pratiques possibles, ne tranche nullement la question de

savoir s'ils se produisent aussi *a priori* ou simplement *a posteriori*.

Me proposant de publier un jour une métaphysique des mœurs, je la fais précéder par ce qui en constitue ici la fondation. Assurément n'y a-t-il proprement pas d'autre fondement à apporter à une telle métaphysique que la Critique d'une *raison pure pratique*, tout comme, pour la métaphysique, la Critique de la raison pure spéculative que j'ai déjà publiée sert de fondement. Simplement, d'une part, cette Critique de la raison pure pratique n'est pas d'une aussi extrême nécessité que la Critique de la raison pure spéculative, parce que la raison humaine, dans le registre moral, peut être facilement conduite, même chez l'intelligence la plus commune, à une grande exactitude et précision, alors qu'en revanche, dans son usage théorique, mais pur, elle est entièrement et véritablement dialectique ; d'autre part, concernant la Critique d'une raison pure pratique, je tiens pour acquis qu'il est indispensable, si elle doit être complète, de pouvoir montrer en même temps son unité avec la raison spéculative dans un principe commun, étant entendu qu'en définitive il ne saurait en tout cas y avoir qu'une seule et même raison qui ne doit se différencier que dans son application [7]. Or, il se trouve qu'à un tel degré de complétude je ne pourrais atteindre encore ici sans introduire des considérations d'une tout autre espèce et sans embrouiller le lecteur. Ce pourquoi je me suis servi, au lieu de l'intitulé de Critique de la raison pure pratique, de celui d'une Fondation de la métaphysique des mœurs [8].

Mais dans la mesure aussi, en troisième lieu, où une métaphysique des mœurs, si on laisse de côté ce que le titre a d'effrayant, est cependant susceptible d'atteindre à un haut degré de popularité et d'adaptation a l'intelligence commune, je crois utile d'en détacher ce travail préliminaire sur le moment fondateur, afin de (392) pouvoir me dispenser d'ajouter ensuite à des doctrines plus faciles à saisir la dimension de subtilité qui est inévitable ici.

Cela étant, la présente fondation n'est rien de plus que la recherche et l'établissement du *principe suprême de la moralité*, laquelle fondation définit à elle seule, dans son projet, une tâche complète qu'il y a matière à détacher de toute autre recherche morale. Certes, ce que je suis conduit à affirmer sur cette question importante et capitale, qui jusqu'ici n'a pas encore été — et de loin ! — développée de manière satisfaisante, serait grandement éclairé à la faveur de l'application du principe à tout le système et obtiendrait, à travers l'efficacité dont ce principe témoigne partout, une puissante confirmation : simplement ai-je dû me priver de cet avantage (qui, au fond, eût en outre satisfait davantage mon amour-propre que l'intérêt de tous), dans la mesure où la facilité qu'il y a à mettre en œuvre un principe et la façon dont il se montre suffisamment efficace ne constituent pas une preuve entièrement sûre de son exactitude ; bien plutôt éveillent-elles une certain parti pris de ne pas l'examiner ni l'évaluer en toute rigueur pour lui-même, sans nul égard pour les conséquences.

J'ai adopté en cet écrit une méthode dont je crois qu'elle est la plus appropriée, quand on veut procéder analytiquement de la connaissance commune à la détermination de ce qui en constitue le principe suprême, et ensuite synthétiquement en revenant de l'examen de ce principe et de ses sources à la connaissance commune où l'on a affaire à sa mise en œuvre. Le plan de l'ouvrage se présente donc ainsi :

1. *Première section* : passage de la connaissance rationnelle commune de la moralité à la connaissance philosophique.

2. *Deuxième section* : passage de la philosophie morale populaire à la métaphysique des mœurs.

3. *Troisième section* : ultime démarche, qui conduit de la métaphysique des mœurs à la Critique de la raison pure pratique.

# PREMIÈRE SECTION

## PASSAGE DE LA CONNAISSANCE RATIONNELLE COMMUNE DE LA MORALITE A LA CONNAISSANCE PHILOSOPHIQUE

(393) Il n'y a nulle part quoi que ce soit dans le monde, ni même en général hors de celui-ci, qu'il soit possible de penser et qui pourrait sans restriction être tenu pour bon, à l'exception d'une *volonté bonne* [9]. L'intelligence, la vivacité, la faculté de juger, tout comme les autres *talents* de l'esprit [10], de quelque façon qu'on les désigne, ou bien le courage, la résolution, la constance dans les desseins, en tant que propriétés du *tempérament* [11], sont sans doute, sous bien des rapports, des qualités bonnes et souhaitables ; mais elles peuvent aussi devenir extrêmement mauvaises et dommageables si la volonté qui doit se servir de ces dons de la nature, et dont les dispositions spécifiques s'appellent pour cette raison *caractère*, n'est pas bonne. Il en va exactement de la même manière avec les *dons de la fortune*. Le pouvoir, la richesse, la considération, même la santé et le bien-être, le contentement complets de son état (ce qu'on entend par le terme de *bonheur*), donnent du cœur à celui qui les possède et ainsi, bien souvent, engendrent aussi de l'outrecuidance, quand il n'y a pas une volonté bonne qui redresse l'influence exercée sur l'âme par ces

bienfaits, ainsi que, de ce fait, tout le principe de l'action, pour orienter vers des fins universelles ; sans compter qu'un spectateur raisonnable en même temps qu'impartial ne peut même jamais éprouver du plaisir à voir la réussite ininterrompue d'un être que ne distingue aucun trait indicatif d'une volonté pure et bonne, et qu'ainsi la volonté bonne apparaît constituer la condition indispensable même de ce qui nous rend dignes d'être heureux [12].

2    Bien plus : il existe certaines qualités qui sont favorables à cette volonté bonne elle-même et qui peuvent fortement faciliter son œuvre, mais qui, néanmoins, ne possèdent (394) intrinsèquement aucune valeur absolue et présupposent au contraire toujours encore une volonté bonne, ce qui limite la haute estime qu'on leur porte par ailleurs à juste titre et ne permet pas de les tenir pour absolument bonnes. La modération dans les affects [13] et les passions, la maîtrise de soi, la sobriété de réflexion ne sont pas seulement bonnes à bien des égards, mais elles semblent même constituer une dimension de la valeur *intrinsèque* de la personne ; reste qu'il s'en faut de beaucoup qu'on puisse les déclarer bonnes sans restriction (quand bien même elles ont été valorisées de manière inconditionnée par les Anciens). Car, sans les principes d'une volonté bonne, elles peuvent devenir extrêmement mauvaises, et le sang-froid d'un vaurien le rend, non seulement bien plus dangereux, mais aussi immédiatement, à nos yeux, plus abominable encore que nous ne l'eussions estimé sans cela.

3    Ce n'est pas ce que la volonté bonne effectue ou accomplit qui la rend bonne, ni son aptitude à atteindre quelque but qu'elle s'est proposée, mais c'est uniquement le vouloir ; autrement dit, c'est en soi qu'elle est bonne et, considérée pour elle-même, elle doit être estimée sans comparaison comme de loin supérieure à tout ce qui pourrait être mené à bien par elle en faveur d'une quelconque inclination, ou même, si l'on veut, en faveur de toutes les inclinations. Quand bien même, par une défaveur particulière du

destin ou par l'avare dotation d'une nature marâtre, la capacité de réaliser ce qu'elle vise ferait totalement défaut à cette volonté ; quand bien même, en dépit de l'extrême application qu'elle y met, elle n'aboutirait à rien et il ne resterait que la volonté bonne (certes, non comme un simple vœu pieux, mais comme la mobilisation de tous les moyens qui sont en notre pouvoir), néanmoins brillerait-elle par elle-même comme un joyau, comme quelque chose qui a en soi-même sa pleine valeur. L'utilité ou la stérilité ne peut rien ajouter, ni rien retirer à cette valeur. Cette utilité constituerait simplement, en quelque sorte, l'enchâssure nécessaire pour pouvoir mieux manipuler le joyau dans son utilisation quotidienne, ou pour pouvoir attirer sur lui l'attention de ceux qui ne sont pas encore assez connaisseurs, mais non point pour le recommander à ceux qui s'y connaissent et pour déterminer sa valeur [14].

4 Il y a pourtant dans cette idée de la valeur absolue du simple vouloir, consistant à en fixer le prix sans prendre en compte dans son évaluation aucune utilité [15], quelque chose de si étrange qu'en dépit même de la concordance totale qui règne ici entre la raison commune et une telle idée, un soupçon doit inévitablement se faire jour : peut-être n'y aurait-il là, au fond, qu'une vaste chimère et peut-être ne s'agirait-il que d'une mauvaise compréhension de ce qu'était le dessein de la nature [16] quand elle a installé la raison au gouvernement de notre volonté (395). Ce pourquoi nous entendons, en nous plaçant de ce point de vue, mettre cette idée à l'épreuve.

5 Dans les dispositions naturelles d'un être organisé, c'est-à-dire dont la constitution est finalisée en vue de la vie, nous posons comme principe qu'il ne se rencontre nul organe à destination d'une fin quelconque qui ne soit en outre le plus adapté et le plus approprié à cette fin [17]. Dès lors, si, dans un être qui a une raison et une volonté, sa *conservation*, son *bien-être* et, en un mot, son *bonheur* correspondaient au but véritable de la nature, celle-ci aurait à cet égard fort mal arrangé

les choses en choisissant la raison de la créature pour
réaliser son intention. Car toutes les actions que cette
créature doit mener à bien conformément à cette
intention, de même que toute la règle de son comportement, lui auraient été prescrites avec beaucoup plus
de précision par un instinct, et cette fin aurait pu être
atteinte ainsi de manière bien plus sûre que cela ne
peut jamais arriver par la raison, — et si cette dernière
devait par surcroît lui échoir comme une faveur, elle
n'aurait dû lui servir que pour développer des considérations sur les heureuses dispositions de sa nature,
pour les admirer, pour s'en réjouir et exprimer sa gra-
titude à l'égard de la Cause bienfaisante, mais nullement pour soumettre sa faculté de désirer à cette
direction faible et trompeuse et pour intervenir dans le
dessein de la nature : en un mot, la nature aurait pris
garde que la raison n'allât dévier dans un *usage pratique* et n'eût l'audace de concevoir pour elle-même,
avec les faibles clartés qui sont les siennes, le plan du
bonheur et des moyens d'y arriver ; elle se serait
chargée elle-même du choix, non seulement des fins,
mais aussi des moyens, et elle aurait eu la sage pré-
voyance de les confier globalement, de manière exclu-
sive, à l'instinct.

En fait, nous observons même que plus une raison
cultivée se consacre au projet de jouir de la vie et du
bonheur, plus l'être humain s'écarte du vrai contentement. Ce pourquoi chez beaucoup, et à vrai dire chez
ceux qui ont tenté de mener le plus loin l'usage de la
raison, survient, dès lors qu'ils sont assez sincères
pour le reconnaître, un certain degré de *misologie*,
c'est-à-dire de haine de la raison, dans la mesure où,
après évaluation de tous les avantages qu'ils retirent,
je ne dirai pas de la découverte de tous les arts constitutifs du luxe ordinaire, mais même des sciences (qui,
en définitive, leur apparaissent aussi comme un luxe
de l'entendement), ils trouvent pourtant qu'en réalité
ils se sont simplement attiré plus de peine (396) qu'ils
n'ont obtenu de bonheur ; et dans ces conditions ils
finissent par plutôt envier que mépriser l'espèce plus

commune des hommes qui se laissent conduire de plus près par le simple instinct naturel et qui n'accordent pas une bien grande influence à leur raison sur leurs faits et gestes [18]. Et dans cette mesure il faut reconnaître que le jugement de ceux qui modèrent fortement et même réduisent à néant les exaltations glorificatrices des avantages que la raison devrait nous procurer du point de vue du bonheur et du contentement de la vie n'est nullement le produit d'une humeur morose, ou ne témoigne en rien d'un manque de reconnaissance envers la bonté du gouvernement du monde : bien au contraire, à la racine de ces jugements se trouve secrètement l'idée selon laquelle la fin de leur existence est tout autre et d'une dignité beaucoup plus élevée, que c'est à cette fin, et non pas au bonheur, que la raison est tout spécialement destinée, et que c'est par conséquent à une telle fin que le dessein privé de l'homme se doit, dans la plupart des cas, subordonner comme à sa condition suprême.

Etant donné, en effet, que la raison n'est pas suffisamment capable de gouverner avec sûreté la volonté en ce qui concerne ses objets et la satisfaction de tous nos besoins (que, pour une part, elle-même multiplie), alors qu'un instinct naturel inné l'aurait conduite de manière beaucoup plus certaine vers la réalisation d'une telle fin, mais que c'est la raison qui nous a cependant été donnée en partage comme faculté pratique, c'est-à-dire comme faculté qui doit influencer la volonté : il faut que la vraie destination de cette raison soit de produire une volonté qui soit bonne non pas comme *moyen* en vue de quelque autre fin, mais *bonne en soi-même*, ce pourquoi une raison était absolument nécessaire dès lors que pour le reste, partout, la nature a accompli son œuvre, dans la répartition de ses dispositions, conformément à des fins. Cette volonté ne peut donc assurément être l'unique bien et constituer le bien tout entier, mais elle doit pourtant correspondre au bien suprême et être la condition à laquelle est suspendu tout le reste du bien, y compris toute aspiration au bonheur — auquel cas on peut sans la

moindre peine concilier avec la sagesse de la nature la
manière dont on constate que la culture de la raison,
requise pour la fin qui est première et inconditionnée,
limite à beaucoup d'égards, du moins dans cette vie,
la réalisation de la seconde fin, qui est toujours conditionnée, à savoir l'atteinte du bonheur, et peut même
la réduire à néant : pour autant, la nature ne procède
pas ici à l'encontre de toute finalité ; car la raison, qui
reconnaît dans la fondation d'une volonté bonne sa
destination pratique suprême, ne saurait accéder, à
travers la réalisation de cette fin, qu'à une satisfaction
conforme à sa propre nature, c'est-à-dire une satisfaction procédant de l'accomplissement d'une fin qui,
elle aussi, ne se trouve déterminée que par la raison,
quand bien même cela devrait être associé à quelque
préjudice porté aux fins relevant de l'inclination.

    (397) L'objectif est donc de développer le concept
d'une volonté hautement estimable en elle-même, et
qui soit bonne sans considération d'aucune autre fin,
— un concept déjà inscrit dans l'intelligence naturelle
saine, requérant moins d'être inculqué que simplement éclairci, et qui, tenant toujours la place la plus
haute dans l'appréciation de la valeur complète de nos
actions, constitue la condition de tout le reste. A cette
fin, nous entendons prendre en vue le concept du
*devoir*, qui contient celui d'une volonté bonne, cependant avec certaines restrictions et entraves subjectives,
lesquelles pourtant, bien loin de ne pouvoir que le
dissimuler et le rendre méconnaissable, le font plutôt
ressortir par contraste et transparaître d'autant plus
clairement.

    Je néglige ici toutes les actions qui sont d'emblée
reconnues comme contraires au devoir, bien qu'elles
puissent être utiles à tel ou tel égard ; car pour ces
actions ne se pose jamais vraiment la question de
savoir si elles peuvent avoir été accomplies *par devoir*,
puisqu'elles contredisent même le devoir. Je laisse
aussi de côté les actions qui sont effectivement
conformes au devoir, pour lesquelles les hommes
n'ont de manière immédiate *nulle inclination*, mais

qu'ils accomplissent pourtant, parce qu'ils y sont poussés par une autre inclination. Car en la matière on peut facilement distinguer les cas où l'action conforme au devoir a eu lieu *par devoir* ou par suite d'un dessein intéressé. Beaucoup plus difficile est de percevoir cette distinction quand l'action est conforme au devoir et qu'en outre le sujet a pour elle une inclination *immédiate*. Par exemple, il est assurément conforme au devoir que le petit marchand ne fasse pas payer un prix exorbitant à ses acheteurs inexpérimentés, et au demeurant est-ce là une pratique dont se garde, là où le commerce est d'une grande ampleur, le marchand avisé, lequel au contraire maintient fixe un prix qui est le même pour tous les clients, tant et si bien que, chez lui, un enfant achète à aussi bon compte que n'importe qui. On est donc ainsi *loyalement* servi ; simplement n'est-ce pas, et tant s'en faut, suffisant pour croire dès lors que le marchand a procédé ainsi par devoir et en obéissant à des principes d'honnêteté : son intérêt exigeait une telle attitude, mais qu'il ait dû avoir encore à l'égard des acheteurs, de surcroît, une inclination immédiate le poussant, en quelque sorte par affection pour eux, à ne donner par son prix nulle préférence plutôt à l'un qu'à l'autre, voilà ce dont on ne peut faire ici la supposition. L'action n'était donc accomplie ni par devoir, ni par inclination immédiate, mais uniquement dans une intention intéressée [19].

②En revanche, conserver sa vie est un devoir et, en outre, chacun possède encore à cet égard une inclination immédiate. Mais c'est justement pour cela que le soin souvent angoissé que la plupart des hommes y apportent ne possède pourtant aucune valeur intrinsèque et que les maximes qu'ils adoptent n'ont aucune teneur morale (398). Ils préservent leur vie certes *conformément au devoir*, mais non pas *par devoir*. Là contre, si des revers de fortune et une affliction désespérée ont retiré entièrement à quelqu'un le goût de la vie, si le malheureux, faisant preuve de force d'âme, est davantage indigné de son destin que découragé ou abattu, s'il souhaite la mort et néanmoins conserve sa vie sans l'aimer, non pas par inclination ni par crainte, mais par devoir, sa maxime a alors une teneur morale [20].

③ Etre bienfaisant quand on le peut est un devoir, et il y a en outre bien des âmes qui sont si disposées à la sympathie que, même sans autre motif relevant de la vanité ou de l'intérêt, elles trouvent une satisfaction intérieure à répandre la joie autour d'elles et qu'elles peuvent se réjouir du contentement d'autrui, dans la mesure où il est leur œuvre. Mais je soutiens que, dans un tel cas, une action de ce genre, si conforme au devoir, si digne d'affection soit-elle, n'a pourtant aucune véritable valeur morale, mais qu'elle va de pair avec d'autres inclinations, par exemple avec le penchant pour les honneurs, lequel, si par bonheur il porte sur ce qui est en fait en accord avec l'intérêt commun et en conformité avec le devoir, par conséquent sur ce qui est honorable, mérite des louanges et des encouragements, mais non point de l'estime ; car à la maxime fait défaut la teneur morale, telle qu'elle consiste en ce que de telles actions soient accomplies, non par inclination, mais *par devoir*. Ainsi, supposons que l'esprit de ce philanthrope soit assombri par cette affliction personnelle qui éteint toute sympathie pour le destin d'autrui, qu'il conserve toujours le pouvoir de faire du bien à d'autres personnes plongées dans la détresse, mais que cette détresse des autres ne l'émeuve pas, suffisamment préoccupé qu'il est par la sienne propre, et que dans cette situation, alors qu'aucune inclination ne l'y incite plus, il s'arrache pourtant à cette insensibilité mortelle et qu'il mène à bien son action en dehors de toute inclination, exclusivement par devoir : dans ce cas uniquement, cette action possède sa valeur morale véritable. Bien plus : si la nature avait inscrit dans le cœur de tel ou tel individu peu de sympathie, si cette personne (au demeurant, un honnête homme) était d'un tempérament froid et indifférente aux souffrances d'autrui, peut-être parce qu'elle-même pourvue d'un don particulier de patience et d'énergie endurante à l'égard de ses propres misères, elle suppose aussi chez les autres ou exige d'eux les mêmes capacités ; si la nature n'avait pas formé spécialement un tel homme (qui, en vérité, ne constituerait pas son plus mauvais produit) à la philanthropie, ne trouverait-il donc pas encore en lui des ressources pour se donner à lui-même une valeur bien supérieure à celle que peut posséder un tempérament naturellement bienveillant ? Cela ne fait aucun doute ! Et c'est là précisément que se révèle la valeur du caractère, cette valeur morale qui est (399) sans aucune comparaison la plus élevée, qui consiste en ce qu'il fait preuve de bienveillance, non par inclination, mais par devoir.

④ Assurer son propre bonheur est un devoir (du moins de façon indirecte) ; car ne pas être content de son état, se trouver accablé d'une foule de soucis, et cela au milieu de besoins insatisfaits, pourrait facilement devenir une grande *tentation de transgresser ses devoirs*. Mais, même sans considérer ici le devoir, tous les hommes ont déjà d'eux-mêmes la plus puissante et la plus intime inclination au bonheur, parce que c'est précisément dans cette idée que toutes les inclinations parviennent à se réunir en une somme. Simplement, le précepte du bonheur est ainsi fait, dans la plupart des cas, qu'il porte gravement préjudice à certaines inclinations et qu'en tout état de cause l'homme ne peut se faire un concept déterminé et sûr de cette somme où toutes trouvent satisfaction et qu'on entend par bonheur ; c'est la raison pour laquelle il n'y a pas matière à s'étonner si une inclination unique, bien déterminée du point de vue de ce qu'elle promet et du moment où elle peut obtenir satisfaction, peut prévaloir sur une idée vague, et si l'être humain, par exemple un goutteux, peut préférer jouir de ce qu'il aime, et endurer ensuite toutes les souffrances possibles, parce qu'au moins en l'occurrence, d'après sa supputation, il ne s'est pas privé de la jouissance de l'instant présent à cause des espoirs, peut-être sans fondement, placés dans un bonheur devant résider dans la santé. Mais même dans ce cas, si l'inclination universelle au bonheur ne déterminait pas sa volonté, si la santé, du moins pour lui, n'appartenait pas de manière si indispensable à ce dont son calcul fait ressortir la valeur, reste qu'ici encore se dégagerait, comme dans tous les autres cas, une loi, savoir : celle qui lui demande de favoriser son bonheur, non par inclination, mais par devoir — et c'est de ce point de vue seulement que sa conduite possède la véritable valeur morale.

⑤   Ainsi faut-il comprendre également, sans nul doute, les passages des Ecritures dans lesquels il est ordonné d'aimer son prochain, y compris lorsqu'il s'agit de son ennemi. Car l'amour, en tant qu'inclination, ne peut se commander, alors que faire le bien par devoir, tandis qu'absolument aucune inclination n'y pousse et qu'une aversion naturelle et irrépressible vient même s'y opposer, cela correspond à un amour *pratique* et non pas *pathologique* [21] qui est inscrit dans la volonté et non pas sur la pente de notre être sensible, dans des principes de l'action et non pas dans une sympathie qui nous fait fondre : or, seul cet amour peut être commandé.

⑥ La seconde proposition [22] que j'énonce est la suivante : une action accomplie par devoir tient sa valeur morale, non pas du *but* qui doit être atteint par elle, mais de la maxime d'après laquelle elle est décidée ; cette valeur ne dépend donc pas de (400) la réalité de l'objet de l'action, mais uniquement du *principe du vouloir* d'après lequel l'action est accomplie sans qu'aucune attention soit portée aux objets de la faculté de désirer. Que les buts que nous pouvons bien poursuivre dans nos actions et les effets de celles-ci, en tant que fins et mobiles de la volonté, ne puissent conférer à ces actions aucune valeur inconditionnée et morale, c'est clair à partir de ce qui précède. Où peut donc être située cette valeur, si elle ne doit pas résider dans la volonté envisagée selon le rapport qu'elle entretient avec les effets qu'elle est à même d'espérer de ces actions ? Elle ne peut être nulle part ailleurs que *dans le principe de la volonté*, abstraction se trouvant faite des fins qui peuvent être atteintes par une telle action ; car la volonté est située exactement à égale distance entre son principe *a priori*, qui est formel, et son mobile *a posteriori*, qui est matériel, comme à la croisée des chemins, et dans la mesure où il lui faut nécessairement être déterminée par quelque chose, elle devra l'être par le principe formel du vouloir en général, à chaque fois qu'une action s'accomplit par devoir, puisque dans ce cas tout principe matériel lui est retiré.

Pour ce qui est de la troisième proposition, telle qu'elle est la conséquence des deux précédentes, je l'exprimerai de la façon suivante : *le devoir est la nécessité d'agir par respect pour la loi*. A l'égard de l'objet envisagé comme effet de l'action que je me propose, je peux certes éprouver de l'*inclination*, mais jamais du *respect*, précisément parce qu'il s'agit là simplement d'un effet et non pas de l'activité d'une volonté. De même ne puis-je avoir du respect pour une inclination en général, qu'elle soit mon inclination ou celle d'un autre : au maximum, il m'est possible de l'approuver, dans le premier cas, et, dans le second, d'aller parfois jusqu'à l'aimer, c'est-à-dire jusqu'à la considérer comme favorable à mon intérêt propre. Seul ce qui est lié à ma volonté purement et simplement comme principe, mais jamais comme effet, ce qui ne sert pas à mon inclination, mais prévaut sur elle, du moins exclut totalement qu'on la prenne en compte lorsqu'on choisit une action, par conséquent la loi pure et simple considérée pour elle-même, peut être un objet de respect et donc constituer un commandement. Or, si une action effectuée par devoir doit entièrement faire abstraction de l'influence de l'inclination et exclure, en même temps que l'inclination, tout objet de la volonté, il ne reste donc rien pour la volonté qui puisse la déterminer, si ce n'est, au plan objectif, la *loi*, et, au plan subjectif, un *pur respect* pour cette loi pratique, par conséquent la maxime * (401) de suivre une telle loi, même au détriment de toutes mes inclinations.

La valeur morale de l'action ne se situe donc pas dans l'effet qu'on en escompte, donc pas non plus dans quelque principe de l'action qui a besoin de tirer son mobile de cet effet qu'on attend. Car tous ces effets (caractère agréable de son état, et même contribution apportée au bonheur d'autrui) pouvaient tout aussi bien être produits par d'autres causes, et il n'y avait donc pas besoin à cet égard de la volonté d'un être raisonnable, quoique ce soit uniquement dans une telle volonté que le bien souverain et inconditionné puisse être rencontré. En conséquence, seule la *représentation de la loi* en elle-même, qui *assurément ne s'opère que dans l'être raisonnable*, en tant que c'est elle (et non pas l'effet escompté) qui est le principe déterminant de la volonté, peut constituer ce bien si remarquable que nous nommons moral, tel qu'il est présent déjà dans la personne même qui agit en fonction de cette représentation, mais tel aussi qu'on ne saurait l'attendre principalement de l'effet de l'action **.

* Le principe subjectif du vouloir est une *maxime* ; le principe objectif (c'est-à-dire celui qui servirait aussi subjectivement de principe pratique à tous les êtres raisonnables si la raison avait plein pouvoir sur la faculté de désirer) est la *loi* pratique.

** On pourrait m'objecter que, derrière le terme de *respect*, je chercherais simplement à me réfugier dans un sentiment obscur, au lieu de fournir un accès clair à la question grâce à un concept de la raison. Simplement, bien que le respect soit un sentiment, il n'est pourtant pas un sentiment *reçu* sous l'effet d'une influence, mais c'est au contraire un sentiment *que l'on produit soi-même* à travers un concept de la raison, et par conséquent spécifiquement distinct de tous les sentiments du premier type, qui se laissent ramener à l'inclination ou à la crainte. Ce que je reconnais immédiatement comme constituant une loi pour moi, je le reconnais avec une dimension de respect qui signifie simplement la conscience de la *soumission* de ma volonté à une loi, sans la médiation d'autres influences s'exerçant sur ma sensibilité. La détermination immédiate de la volonté par la loi et la conscience que j'en prends, c'est là ce qui s'appelle *respect*, tant et si bien que celui-ci doit être considéré comme *effet* de la loi sur le sujet, et non pas comme *cause* de celle-ci. *Stricto sensu*, le respect est la représentation d'une valeur qui vient battre en brèche mon amour-propre [23]. Ainsi est-il quelque

(402) Mais de quel type de loi peut-il bien s'agir pour que sa représentation, même sans tenir compte de l'effet qui en est attendu, doive avec nécessité déterminer la volonté en telle façon que celle-ci puisse être appelée bonne absolument et sans restriction ? Dans la mesure où j'ai dépouillé la volonté de toutes les impulsions qui pourraient naître en elle à la suite de l'obéissance à quelque loi, il ne reste rien que la légalité universelle des actions en général, qui seule doit servir de principe à la volonté, autrement dit : je ne dois jamais me conduire autrement que de telle sorte *je puisse aussi vouloir que ma maxime soit vouée à devenir une loi universelle.* C'est donc ici la simple légalité en général (sans que soit prise pour base quelque loi définie par rapport à certaines actions) qui constitue ce qui sert de principe à la volonté et même qui doit nécessairement lui servir de principe, si le devoir ne doit pas être intégralement une illusion vide et un concept chimérique ; ce avec quoi s'accorde aussi parfaitement la raison commune des hommes dans son jugement pratique, elle qui a toujours devant les yeux le principe qu'on a conçu.

Posons par exemple cette question : ne puis-je pas, si je me trouve dans l'embarras, faire une promesse en

---

chose qui n'est considéré ni comme objet d'inclination, ni comme objet de crainte, bien qu'il ne soit pas sans analogie à la fois avec l'un et l'autre de ces types d'objets. L'*objet* du respect est donc purement et simplement la *loi*, plus précisément : la loi telle que nous nous l'imposons *à nous-mêmes* tout en y voyant cependant une loi en soi nécessaire. En tant qu'elle constitue la loi, nous lui sommes soumis, sans interroger pour cela notre amour-propre ; en tant qu'elle nous est imposée par nous-mêmes, elle dérive pourtant de notre volonté et si, du premier point de vue, elle a quelque analogie avec ce que nous craignons, elle en possède une, du second point de vue, avec ce pour quoi nous éprouvons de l'inclination. Tout respect pour une personne n'est à proprement parler que du respect pour la loi (pour la loi de l'honnêteté, etc.) dont cette personne nous fournit l'exemple. Dans la mesure où nous considérons aussi comme un devoir d'élargir le champ de nos talents, nous reconnaissons de la même manière dans une personne pourvue de talents l'*exemple d'une loi* (celle qui prescrit de nous exercer à lui ressembler sous ce rapport), et tel est ce qui constitue notre respect. Tout *intérêt* moral auquel on donne ce nom consiste exclusivement dans le *respect* porté à la loi.

ayant l'intention de ne pas la tenir [24] ? Je distingue ici sans difficultés les différents sens que peut avoir la question, selon que l'on demande s'il est prudent ou s'il est conforme au devoir de faire une fausse promesse. Sans doute la considération de la prudence peut-elle fort souvent intervenir. Certes, je vois bien qu'il ne suffit pas, grâce à cet échappatoire, de me tirer d'un embarras actuel, mais qu'à l'évidence il faudrait examiner si, de ce mensonge, ne pourraient pas procéder pour moi dans le futur des ennuis bien plus graves que ne le sont ceux dont je me dégage aujourd'hui ; et dans la mesure où, malgré toute ma prétendue finesse, les conséquences ne sont pas d'une facilité telle à prévoir qu'il soit exclu que la perte d'une confiance qu'on avait en moi ne me soit pas largement plus préjudiciable que tout le dommage que je me soucie présentement d'éviter, de même faudrait-il se demander si ce ne serait pas agir avec davantage de *prudence* que de procéder ici selon une maxime universelle et de s'accoutumer à ne rien promettre qu'avec l'intention de tenir sa promesse. Simplement, il m'apparaît bientôt ici transparent qu'une telle maxime n'a cependant toujours pour fondement que le souci des conséquences [25]. Or, il est pourtant tout différent d'être de bonne foi par devoir et de l'être par souci des conséquences désavantageuses : dans le premier cas, le concept de l'action contient déjà en lui-même une loi pour moi, alors que, dans le second, il me faut avant tout considérer par ailleurs quels effets pourraient bien se trouver pour moi associés à cette action. Car, si je m'écarte du principe du devoir, il est tout à fait certain que j'agis mal ; en revanche, si je suis infidèle à ma maxime de (403) prudence, il peut en ressortir néanmoins pour moi, parfois, de vifs avantages, quoique à vrai dire il soit certes plus sûr de m'y tenir. En tout état de cause, la voie la plus courte et la moins trompeuse pour me forger un avis en vue de répondre à la question de savoir si une promesse mensongère est conforme au devoir, c'est de me demander à moi-même si je serais vraiment satisfait que ma maxime (de me tirer d'embarras par une fausse promesse) dût valoir comme une loi universelle (aussi bien pour moi que pour autrui) ; et pourrais-je bien me dire que tout homme peut faire une promesse fallacieuse lorsqu'il se trouve dans l'embarras et qu'il ne peut s'en tirer d'une autre manière ? Je prends ainsi bien vite conscience que je puis certes vouloir le mensonge, mais non point du tout une loi universelle ordonnant de mentir ; car, selon une telle loi, il n'y aurait absolument plus, à proprement parler, de promesse, attendu qu'il serait vain d'indiquer ma volonté, en ce qui concerne mes actions futures, à d'autres hommes qui ne croiraient pas ce que je leur indiquerais ou qui, s'ils y croyaient de manière inconsidérée, me payeraient en tout cas de la même monnaie, — en sorte que ma maxime, dès lors qu'elle serait transformée en loi universelle, ne pourrait que se détruire elle-même.

Pour ce que j'ai à faire afin que mon vouloir soit moralement bon, je n'ai donc nullement besoin d'une subtilité qu'il faille aller chercher très loin. Sans expérience en ce qui concerne le cours du monde, incapable d'être préparé à tous les événements qui y surviennent, je me borne à me demander : peux-tu aussi vouloir que ta maxime devienne une loi universelle ? Quand ce n'est pas le cas, cette maxime est à récuser, et cela non pas, en fait, à cause d'un dommage qui en résulterait pour toi ou même pour d'autres, mais parce qu'elle ne peut pas s'intégrer comme principe dans une possible législation universelle ; or, pour une telle législation, la raison obtient de moi, que je le veuille ou non, un respect immédiat, dont certes, pour l'instant, je ne perçois pas encore sur quoi il pourrait se fonder (ce que le philosophe peut bien rechercher), mais dont du moins je comprends pourtant bien ceci : il consiste en l'estimation d'une valeur qui dépasse de loin toutes celles de ce qui est mis en avant par l'inclination, et c'est la nécessité que mes actions soient accomplies par *pur* respect pour la loi pratique qui constitue le devoir, devant lequel tout autre motif doit s'effacer, dans la mesure où il est la condition d'une volonté bonne *en soi* dont la valeur dépasse tout.

Ainsi sommes-nous donc, dans la connaissance morale de la raison humaine commune, parvenus au principe de celle-ci, un principe qu'assurément elle ne se représente pas ainsi, isolément, sous une forme universelle, mais que néanmoins elle a toujours en vue et qu'elle utilise comme étalon dans les jugements qu'elle porte. (404) Il serait ici facile de montrer comment, ce compas à la main, elle sait parfaitement, dans tous les cas qui surviennent, distinguer ce qui est bien, ce qui est mal, ce qui est conforme au devoir ou contraire au devoir, dès lors simplement que, sans rien lui apprendre le moins du monde de nouveau, on la rend attentive, comme le faisait Socrate, à son propre principe ; ainsi, pourrait-on montrer ensuite, n'y a-t-il nul besoin de science, ni de philosophie, pour savoir ce que l'on a à faire, pour être honnête et bon, et même pour être sage et vertueux. Sans doute pouvait-on même supposer déjà à l'avance que la connaissance de ce qu'il appartient à tout homme de faire, et par conséquent aussi de savoir, doit être aussi l'affaire de tout homme, y compris du plus commun. Ici, l'on ne peut pourtant pas constater sans étonnement comment la capacité de juger pratique a aussi largement l'avantage, dans l'entendement commun des hommes, sur la capacité de juger théorique. Quand il s'agit de cette dernière, si la raison commune a l'audace de s'écarter des lois de l'expérience et des perceptions des sens, elle se perd dans des absurdités patentes et dans des contradictions avec elle-même, en tout cas dans un chaos où règnent incertitude, obscurité et inconstance. En revanche, dans le domaine pratique, la faculté de juger ne commence justement à révéler ses nets avantages qu'à partir du moment où l'entendement commun exclut des lois pratiques tous les mobiles sensibles. Celui-ci, dès lors, se fait même subtil, qu'il veuille chicaner avec sa conscience morale ou avec d'autres prétentions à propos de ce qui doit être désigné comme juste, ou encore déterminer exactement, pour sa propre instruction, la valeur des actions ; et, en l'occurrence, ce qui est l'essentiel, c'est qu'il peut, dans le dernier cas, concevoir l'espoir d'y parvenir exactement aussi bien que n'importe quel philosophe peut se le promettre : mieux, l'entendement commun est en la matière presque plus sûr que ce dernier peut l'être lui-même, dans la mesure où celui-ci ne peut en tout cas avoir d'autre principe que cet entendement, mais peut aisément laisser son jugement s'embrouiller par une foule de considérations étrangères n'ayant rien à voir avec ce qui est en question et le faire s'écarter de la voie droite. Dans ces conditions, ne serait-il pas plus sage de s'en tenir, en matière morale, au jugement commun de la raison et de ne faire intervenir la philosophie tout au plus que pour présenter le système des mœurs d'une manière plus complète et plus facile à appréhender, ainsi que pour exposer les règles s'appliquant aux mœurs d'une façon plus commode pour l'usage (et davantage encore pour la discussion), mais non pas pour dépouiller l'entendement commun des hommes, même au point de vue pratique, de sa bienheureuse simplicité et l'orienter par la philosophie vers une voie nouvelle de recherche et d'instruction ?

C'est une chose magnifique que l'innocence ; simplement est-il aussi (405) très redoutable qu'elle parvienne mal à se protéger et qu'on puisse aisément la séduire. Ce pourquoi la sagesse elle-même — qui consiste par ailleurs bien davantage dans la conduite que dans le savoir — a pourtant besoin elle aussi de la science, non pas pour apprendre d'elle quelque chose, mais pour procurer à ce qu'elle prescrit efficacité et consistance. L'homme sent en lui-même, vis-à-vis de tous les commandements du devoir que la raison lui représente comme digne d'un respect si élevé, un puissant contrepoids qui réside dans ses besoins et dans ses inclinations, dont il résume sous le nom de bonheur la perspective d'une complète satisfaction. Or, la raison humaine donne ses ordres sans faire ici, en tout cas, la moindre concession aux inclinations, sans aucun relâchement, par conséquent en traitant pour ainsi dire par le mépris et avec une totale absence d'égards ces prétentions si véhémentes et, en apparence, si justes (qui n'entendent se laisser annuler par aucun commandement). Mais il en résulte une *dialectique naturelle*, c'est-à-dire un penchant à se livrer à des arguties contre ces lois strictes du devoir et à mettre en doute leur validité, du moins leur pureté et leur rigueur, ainsi qu'à les rendre, quand c'est possible, plus adaptées à nos souhaits et à nos inclinations, autrement dit : à les corrompre dans leur fond et à leur retirer toute leur dignité, ce que pourtant même la raison pratique commune ne peut en définitive trouver convenable.

Ainsi la *raison humaine commune* est-elle poussée, non pas par un quelconque besoin de la spéculation (genre de besoin qui ne s'empare jamais d'elle, aussi longtemps qu'elle se contente de n'être que la saine raison), mais ne serait-ce que pour des motifs pratiques, à sortir de sa sphère et à accomplir un pas sur le terrain d'une *philosophie pratique*, afin, ce faisant, d'obtenir des informations et des indications claires sur la source de son principe et sur ce que doit en être la détermination exacte par opposition aux maximes reposant sur le besoin et l'inclination, cela de manière à se tirer d'embarras face à des prétentions antagonistes et à ne pas courir le danger, par l'équivoque où elle menace de tomber, de perdre tous les principes moraux authentiques. Ainsi naît imperceptiblement dans la raison pratique commune, quand elle se cultive, une *dialectique* qui la force à chercher de l'aide dans la philosophie, exactement comme cela lui arrive dans l'usage théorique [26], et cette raison pratique, tout aussi peu sans doute que la raison théorique, n'est en mesure de trouver de repos ailleurs que dans une critique complète de notre raison.

# DEUXIÈME SECTION

## PASSAGE DE LA PHILOSOPHIE MORALE POPULAIRE
À LA MÉTAPHYSIQUE DES MŒURS

(407) Si nous avons tiré de l'usage commun de notre raison pratique ce qui été jusqu'ici notre concept du devoir, il ne s'agit nullement d'en conclure que nous l'ayons traité comme un concept empirique. Bien plutôt, si nous prêtons attention à l'expérience de la conduite des hommes, rencontrons-nous des plaintes fréquentes et, comme nous le reconnaissons nous-mêmes, justifiées sur le fait qu'il est absolument impossible d'indiquer des exemples certains de l'intention d'agir par devoir, et que, même si quelque chose se produit *conformément* à ce qu'ordonne le *devoir*, il reste pourtant encore douteux que cela soit accompli proprement *par devoir* et possède donc une valeur morale. Ce pourquoi, *de tout temps*, il y eut des philosophes qui ont absolument nié la réalité de cette intention dans les actions humaines et qui ont tout attribué à l'amour-propre plus ou moins raffiné, sans pour autant mettre en doute la justesse du concept de moralité : bien plutôt évoquaient-ils avec un profond regret la fragilité et l'impureté de la nature humaine, certes assez noble, à leurs yeux, pour se faire une règle d'une idée si digne de respect, mais en même temps

trop faible pour la suivre et n'utilisant la raison, qui devrait lui servir à lui donner sa loi, que pour prendre en charge l'intérêt des inclinations — qu'il s'agisse de certaines d'entre elles prises isolément ou, dans le meilleur des cas, de leur totalité envisagée du point de vue de leur plus grande compatibilité possible.

(407) En fait, il est absolument impossible de cerner par expérience avec une complète certitude un seul cas où la maxime d'une action par ailleurs conforme au devoir ait reposé purement et simplement sur des principes moraux et sur la représentation du devoir. Car il peut certes se trouver parfois que nous ne rencontrions, à l'occasion du plus tranchant examen de nous-mêmes, absolument rien qui, à l'exception du motif moral du devoir, ait pu être assez puissant pour nous inciter à telle ou telle bonne action et à un si grand sacrifice ; mais on ne peut nullement en conclure avec certitude qu'aucun mobile secret relevant de l'amour-propre n'ait pas été en fait, au-delà de la simple illusion de cette idée, la cause véritablement déterminante de la volonté, dans la mesure où nous nous flattons volontiers en nous prêtant faussement, de façon usurpée, un principe moteur plus noble : en fait, nous ne pouvons jamais, même à la faveur de l'examen le plus poussé, parvenir totalement jusqu'aux mobiles secrets, cela parce que, quand il est question de valeur morale, ce qui importe, ce ne sont pas les actions que l'on voit, mais les principes intérieurs, que l'on ne voit pas, de ces actions.

A ceux qui se moquent de toute moralité comme d'une simple chimère de l'imagination humaine qui, par présomption, franchit ses propres limites, on ne peut pas non plus rendre un service plus conforme à leurs vœux qu'en leur accordant que les concepts du devoir (et l'on se persuade alors aussi volontiers, par commodité, qu'il en va également de même avec tous les autres concepts) ont dû être tirés purement et simplement de l'expérience ; car on leur prépare ainsi un triomphe certain. J'accepte, par amour de l'humanité, d'accorder que la plupart de nos actions sont certes conformes au devoir ; mais si l'on considère de plus près ce que ces actions visent, on rencontre partout le cher moi, qui ressort toujours, et c'est sur lui, et non pas sur le strict commandement du devoir (lequel, le plus souvent, imposerait de faire abstraction de soi), que s'appuie l'intention d'où elles procèdent. Il n'est même nullement besoin d'être un ennemi de la vertu, mais simplement suffit-il d'être un observateur de sang-froid, ne considérant pas le plus vif désir du bien comme immédiatement identique à l'effectivité de celui-ci, pour qu'à certains instants (tout particulièrement quand l'âge s'accroît et que la faculté de juger se trouve à la fois mûrie par l'expérience et aiguisée à force d'observer) l'on se mette à douter s'il existe même réellement dans le monde quelque vraie vertu. Et dès lors rien ne peut nous préserver du complet effondrement de nos idées du devoir et sauvegarder en l'âme un respect bien fondé vis-à-vis de la loi qui ordonne le devoir, si ce n'est la claire conviction que, quand bien même il n'y aurait jamais eu d'actions qui (408) eussent procédé de ces sources pures, il n'est pourtant ici aucunement question de déterminer si ceci ou cela a eu lieu, mais simplement de savoir si la raison commande par elle-même, et indépendamment de tous les phénomènes, ce qui doit arriver, — la conviction par conséquent que des actions dont le monde peut n'avoir connu jusqu'ici absolument aucun exemple, dont celui-là même qui fonde tout sur l'expérience pourrait mettre en doute la possibilité de les mener à bien, sont pourtant ordonnées implacablement par la raison, et que par exemple la pure loyauté dans l'amitié peut n'en être pas moins exigée de tout homme, alors même qu'il pourrait n'y avoir pas eu dans le monde, jusqu'à aujourd'hui, le moindre ami loyal, cela parce qu'avant toute expérience ce devoir est inclus, comme devoir en général, dans l'idée d'une raison déterminant *a priori* la volonté par des principes.

Si l'on ajoute que, sauf à contester au concept de moralité toute vérité et toute relation à un quelconque objet possible, on ne peut disconvenir que la loi qui s'y rattache soit d'une signification si étendue qu'elle devrait valoir, non seulement pour des hommes, mais pour tous *les êtres raisonnables en général,* non pas simplement sous des conditions contingentes et en admettant des exceptions, mais de manière *absolument nécessaire,* il est clair que nulle expérience ne peut fournir matière à conclure ne serait-ce simplement qu'à la possibilité de telles lois apodictiques. Car de quel droit pourrions-nous accorder un respect illimité, en en faisant une prescription universelle pour tout être raisonnable, à ce qui n'a peut-être de valeur que sous les conditions contingentes de l'humanité, et comment des lois qui déterminent *notre* volonté devraient-elles pouvoir être considérées comme des lois déterminant la volonté d'un être raisonnable en général et, uniquement à ce titre, comme susceptibles d'être appliquées aussi à notre volonté, si elles étaient simplement empiriques et si elles ne tiraient pas leur origine, entièrement *a priori,* d'une raison pure, mais pratique ?

On ne pourrait pas non plus servir plus mal la moralité qu'en voulant la dégager à partir d'exemples. Car tout exemple qui m'en est présenté doit nécessairement lui-même être jugé auparavant selon des principes de la moralité, pour savoir s'il est en outre digne de servir d'exemple originel, c'est-à-dire de modèle, et il ne peut en fait nullement jouer un rôle primordial pour suggérer le concept de moralité. Même le Saint des Ecritures doit préalablement être comparé avec notre idéal de la perfection morale avant qu'on le reconnaisse comme tel ; aussi dit-il de lui-même : Pourquoi moi (que vous voyez), m'appelez-vous bon ? Personne d'autre n'est bon (ne constitue l'archétype du Bien) que l'unique Dieu (que vous ne voyez pas [27]). Mais d'où tenons-nous le concept de Dieu (409) comme le souverain bien ? Uniquement de l'*Idée* que la raison forge *a priori* de la perfection éthique et qu'elle associe indissolublement au concept d'une libre volonté. L'imitation ne trouve absolument aucune place dans le domaine moral, et des exemples

servent seulement à donner quelque encouragement,
c'est-à-dire qu'ils mettent hors de doute la possibilité
d'accomplir ce que la loi ordonne : ils rendent accessible à l'intuition ce que la règle pratique exprime de
manière plus universelle, mais jamais ils ne peuvent
justifier que l'on mette de côté leur véritable original,
qui réside dans la raison, et que l'on s'oriente d'après
des exemples.

S'il n'y a donc pas de véritable principe suprême de
la moralité qui ne doive avec nécessité, indépendamment de toute expérience, reposer uniquement sur la
raison pure, je crois qu'il n'est pas nécessaire de même
simplement demander s'il est bon de présenter ces
concepts sous une forme universelle (*in abstracto*), tels
qu'avec les principes qui se rattachent à eux, ils ont
leur consistance *a priori*, si tant est que la connaissance s'en doive distinguer de la connaissance
commune et recevoir le nom de philosophique. Mais,
à l'époque qui est la nôtre, cette interrogation pourrait
bien être nécessaire. Car si l'on faisait le compte des
voix pour savoir s'il faut préférer une connaissance
rationnelle pure, isolée de tout élément empirique, par
conséquent une métaphysique des mœurs, ou une philosophie pratique populaire, on devine rapidement de
quel côté pencherait la balance.

Cette condescendance à l'égard de concepts
populaires est assurément très louable si l'on s'est
d'abord élevé jusqu'aux principes de la raison pure, et
cela d'une manière pleinement satisfaisante — selon
une démarche qui devrait être désignée comme
consistant à *fonder* préalablement l'éthique sur une
métaphysique, puis, une fois sa consistance assurée,
à la faire *accepter* en la rendant populaire. En
revanche, il est absurde au plus haut point de vouloir
déjà consentir à cette exigence de popularité dès la
première recherche, dont dépend toute l'exactitude
des principes. Non pas simplement que cette
démarche ne puisse jamais prétendre au mérite extrêmement rare d'une vraie *popularité philosophique*, étant
entendu qu'il n'y a vraiment aucun talent parti-

culier dans le fait d'être compréhensible par le
commun des mortels si, à cette fin, on renonce à tout
approfondissement radical : à procéder ainsi, on
engendre un mélange écœurant d'observations glanées
ici ou là et de principes à demi argumentés, ce dont se
repaissent des esprits fades, dans la mesure où il y a
cependant là quelque chose de véritablement utilisable
pour le bavardage quotidien ; mais ceux qui font
preuve de discernement ne ressentent ici qu'un amas
confus et, ne parvenant pas à s'en satisfaire, ils détournent leur regard, sans toutefois savoir comment
sortir de leur embarras. Reste que des philosophes
qui voient parfaitement bien ce qu'il y a ici d'illu-
soire trouvent peu d'audience quand, pour un
moment, ils se détournent de la prétendue (410)
popularité pour ne se voir autorisés à être légitime-
ment « populaires » qu'une fois acquise une vision
rigoureusement définie.

Examinons simplement les essais sur la moralité qui
correspondent à ce goût qui est aujourd'hui en
faveur : on rencontrera tantôt la destination particulière de la nature humaine (mais aussi, parfois,
l'idée d'une nature raisonnable en général), tantôt la
perfection, tantôt le bonheur, ici le sentiment moral,
là la crainte de Dieu, un soupçon de ceci, mais aussi
un soupçon de cela, selon un singulier mélange, sans
que l'on songe à se demander si c'est bien aussi, toujours, dans la connaissance de la nature humaine (que
nous ne pouvons cependant détenir que de l'expérience) que les principes de la moralité doivent être
recherchés ; et si tel n'est pas le cas, dès lors que ces
principes sont entièrement *a priori*, libres de tout élément empirique, et ne sauraient être découverts
qu'exclusivement dans les purs concepts de la raison
et en nul autre lieu, ne serait-ce même que pour la
moindre part, on ne s'avise pas de concevoir le projet
qui consisterait à isoler tout à fait, délibérément, cette
recherche en en faisant une philosophie pure pratique,
autrement dit (s'il est permis de recourir à un nom

aussi décrié) une métaphysique * des mœurs, à la porter pour elle-même, de façon distincte, à sa pleine perfection et à faire prendre patience au public, qui réclame une présentation « populaire », jusqu'à l'achèvement de l'entreprise.

En fait, une telle métaphysique des mœurs, totalement isolée, à laquelle ne viennent se mêler aucune anthropologie, aucune théologie, aucune physique ou hyperphysique, encore moins des qualités occultes (qu'on pourrait nommer hypophysiques), ne constitue pas seulement un indispensable substrat de toute connaissance théorique des devoirs qui soit fermement définie, mais elle est en même temps un *desideratum* de la plus haute importance en vue de l'accomplissement effectif de ce que ces devoirs prescrivent. Car la représentation du devoir et, en général, de la loi morale, si elle est pure et ne se mêle d'aucun ajout étranger emprunté à des *stimuli* empiriques, possède sur le cœur humain, par la voie de la seule raison (laquelle ne parvient qu'à ce moment à se convaincre qu'elle peut aussi être pratique par elle-même), une influence tellement plus puissante, vis-à-vis de celle de tous les autres (411) mobiles ** susceptibles d'être mis en jeu à partir du champ de

* On peut, si l'on veut, de même que la mathématique pure se trouve distinguée de la mathématique appliquée, la logique pure de la logique appliquée, distinguer la philosophie des mœurs pure (métaphysique) de la philosophie des mœurs appliquée (comprendre : appliquée à la nature humaine). Par le biais de cette dénomination, on se rappellera tout de suite que les principes éthiques ne doivent pas être fondés sur les propriétés de la nature humaine, mais qu'il leur faut posséder par eux-mêmes, *a priori*, une consistance, mais que c'est de tels principes que doivent pouvoir être dérivées des règles pratiques valant pour toute nature raisonnable, donc aussi pour la nature humaine [28].

** Je possède une lettre de feu l'excellent Sulzer [29] où il me demande quelle peut donc bien être la cause du fait que les doctrines de la vertu, si convaincantes qu'elles soient pour la raison, obtiennent pourtant si peu de résultats. Ma réponse fut retardée par le souci de me donner les moyens d'en fournir une qui pût être complète. Simplement n'y a-t-il pas d'autre réponse que celle-ci : ceux qui professent de telles éthiques n'ont pas purifié leurs concepts et leur volonté de trop bien faire, en recherchant dans toutes les directions des motifs capables de pousser au bien moral, pour rendre le remède parfaitement énergique, ils le corrompent.

l'expérience, que, consciente de sa dignité, elle méprise ces mobiles et peu à peu s'en rend maître ; au lieu de quoi une éthique où tout vient se mêler, et qui se compose à la fois de mobiles empruntés aux sentiments ou aux inclinations et de concepts de la raison, ne peut que rendre l'esprit hésitant entre des motifs qui ne se laissent rapporter à aucun principe, qui ne peuvent conduire au bien que de façon très hasardeuse, mais qui souvent peuvent aussi conduire au mal.

A la suite de ces indications, il devient clair que tous les concepts moraux possèdent leur siège et leur origine entièrement *a priori* dans la raison, et cela, à vrai dire, aussi bien dans la raison humaine la plus commune que dans celle qui atteint le plus haut degré de spéculation ; qu'ils ne peuvent être abstraits d'aucune connaissance empirique et par conséquent simplement contingente ; que c'est dans cette pureté de leur origine que réside précisément la dignité qui doit être la leur pour qu'ils nous servent de principes pratiques suprêmes ; que ce qu'on ajoute d'empirique est à chaque fois, dans la même proportion, autant de retiré à leur véritable influence et à la valeur infinie des actions ; que ce n'est pas seulement la plus grande nécessité du point de vue théorique, là où il s'agit simplement de spéculation, mais bel et bien aussi la considération de l'importance pratique qui exige de puiser les concepts et les lois de la moralité à la raison pure, de les exposer purs et hors de tout mélange, de déterminer même l'étendue de toute cette connaissance rationnelle pratique, autrement dit [30] pure, c'est-à-dire la capacité entière de la raison pure pra-

---

De fait, l'observation la plus commune montre que, si l'on présente une action de probité comme telle que, scindée de toute perspective d'un quelconque avantage dans ce monde ou dans un autre, elle eût été accomplie avec fermeté d'âme au beau milieu de plus grandes tentations induites par la nécessité ou par l'attrait, elle laisse loin derrière elle toute action analogue qui, ne serait-ce que dans le moindre de ses aspects, eût été affectée par un mobile étranger, elle élève l'âme et suscite le désir de pouvoir agir de la même façon. Même des enfants d'âge moyen éprouvent cette impression, et on ne devrait jamais non plus leur présenter autrement des devoirs.

tique — sans cependant faire dépendre ici, bien que la philosophie spéculative le permette et même parfois le trouve nécessaire, les principes de la nature particulière (412) de la raison humaine : au contraire, puisque des lois morales doivent valoir pour tout être raisonnable en général, elles doivent dériver en premier lieu du concept universel d'un être raisonnable en général [31], et ainsi faut-il exposer complètement (ce qui sans nul doute se peut faire dans ce genre de connaissances tout à fait séparées) toute la morale — qui, dans son *application* aux hommes, a besoin de l'anthropologie — d'abord indépendamment de celle-ci, comme philosophie pure, c'est-à-dire comme métaphysique, en étant bien conscient que, si l'on n'est pas en possession de cette dernière, je ne dirai pas même qu'il est vain de déterminer avec exactitude pour le jugement spéculatif, dans tout ce qui est conforme au devoir, la dimension morale du devoir, mais qu'il est proprement impossible, pour ce qui touche à l'usage simplement commun et pratique, et tout particulièrement l'instruction morale, de fonder les mœurs sur leurs véritables principes, de produire ainsi des dispositions morales pures et de les inscrire dans les esprits pour le plus grand bien du monde.

Cela dit, pour nous avancer dans ce travail en passant par des stades naturels, non pas simplement du jugement moral commun (qui, ici, est fort digne d'estime) au jugement philosophique (ce qu'on a fait par ailleurs), mais d'une philosophie populaire (qui ne va pas au-delà de ce qu'elle peut atteindre en tâtonnant à l'aide d'exemples) jusqu'à la métaphysique (qui ne se laisse arrêter par rien d'empirique et qui, tenue de mesurer tout l'ensemble de la connaissance rationnelle de ce type, accède en tout cas jusqu'aux Idées, là où les exemples même nous abandonnent), il nous faut cerner et exposer clairement la capacité pratique de la raison, cela depuis ses règles universelles de détermination jusqu'au moment où en procède le concept du devoir.

Toute chose de la nature agit selon des lois. Seul un être raisonnable a la capacité d'agir *d'après la représentation* des lois, c'est-à-dire selon des principes, autrement dit : seul il possède une *volonté*. Dans la mesure où, pour dériver les actions à partir de lois, la *raison* est requise, la volonté n'est rien d'autre qu'une raison pratique. Quand la raison détermine infailliblement la volonté, les actions d'un tel être qui sont reconnues comme objectivement nécessaires sont aussi reconnues comme subjectivement nécessaires, — en d'autres termes : la volonté est une faculté de choisir *cela seul* que la raison, indépendamment de l'inclination, reconnaît comme pratiquement nécessaire, c'est-à-dire comme bon. Mais si la raison ne détermine pas suffisamment, par elle seule, la volonté, si celle-ci reste soumise à des conditions subjectives (à divers mobiles) ne s'accordant pas toujours avec les conditions objectives, — bref (413) : si la volonté n'est pas encore *en soi* entièrement conforme à la raison (comme cela se produit effectivement chez certains hommes), les actions qui sont reconnues objectivement comme nécessaires sont subjectivement contingentes, et la détermination d'une telle volonté conformément à des lois objectives est *une contrainte*, c'est-à-dire que la relation entre les lois objectives et une volonté qui n'est pas absolument bonne est représentée comme la détermination de la volonté d'un être raisonnable certes par des principes de la raison, mais des principes auxquels cette volonté n'est pas, selon sa nature, nécessairement soumise.

La représentation d'un principe objectif, en tant qu'il est contraignant pour une volonté, se nomme un commandement (de la raison), et la formule du commandement se nomme un *IMPÉRATIF*.

Tous les impératifs sont exprimés par une dimension de *devoir* et ils mettent ainsi en évidence la relation d'une loi objective de la raison à une volonté qui, selon ses propriétés subjectives, n'est pas nécessairement déterminée par la loi (une contrainte). Ils disent que faire ceci ou cela, ou bien s'en abstenir, serait bon, mais ils le disent à une volonté qui ne fait pas toujours ce qu'elle fait parce qu'il lui est représenté que la chose est bonne à faire. Mais ce qui est pratiquement *bon*, c'est ce qui détermine la volonté par l'intermédiaire de représentations de la raison, par conséquent non pas à partir de causes subjectives, mais de manière objective, c'est-à-dire selon des principes qui valent pour tout être raisonnable comme tel. Le bien pratique est différent de l'*agréable*, conçu comme ce qui exerce une influence sur la volonté uniquement par l'intermédiaire de la sensation, en vertu de causes simplement subjectives ne valant que pour la sensibilité de tel ou tel, et non pas en tant que principe de la raison valant pour tout homme *.

Une volonté parfaitement bonne serait donc, tout autant, soumise à des lois objectives (celles du bien), mais elle ne pourrait être représentée de ce fait comme *contrainte* à des actions conformes à la loi, parce que d'elle-même, en raison de ses propriétés subjectives, elle ne peut être déterminée que par la représentation du bien [32]. De là vient qu'il n'est point d'impératifs

---

* La dépendance de la faculté de désirer vis-à-vis des sensations s'appelle inclination, et cette dernière manifeste donc toujours un *besoin*. En revanche, la dépendance qui est, à l'égard de la raison, celle d'une volonté déterminable de manière contingente s'appelle un *intérêt*. Celui-ci ne se trouve donc que dans une volonté dépendante qui, d'elle-même, n'est pas toujours conforme à la raison ; dans la volonté divine, on ne peut se figurer la présence d'aucun *intérêt*. Mais en outre la volonté humaine peut *concevoir un intérêt* pour quelque chose sans pour autant *agir par intérêt*. La première formule fait référence à l'intérêt *pratique* que l'on éprouve pour l'action, la seconde à l'intérêt *pathologique* que l'on éprouve pour l'objet de l'action. La première signifie seulement la dépendance de la volonté à l'égard de principes de la raison en elle-même ; la seconde, la dépendance à l'égard de principes de cette même raison se mettant au service de l'inclination, étant entendu que, dans ce cas, la raison indique seulement la règle pratique qu'il faut observer pour savoir comment il peut être donné satisfaction au besoin de l'inclination. Dans le premier cas, c'est l'action qui m'intéresse ; dans le second, c'est l'objet de l'action (en tant qu'il m'est agréable) (414). Nous avons vu dans la Première section que, lorsqu'il s'agit d'une action accomplie par devoir, ce n'est pas l'intérêt pour l'objet qu'il faudrait considérer, mais uniquement celui qui porte sur l'action elle-même et sur le principe qui est le sien dans la raison (la loi).

qui puissent valoir pour la volonté *divine* et en général pour une volonté *sainte* ; la dimension du *devoir-être* n'est pas ici à une place qui lui convient, dans la mesure où le *vouloir* est déjà de lui-même nécessairement en accord avec la loi. Ce pourquoi les impératifs ne sont que des formules qui expriment le rapport de lois objectives du vouloir en général à l'imperfection subjective de la volonté de tel ou tel être raisonnable, par exemple de la volonté humaine.

Cela étant, tous les impératifs commandent soit *hypothétiquement*, soit *catégoriquement*. Les premiers représentent la nécessité pratique d'une action possible, en tant qu'elle constitue un moyen de parvenir à quelque chose d'autre que l'on veut (ou en tout cas dont il est possible qu'on le veuille). Quant à l'impératif catégorique, il serait celui qui représenterait une action considérée pour elle-même, sans relation à une autre fin, comme objectivement nécessaire.

Parce que toute loi pratique représente une action possible comme bonne et donc comme nécessaire pour un sujet susceptible d'être déterminé pratiquement par la raison, tous les impératifs sont des formules exprimant la détermination de l'action qui est nécessaire d'après le principe d'une volonté bonne en quelque manière. Dès lors, si l'action n'est bonne que comme moyen *en vue d'autre chose*, l'impératif est *hypothétique* ; si elle est représentée comme bonne *en soi*, par conséquent comme appartenant nécessairement à une volonté intimement conforme à la raison, s'il constitue le principe d'une telle volonté, il est alors *catégorique*.

L'impératif dit donc quelle action dont je puis être l'auteur serait bonne, et il représente la règle pratique dans son rapport à une volonté qui n'accomplit pas d'emblée une action pour cette simple raison qu'elle est bonne, en partie parce que le sujet ne sait pas toujours qu'elle est bonne, en partie parce que, quand bien même il le saurait, les maximes qu'il adopte pourraient cependant aller à l'encontre des principes objectifs d'une raison pratique.

L'impératif hypothétique dit donc simplement que l'action est bonne en vue de quelques fins *possibles* ou *réelles*. Dans le premier (415) cas, il est un principe *problématiquement* pratique ; dans le second, un principe *assertoriquement* pratique. L'impératif catégorique, qui déclare l'action objectivement nécessaire par elle-même, en dehors de toute relation à une quelconque fin, c'est-à-dire même sans envisager la moindre autre fin, vaut comme un principe *apodictiquement* pratique [33].

On peut considérer que ce qui n'est possible que grâce aux forces de quelque être raisonnable définit aussi une fin possible pour une quelconque volonté, et par conséquent les principes de l'action, dans la mesure où cette action est représentée comme nécessaire pour atteindre quelque fin possible à mener à bien par cet intermédiaire, sont de fait en nombre infini. Toutes les sciences ont une partie pratique qui consiste en problèmes naissant du fait que quelque fin est possible pour nous, et en des impératifs énonçant comment cette fin peut être atteinte. Ces impératifs peuvent donc être désignés en général comme des impératifs de l'*habileté*. La question n'est pas du tout ici de savoir si la fin est raisonnable et bonne, mais simplement de déterminer ce qu'il faudrait faire pour l'atteindre. Les prescriptions qui s'imposent au médecin pour obtenir la guérison totale de son homme, et celles que doit suivre un empoisonneur pour être sûr de le tuer, ont la même valeur si on les envisage comme servant chacune à mener parfaitement à bien ce qui est visé. Parce que, dans la prime jeunesse, on ignore quelles fins pourraient venir se proposer au fil de l'existence, les parents cherchent avant tout à faire apprendre à leurs enfants une *foule de connaissances diverses*, et ils se soucient de l'*habileté* dans l'emploi des moyens en vue de toutes sortes de fins imaginables, sans être capables, pour aucune d'entre elles, de déterminer si elles ne pourraient pas, dans le futur, devenir effectivement une visée de leur progéniture, étant entendu que, de fait, il est en tout cas possible que celle-ci puisse concevoir un jour un tel projet ; et ce souci est si grand qu'ils en viennent communément à négliger de former et de rectifier le jugement de leurs enfants sur la valeur des choses qu'ils pourraient un jour se proposer comme fins.

Il y a pourtant *une* fin que l'on peut supposer comme effectivement présente chez tous les êtres raisonnables (en tant que des impératifs s'appliquent à eux, envisagés comme des êtres dépendants), et donc un but tel qu'il ne *peut* pas simplement être le leur, mais dont on peut accorder avec certitude que tous sans exception le poursuivent en raison d'une nécessité de leur nature, — et ce but est celui qui consiste à viser le *bonheur*. L'impératif hypothétique qui représente la nécessité pratique de l'action comme moyen de favoriser l'accès au bonheur est *assertorique*. On ne peut pas le présenter simplement comme nécessaire en vue de réaliser un but problématique, seulement possible, mais sa nécessité se rapporte à une fin que l'on peut supposer avec certitude et *a priori* chez tous les hommes, (416) parce qu'elle appartient à leur essence. Or, on peut nommer *prudence* \* au sens le plus strict du terme l'habileté dans le choix des moyens appropriés à l'atteinte de notre plus grand bien-être personnel. Par conséquent, l'impératif qui se rapporte au choix des moyens en vue du bonheur personnel, c'est-à-dire la prescription de la prudence est encore simplement *hypothétique* ; l'action n'est pas commandée absolument, mais elle ne l'est que comme moyen en vue d'un autre but [34].

---

\* Le terme de prudence s'entend en deux sens : d'une part, il peut s'agir de la prudence vis-à-vis du monde ; d'autre part, de la prudence privée. La première est l'habileté d'un homme à influencer d'autres hommes de façon qu'ils servent ses desseins. La seconde est l'intelligence qui consiste à faire se rencontrer toutes ces fins autour de son durable avantage personnel. Cette dernière forme de prudence est en fait celle à laquelle se réduit même la valeur de la première, et au sujet de celui qui est prudent sur le premier mode, mais ne l'est pas sur le second, on pourrait dire plus exactement qu'il est adroit et malin, mais somme toute, cependant, imprudent.

Il y a enfin un impératif qui, sans ériger en principe, comme condition, quelque autre but à atteindre par une certaine conduite, commande immédiatement cette conduite. Cet impératif est *catégorique*. Il concerne, non pas la matière de l'action ni ce qui doit en résulter, mais la forme et le principe dont elle procède elle-même, et ce qui est essentiellement bon dans une telle action consiste dans l'intention, quelle qu'en puisse être l'issue. Cet impératif peut être appelé celui de la *moralité*.

Le fait de vouloir selon ces trois sortes de principes se diversifie aussi nettement par ce qu'il y a de *différent* dans la contrainte que subit la volonté. Pour précisément rendre perceptible cette différence, je crois qu'on ne pourrait les désigner de manière plus appropriée dans leur dimension ordonnatrice qu'en disant les choses ainsi : il s'agit ou bien de *règles* de l'habileté, ou bien de *conseils* de la prudence, ou bien de *commandements* (*lois*) de la moralité. Car seule la loi induit avec elle le concept d'une *nécessité inconditionnée* qui soit vraiment objective et par conséquent universellement valable, et des commandements sont des lois auxquelles il faut obéir, c'est-à-dire auxquelles on doit obtempérer même à l'encontre de l'inclination. Les *conseils qui sont donnés* contiennent certes une dimension de nécessité, mais une nécessité qui ne peut valoir que sous une condition subjective et contingente, si tel ou tel homme met ceci ou cela au nombre des éléments qui font son bonheur ; là contre, l'impératif catégorique n'est limité par aucune condition et, en tant qu'il est absolument, bien que pratiquement, nécessaire, c'est au sens le plus propre qu'il peut être nommé un commandement. On pourrait aussi appeler les impératifs du premier type *techniques* (relevant de l'art), ceux (417) du deuxième type *pragmatiques* *(relevant du bien-être), ceux du troi-

---

* Il me semble que le sens propre du mot *pragmatique* peut de cette manière être déterminé de la façon la plus précise possible. Car pragmatiques sont nommées les *sanctions* qui ne découlent pas proprement du droit des Etats comme constituant des lois néces-

sième type *moraux* (relevant de la libre conduite en général, c'est-à-dire des mœurs).

Dès lors surgit cette question : comment tous ces impératifs sont-ils possibles ? Cette question exige de savoir comment l'on pourrait concevoir, non pas l'accomplissement de l'action que l'impératif commande, mais simplement la contrainte de la volonté que l'impératif exprime dans la tâche qu'il ordonne. Comment un impératif de l'habileté est possible, cela ne requiert sans doute aucune explication particulière. Qui veut la fin, veut aussi (dans la mesure où la raison a sur ses actions une influence décisive) le moyen qui est en son pouvoir et qui est indispensablement nécessaire pour y parvenir. Cette proposition est, en ce qui concerne le vouloir, analytique ; car, dans le fait de vouloir un objet qui soit comme mon effet, ma causalité se trouve déjà conçue comme cause agissante, c'est-à-dire que s'y trouve déjà représenté l'usage des moyens, et l'impératif dégage le concept d'actions nécessaires à cette fin à partir du simple concept d'un vouloir de cette fin (assurément, pour déterminer quels sont les moyens eux-mêmes à utiliser en vue d'un but que l'on s'est proposé, des propositions synthétiques sont nécessaires, qui toutefois concernent le principe de réaliser, non pas l'acte de la volonté, mais son objet). Que, pour diviser une ligne droite en deux parties égales selon un principe certain, je doive nécessairement, à partir des extrémités de cette ligne, tracer deux arcs de cercle, la mathématique ne l'enseigne certes que grâce à des propositions synthétiques ; mais que, quand je sais que telle action peut seule produire l'effet recherché, je veuille, si je veux pleinement les faits, aussi l'action requise en vue de celui-ci, c'est une proposition analytique ; car me représenter quelque chose comme un effet que je suis susceptible de pro-

---

saires, mais du souci que l'on peut éprouver du bien-être général. Une *histoire* est élaborée pragmatiquement quand elle rend *prudent*, c'est-à-dire quand elle apprend au monde comment il peut se soucier de son intérêt mieux ou, en tout cas, aussi bien que les générations antérieures [35].

duire d'une certaine manière et me représenter moi-même, vis-à-vis de cet effet, comme agissant ainsi, c'est tout un.

Les impératifs de la prudence, si seulement il était aussi facile de donner un concept déterminé du bonheur, s'accorderaient parfaitement avec ceux de l'habileté et seraient tout autant analytiques. Car aussi bien ici que là l'impératif signifierait : qui veut la fin veut aussi (nécessairement en conformité avec la raison) les seuls moyens qui sont (418) en son pouvoir pour y parvenir. Simplement, le malheur est que le concept du bonheur [36] soit un concept tellement indéterminé que, même si tout homme désire d'être heureux [37], nul ne peut jamais dire pourtant avec précision et en restant cohérent avec soi-même ce que vraiment il souhaite et veut. La cause en est que tous les éléments qui appartiennent au concept du bonheur sont globalement empiriques, c'est-à-dire doivent nécessairement être empruntés à l'expérience, et que pourtant se trouve requis pour l'idée du bonheur un tout absolu, un maximum de bien-être dans mon état actuel et dans tout état qui pourrait être le mien à l'avenir. Or, il est impossible que l'être fini, quand bien même il serait l'esprit le plus pénétrant et en même temps le plus puissant de tous, se fasse un concept déterminé de ce qu'ici il veut véritablement. S'il veut la richesse, combien de soucis, quelle envie et que d'embûches ne risque-t-il pas d'attirer ainsi sur sa tête ! S'il veut beaucoup de connaissances et de discernement, peut-être cela ne pourra-t-il que se transformer en un regard d'autant plus aiguisé pour lui montrer d'une façon seulement d'autant plus effrayante les maux qui jusqu'ici restent encore dissimulés à ses yeux et qui ne sauraient pourtant être évités, à moins que cela ne fasse que charger d'encore plus de besoins ses désirs, qu'il a déjà bien assez de difficulté à satisfaire. S'il veut une longue vie, qui va lui soutenir que ce ne serait pas là une longue misère ? S'il veut du moins la santé, combien de fois les ennuis physiques l'ont-il préservé d'excès où l'aurait fait tomber une pleine santé, etc. ? Bref, il est incapable de déterminer selon un principe avec une complète certitude ce qui le rendrait vraiment heureux, — car pour cela l'omniscience serait indispensable. On ne peut donc pas agir d'après des principes déterminés, pour être heureux, mais seulement en fonction de conseils empiriques comme, par exemple, ceux qui incitent à faire la diète, à être économe, courtois, réservé, etc., tout comportement dont l'expérience apprend qu'en moyenne il favorise dans la plupart des cas le bien-être. Il en résulte que les impératifs de la prudence, à parler avec précision, ne peuvent en fait nullement commander, c'est-à-dire présenter des actions de façon objective comme pratiquement *nécessaires*, qu'ils doivent être considérés bien davantage comme des conseils (*concilia*) que comme des commandements (*praecepta*) de la raison, et que le problème de déterminer de manière sûre et universelle quelle action favoriserait le bonheur d'un être raisonnable est totalement insoluble : de ce point de vue, nul impératif n'est donc possible qui soit susceptible de commander, au sens strict du terme, de faire ce qui rend heureux, parce que le bonheur est un idéal, non pas de la raison, mais de l'imagination, qui repose uniquement sur des principes empiriques, dont il est vain (419) d'attendre qu'ils parviennent à déterminer une action à la faveur de laquelle serait atteinte la totalité d'une série, en réalité infinie, de conséquences. Quoi qu'il en soit, cet impératif de la prudence serait, à supposer que les moyens d'accéder au bonheur puissent se laisser indiquer avec certitude, une proposition analytico-pratique ; car sa seule différence avec l'impératif de l'habileté, c'est que, dans le cas de celui-ci, la fin est simplement possible, alors que dans l'impératif de la prudence, elle est donnée ; mais dans la mesure où l'un comme l'autre commandent simplement les moyens en vue de ce dont on suppose qu'on le veut comme fin, l'impératif qui ordonne à celui qui veut la fin de vouloir les moyens est, dans les deux cas, analytique. Pour ce qui touche à la possibilité d'un tel impératif, il n'y a donc pas la moindre difficulté [38].

Au contraire, savoir comment l'impératif de la *moralité* est possible, c'est là l'unique question qui ait besoin d'être résolue, étant donné qu'un tel impératif n'est nullement hypothétique et que par conséquent la nécessité objectivement représentée ne peut s'appuyer sur aucune supposition, comme c'est le cas pour les impératifs hypothétiques. Simplement ne faut-il jamais à cet égard laisser échapper que ce n'est *par aucun exemple*, donc que ce n'est pas empiriquement qu'il faut établir s'il y a jamais quelque part un impératif de ce type, mais au contraire il s'agit de prendre garde que tous ceux qui paraissent catégoriques ne puissent pourtant se révéler subrepticement hypothétiques. Par exemple, si l'on dit : tu ne dois rien promettre de manière trompeuse, et si l'on admet que la nécessité de cette abstention ne constitue pas un simple conseil à suivre pour éviter quelque autre mal — conseil qui s'énoncerait à peu près ainsi : tu ne dois pas faire de promesse mensongère afin de ne pas perdre ton crédit dans le cas où cela viendrait à se savoir —, si l'on tient au contraire qu'une action de ce genre devrait en elle-même être considérée comme mauvaise et que l'impératif qui la défend serait donc catégorique, on ne peut cependant démontrer avec certitude par aucun exemple que la volonté est ici déterminée uniquement par la loi, sans l'intervention d'autres mobiles, bien que cela semble pourtant être le cas ; car il est toujours possible que, secrètement, la crainte de l'opprobre, peut-être aussi le souci obscur d'autres dangers, aient une influence sur la volonté. Qui peut prouver par expérience l'inexistence d'une cause, alors que cette expérience nous apprend uniquement que nous n'apercevons pas ladite cause ? Or, dans ce cas, le prétendu impératif moral qui, comme tel, paraît catégorique et inconditionné, ne serait en fait qu'une prescription pragmatique, qui nous rend attentif à notre intérêt et nous enseigne uniquement à prendre celui-ci en considération [39].

Nous avons donc à analyser entièrement *a priori* la possibilité d'un impératif catégorique, puisqu'ici nous fait défaut l'avantage (420) de découvrir la réalité de cet impératif donné dans l'expérience et donc d'avoir besoin, non pas d'en établir la possibilité, mais simplement de l'expliquer. Pour autant, il y a lieu cependant d'observer pour l'instant que seul l'impératif catégorique s'énonce comme une *loi* pratique alors que les autres impératifs, dans leur ensemble, peuvent certes être désignés comme des *principes* de la volonté, mais non pas comme des lois : car ce qu'il est nécessaire de faire simplement pour atteindre une quelconque fin peut être tenu en soi pour contingent, et nous pouvons à tout moment être délivré de la prescription si nous renonçons à la fin, tandis que le commandement inconditionné ne laisse à la volonté aucune marge de liberté pour choisir à son gré le contraire et que par conséquent lui seul contient en lui cette nécessité que nous exigeons pour la loi.

En deuxième lieu, pour cet impératif catégorique, autrement dit cette loi de la moralité, la cause de la difficulté (qu'il y a à en apercevoir la possibilité) est aussi très importante. Un tel impératif est une proposition synthétiquement pratique * *a priori*, et dans la mesure où cerner la possibilité de propositions de ce type correspond à tant de difficultés dans la connaissance théorique, on peut facilement en inférer qu'elles ne seront pas moindres dans la connaissance pratique.

Face à ce problème, nous entendons rechercher tout d'abord si éventuellement le simple concept d'un impératif catégorique ne pourrait pas aussi en pro-

---

* Je rattache l'action à la volonté sans présupposer aucune condition issue d'une quelconque inclination, — rattachement qui s'effectue *a priori,* donc de manière nécessaire (bien que ce ne soit qu'objectivement, c'est-à-dire sous l'idée d'une raison qui aurait un pouvoir absolu sur tous les mobiles subjectifs). Il s'agit donc d'une proposition pratique qui ne dérive analytiquement pas le fait de vouloir une action à partir d'un autre vouloir déjà présupposé (car nous n'avons pas une volonté si parfaite), mais qui le rattache immédiatement au concept de la volonté d'un être raisonnable, comme quelque chose qui n'est pas contenu dans ce concept.

curer la formule, — une formule telle qu'elle contiendrait la proposition qui seule peut être un impératif catégorique ; car pour ce qui est de savoir comment un tel commandement absolu est possible, bien que nous sachions ce qu'il signifie, la question exigera encore un effort spécifique et difficile, mais que nous renvoyons à la dernière section.

Quand je conçois un impératif *hypothétique* en général, je ne sais pas à l'avance ce qu'il contiendra, jusqu'à ce que la condition me soit donnée. Mais si je conçois un impératif *catégorique*, je sais immédiatement ce qu'il contient. Car, dans la mesure où l'impératif ne contient en dehors de la loi que la nécessité qui s'impose à la maxime * d'être conforme à cette loi (421), mais que la loi ne contient aucune condition qui vienne la limiter, il ne reste rien d'autre que l'universalité d'une loi en général, à laquelle la maxime de l'action doit être conforme, et c'est uniquement cette conformité que l'impératif fait apparaître véritablement comme nécessaire.

Il n'y a donc qu'un unique impératif catégorique, et c'est celui-ci : *Agis seulement d'après la maxime grâce à laquelle tu peux vouloir en même temps qu'elle devienne une loi universelle.*

Si dès lors tous les impératifs du devoir peuvent être dérivés de cet unique impératif comme de leur principe [40], nous pourrons, tout en laissant en suspens la question de savoir si ce qu'on appelle devoir n'est pas somme toute un concept vide, du moins indiquer pourtant ce que nous entendons par là et ce que ce concept veut dire.

Parce que l'universalité de la loi d'après laquelle surgissent des effets correspond à ce que l'on appelle

---

* *La maxime* est le principe subjectif de l'agir et doit être distinguée du principe *objectif*, autrement dit de la loi pratique. Cette maxime contient la (421) règle pratique que la raison détermine conformément aux conditions du sujet (bien souvent d'après son ignorance ou même en fonction de ses inclinations), et elle est donc le principe d'après lequel le sujet *agit* ; en revanche, la loi est le principe objectif, qui vaut pour tout être raisonnable, et elle constitue le principe d'après lequel il *doit agir*, c'est-à-dire un impératif.

proprement *nature* au sens le plus général (au sens formel), c'est-à-dire l'existence des choses dans la mesure où elle est déterminée selon des lois universelles, l'impératif universel du devoir pourrait aussi s'énoncer ainsi : *Agis comme si la maxime de ton action devait être érigée par ta volonté en loi universelle de la nature* [41].

Nous allons maintenant énumérer quelques devoirs, en suivant la division ordinaire de ceux-ci en devoirs envers nous-mêmes et devoirs envers d'autres hommes [42], en devoirs parfaits et en devoirs imparfaits *.

1) Un homme, qui après une série de maux l'ayant conduit jusqu'au désespoir, éprouve un dégoût de la vie, est encore (422) assez en possession de sa raison pour pouvoir se demander à lui-même si se suicider n'irait pas à l'encontre du devoir envers soi-même. Il recherche alors si la maxime de son action pourrait bel et bien devenir une loi universelle de la nature. Mais sa maxime est la suivante : par amour de moi-même, j'érige en principe d'abréger ma vie si, par son prolongement excessif, elle me menace de m'infliger davantage de maux qu'elle ne me promet de satisfactions. La question demeure simplement de savoir si ce principe de l'amour de soi peut devenir une loi universelle de la nature. Mais alors on voit bien vite qu'une nature dont la loi serait de détruire la vie elle-même par l'intermédiaire du sentiment dont la destination est de pousser au développement de la vie, se contredirait elle-même et ne saurait donc subsister comme nature : en vertu de quoi cette maxime ne peut d'au-

---

\* Notons bien ici que je me réserve entièrement d'aborder la division des devoirs dans une future *Métaphysique des mœurs*, et que pour le moment cette division n'intervient donc ici que comme une commodité (pour ordonner mes exemples [43]). Au demeurant j'entends ici par *devoir parfait* celui qui n'autorise aucune exception en faveur de l'inclination, et en ce sens j'ai affaire non seulement à des *devoirs parfaits* extérieurs, mais aussi à des *devoirs parfaits* intérieurs, ce qui entre en contradiction avec l'usage habituel du mot dans les écoles : toutefois, je ne suis pas disposé à me justifier ici, dans la mesure où le point, qu'on me le permette ou non, est indifférent à mon projet actuel.

cune manière tenir lieu d'une loi universelle de la nature, et, par conséquent, elle se trouve entièrement contraire au principe suprême de tout devoir.

2) Un autre individu se voit pressé par le besoin d'emprunter de l'argent. Il sait parfaitement qu'il ne pourra rembourser, mais voit aussi qu'on ne lui accordera aucun prêt s'il ne promet pas avec fermeté de rendre l'argent à un moment déterminé. Il a envie de faire une telle promesse ; mais il conserve encore assez de conscience morale pour se demander : n'est-il pas interdit et contraire au devoir de se tirer d'affaire par un tel expédient ? A supposer qu'il se résolve pourtant à y recourir, la maxime de son action s'énoncerait ainsi : quand je me crois à court d'argent, j'accepte d'en emprunter et de promettre de le rendre, bien que je sache que tel ne sera jamais le cas. Sans doute ce principe de l'amour de soi ou de l'utilité personnelle est-il compatible, éventuellement, avec tout mon bien-être futur, mais pour l'instant la seule question est de savoir si c'est juste. Je transforme donc la prétention de l'amour de soi en une loi universelle et construis la question suivante : qu'adviendrait-il dès lors que ma maxime serait érigée en loi universelle ? Mais dans ce cas je vois d'emblée qu'elle ne pourrait jamais acquérir la valeur d'une loi universelle de la nature et s'accorder avec elle-même, mais qu'inévitablement il lui faudrait se contredire. Car universaliser une loi selon laquelle chaque individu croyant être dans le besoin pourrait promettre tout ce qui lui vient à l'esprit, avec l'intention de ne pas tenir ses promesses, cela reviendrait à rendre même impossible le fait de promettre, ainsi que le but qu'on peut lui associer, dans la mesure où personne ne croirait à ce qu'on lui promet, et qu'au contraire tout le monde rirait de telles déclarations en n'y voyant que de vains subterfuges.

3) Un troisième trouve en lui un talent qui, à condition d'être quelque peu (423) cultivé, pourrait faire de lui un homme utile sous bien des rapports. Mais il se voit dans une situation favorable et préfère s'abandonner au plaisir plutôt que de s'efforcer

d'élargir et de perfectionner ses heureuses dispositions naturelles. Néanmoins, il se demande encore si, quand bien même sa maxime de laisser à l'abandon ses dons naturels s'accorde avec son penchant au divertissement, elle s'accorde aussi avec ce que l'on appelle le devoir. Il voit bien alors que certes une nature qui se conformerait à une telle loi universelle pourrait toujours continuer à exister, tandis que l'homme (comme l'habitant des mers du Sud [44]) laisserait rouiller son talent et ne s'appliquerait qu'à orienter sa vie vers l'oisiveté, le divertissement, la reproduction de son espèce, bref, vers la jouissance ; seulement ne peut-il aucunement *vouloir* que cela devienne une loi universelle de la nature ou soit inscrit comme tel en nous par un instinct naturel. Car, en tant qu'il est un être raisonnable, il veut nécessairement qu'en lui toutes les facultés soient développées, parce qu'elles lui sont données et qu'elles lui servent en tout cas pour toutes sortes de fins possibles.

Un *quatrième* encore, pour lequel tout va bien, quand il voit que d'autres hommes (auxquels il pourrait sans doute porter secours) ont à combattre contre de grandes difficultés, conçoit de telles pensées : en quoi cela m'importe-t-il ? Chacun peut bien être aussi heureux que le Ciel le veut ou qu'il parvient lui-même à se procurer le bonheur : je ne lui retirerai rien, je ne l'envierai même pas ; simplement, je n'ai aucun désir de contribuer en quoi que ce soit à son bien-être ou de lui prêter assistance dans le besoin ! Or, si une telle façon d'envisager les choses devenait une loi universelle de la nature, l'espèce humaine pourrait assurément fort bien continuer d'exister, et sans doute mieux encore que lorsque chacun ne cesse de parler de sympathie et de bienveillance, en s'empressant même de mettre en pratique à l'occasion ces attitudes, tout en trompant les autres dès qu'il le peut, en faisant commerce du droit des hommes ou en lui portant atteinte par ailleurs. Mais bien qu'il soit possible qu'une loi universelle de la nature établie d'après cette maxime parvienne à subsister, il est en tout cas exclu de *vouloir* qu'un tel principe vaille partout comme loi de la nature. Car une volonté qui s'y résoudrait se contredirait elle-même, puisqu'il pourrait se trouver cependant bien des cas où une telle personne aurait besoin de l'amour et de la sympathie des autres, et se priverait elle-même, du fait d'une telle loi de la nature issue de sa propre volonté, de tout espoir de recueillir le soutien auquel elle aspire.

Voilà donc quelques-uns des multiples devoirs réels, ou que du moins nous tenons pour tels, dont la division [45], effectuée à partir du principe unique indiqué plus haut (424) est évidente. Il faut *pouvoir vouloir* qu'une maxime de notre action devienne une loi universelle : tel est le canon qui rend possible l'appréciation morale de notre action en général. Certaines actions sont ainsi faites que leur maxime ne peut même sans contradiction être *conçue* comme une loi universelle de la nature : tant s'en faut dans ces conditions qu'on puisse en outre *vouloir* qu'elle *doive* le devenir. Pour d'autres actions, on ne peut certes y trouver cette impossibilité intrinsèque, mais il est pourtant impossible de *vouloir* que leur maxime soit élevée à l'universalité d'une loi de la nature, parce qu'une telle volonté se contredirait elle-même. On voit facilement que le premier type de maximes entre en contradiction avec le devoir au sens strict ou étroit (intangible), et que le second type contredit seulement le devoir au sens large (méritoire), et qu'ainsi tous les devoirs, en ce qui concerne le genre d'obligation qu'ils induisent (et non pas l'objet de l'action qui leur correspond) s'établissent pleinement, grâce à ces exemples, dans leur relation de dépendance à l'égard du principe unique.

Si maintenant nous sommes attentifs à nous-mêmes chaque fois que nous transgressons un devoir, nous trouvons que nous ne voulons pas réellement que notre maxime devienne une loi universelle — car cela nous est impossible —, mais que c'est le contraire de cette maxime qui doit bien plutôt demeurer universellement une loi ; seulement prenons-nous la liberté d'y faire une *exception* pour nous ou (ne serait-ce même que pour cette unique fois) en faveur de notre inclination. Par conséquent, si nous examinions tout d'un seul et même point de vue, à savoir celui de la raison, nous rencontrerions une contradiction dans notre propre volonté, en ceci qu'un certain principe serait objectivement nécessaire comme loi universelle et que cependant il ne devrait pas, au plan subjectif, valoir universellement, mais autoriser des exceptions. Toutefois, dans la mesure où tantôt nous considérons notre action du point de vue d'une volonté totalement conforme à la raison, tantôt nous considérons aussi cette même action du point de vue d'une volonté affectée par l'inclination, il n'y a en réalité ici nulle contradiction, mais plutôt une résistance de l'inclination à ce que prescrit la raison (*antagonismus*), — et du fait de cette résistance à l'universalité du principe (*universalitas*) se change en une validité simplement générale (*generalitas*), ce qui conduit le principe pratique de la raison à devoir se combiner avec la maxime à moitié chemin. Or, quand bien même cette situation ne peut être justifiée dans notre propre jugement lorsqu'il est formulé de façon impartiale, cela témoigne en tout cas que nous reconnaissons réellement la validité de l'impératif catégorique et que nous ne nous autorisons (en lui conservant tout le respect qui lui est dû) que quelques exceptions qui nous semblent être insignifiantes et qui nous sont comme extorquées sous la contrainte [46].

(425) Ainsi, pour autant, avons-nous du moins montré que, si le devoir est un concept qui doit posséder une signification et contenir une législation effective pour nos actions, cette dernière ne saurait être exprimée que dans des impératifs catégoriques [47], mais nullement dans des impératifs hypothétiques ; en même temps, nous avons, ce qui est déjà beaucoup, présenté clairement, et d'une façon déterminée pour chaque usage, le contenu de l'impératif catégorique qui devrait inclure en lui le principe de tout devoir (si du moins il doit y avoir de tels devoirs). En revanche,

nous ne sommes pas encore assez avancés pour démontrer *a priori* que cet impératif existe réellement, qu'il y a une loi pratique qui ordonne purement et simplement par elle-même et sans aucun mobile, et que c'est le fait d'obéir à cette loi qui constitue le devoir.

Si l'on a l'intention d'atteindre de tels objectifs, il est de la plus extrême importance de se tenir ceci pour dit : ne laissons nullement venir à notre esprit le projet de dériver la vérité de ce principe à partir de la *constitution particulière de la nature humaine*. Car le devoir doit être une nécessité pratique inconditionnée de l'action ; il lui faut donc valoir pour tous les êtres raisonnables (les seuls auxquels peut s'appliquer en général un impératif), et c'est *uniquement pour cette raison* qu'il doit constituer aussi une loi pour toute volonté humaine. Ce qui au contraire est dérivé de la disposition naturelle particulière à l'humanité, à partir de certains sentiments et penchants, et même, dans les cas où c'est possible, d'une orientation particulière qui serait propre à la raison humaine et ne devrait pas nécessairement valoir pour la volonté de tout être raisonnable, cela peut assurément nous donner une maxime pour nous-mêmes, mais non point une loi : cela peut nous fournir un principe subjectif d'après lequel nous pouvons agir en suivant penchants et inclinations, mais non pas un principe objectif en vertu duquel nous recevrions *l'ordre* d'agir, quand bien même tous nos penchants, toutes nos inclinations et toutes les dispositions de notre nature viendraient s'y opposer ; disons même qu'il se manifeste dans un devoir d'autant plus de sublimité et de dignité intrinsèque du commandement que les causes subjectives vont d'autant moins dans le même sens, qu'elles s'y opposent plus fortement, sans que pour autant la contrainte exercée par la loi en soit affaiblie le moins du monde ou se voit retirer quelque chose de sa validité.

Dans ces conditions, nous voyons ici la philosophie occuper en fait une position scabreuse qui doit être affermie sans qu'elle puisse trouver, ni dans le ciel ni sur la terre, quelque chose à quoi se rattacher ou sur quoi s'appuyer. Elle doit manifester ici sa pureté en se faisant la garante de ses propres lois, et non pas le héraut de celles que lui inspire un sens inné ou je ne sais quelle nature tutélaire : globalement, celles-ci peuvent sans aucun doute être mieux (426) que rien, mais elles sont pourtant à jamais incapables de fournir des principes qu'il appartient à la raison de dicter, qui doivent avoir leur source absolument et complètement *a priori*, et tenir de là en même temps leur dimension impérative, — celle qui leur permet de ne rien attendre de l'inclination de l'homme, mais au contraire d'attendre tout de l'omnipotence de la loi et du respect qui lui est dû, ou de condamner l'homme, dans le cas contraire, à se mépriser lui-même et à éprouver à son propre endroit un profond dégoût.

Par conséquent, tout ce qui est empirique est non seulement totalement incapable de se mettre au service du principe de la moralité, mais est en outre extrêmement dommageable à la pureté des mœurs elles-mêmes, pour lesquelles la valeur véritable et la plus inappréciable qui est celle d'une volonté absolument bonne consiste précisément en ceci que le principe de l'action est libre de toutes les influences que pourraient exercer des principes contingents, les seuls que l'expérience soit à même de fournir. Contre cette négligence ou même cette basse manière d'envisager les choses qui conduit à rechercher le principe parmi des mobiles et des lois empiriques, on ne peut émettre trop de mises en garde ni trop souvent : en effet, dans sa lassitude, la raison humaine se repose volontiers sur cet oreiller et, rêvant à de douces illusions (qui pourtant ne lui font étreindre, au lieu de Junon, qu'un nuage), elle substitue à la moralité un produit bâtard fait de bric et de broc à partir d'éléments de provenances tout à fait diverses, qui ressemble à tout ce qu'on veut y voir, sauf à la vertu, du moins pour celui qui l'a perçue une fois sous son vrai visage *.

---

* Considérer la vertu sous sa véritable forme, ce n'est rien d'autre qu'exposer la moralité en la dépouillant de tout mélange

La question est donc la suivante : est-ce une loi nécessaire *pour tous les êtres raisonnables* que de toujours juger leurs actions d'après des maximes dont ils puissent eux-mêmes vouloir qu'elles soient à même de servir de lois universelles ? S'il existe une telle loi, il lui faut nécessairement être liée d'emblée (entièrement *a priori*) au concept de la volonté d'un être raisonnable en général. Mais pour découvrir cette articulation, il faut, quand bien même on y répugnerait fort, avancer d'un pas, entendre : vers la métaphysique, bien qu'il s'agisse ici d'un domaine de la métaphysique qui est différent de celui de la philosophie spéculative, à savoir : vers la métaphysique des mœurs. (427) Dans une philosophie pratique, où il s'agit pour nous d'admettre, non pas des principes de ce qui *arrive*, mais des lois de ce qui *doit arriver*, quoique cela n'arrive jamais, c'est-à-dire des lois objectivement pratiques, nous ne sommes pas contraints d'entreprendre de recherche sur les raisons pour lesquelles quelque chose plaît ou déplaît, sur la façon dont le satisfaction liée à la simple sensation se distingue du goût, et sur la question de savoir si le goût se différencie d'une satisfaction universelle de la raison ; nous ne sommes pas tenus de nous demander sur quoi repose le sentiment du plaisir et du déplaisir, et comment en proviennent désirs et inclinations, tandis que, de là, proviennent, grâce à la coopération de la raison, des maximes ; car tout cela relève d'une doctrine empirique de l'âme, laquelle devrait constituer la seconde partie de la doctrine de la nature si on veut bien la considérer, en tant qu'elle est fondée sur des *lois empiriques*, comme une *philosophie de la nature* [48]. En fait, il s'agit ici de la loi objectivement pratique, par conséquent de la relation qu'une volonté entretient avec elle-même dans la

---

avec le sensible et de tout ornement inauthentique lié à la récompense et à l'amour de soi. A quel point, quand tel est le cas, elle assombrit tout ce qui apparaît attirant aux inclinations, chacun peut aisément s'en rendre compte par la moindre tentative de sa raison, si elle n'est pas entièrement corrompue pour tout effort d'abstraction.

mesure où elle se détermine uniquement par la raison, étant donné qu'alors tout ce qui, en effet, se rapporte à ce qui est empirique se supprime de lui-même : car si la *raison* détermine, *par elle seule*, la façon dont nous nous conduisons (ce dont précisément nous entendons ici même examiner la possibilité), elle doit le faire nécessairement *a priori*.

C)

① Par la volonté, on entend une faculté de se déterminer soi-même à agir *conformément à la représentation de certaines lois*. Et une telle faculté ne peut être rencontrée que chez des êtres raisonnables. Or, ce qui sert à la volonté de principe objectif lui permettant de s'auto-déterminer, c'est la fin, et celle-ci, quand elle est fournie par la seule raison, doit valoir également pour tous les êtres raisonnables. Ce qui, en revanche, contient simplement le principe de la possibilité de l'action dont l'effet est la fin s'appelle le *moyen*. Le principe subjectif du désir est le *mobile*, le principe objectif du vouloir est le *motif* ; de là procède la différence entre des fins subjectives, qui reposent sur des mobiles, et des fins objectives, qui dépendent de motifs valant pour tout être raisonnable. Des principes pratiques sont *formels* s'ils font abstraction de toutes les fins subjectives ; ils sont au contraire *matériels* s'ils prennent de telles fins, et par conséquent certains mobiles, pour fondement. Les fins qu'un être raisonnable se propose à son gré comme *effets* de son action (fins matérielles) ne sont, dans leur totalité, que relatives ; car c'est seulement leur relation à ce qu'il y a de particulier dans la nature de la faculté de désirer du sujet qui leur donne leur valeur, laquelle valeur ne peut par conséquent nullement procurer ensuite des principes universels pour tous les êtres raisonnables, ni des principes qui vaudraient pour tout acte de vouloir et seraient nécessaires (428), c'est-à-dire des lois pratiques. De là vient que toutes les fins relatives ne parviennent à fonder que des impératifs hypothétiques.

② Mais, si l'on suppose qu'il y ait quelque chose dont l'*existence en soi-même* possède une valeur absolue, quelque chose qui, comme *fin en soi*, pourrait fournir un fondement à des lois déterminées, c'est en cela, et en cela seulement, que résiderait le fondement d'un impératif catégorique possible, c'est-à-dire d'une loi pratique.

③ Or, je dis : l'être humain, et en général tout être raisonnable, *existe* comme fin en soi, *et non pas simplement comme moyen* pour l'usage que pourrait en faire, à son gré, telle ou telle volonté, mais il faut qu'il soit toujours considéré dans toutes ses actions — aussi bien celles qui sont orientées vers lui-même que celles qui sont orientées vers d'autres êtres raisonnables — *en même temps comme fin*. Tous les objets des inclinations ont simplement une valeur conditionnelle ; car si les inclinations et si les besoins qui s'y enracinent n'existaient pas, leur objet serait sans valeur. Mais les inclinations elles-mêmes, en tant que sources du besoin, ont si peu une valeur absolue, telle qu'on puisse souhaiter les ressentir, que le souhait universel de tout être raisonnable doit être bien plutôt de s'en voir totalement libéré. Ainsi la valeur de tous les objets susceptibles d'être *acquis* par notre action est-elle toujours conditionnée. Les êtres dont l'existence repose en vérité, non sur notre volonté, mais sur la nature, n'ont toutefois, s'il s'agit d'êtres dépourvus de raison, qu'une valeur relative, en tant que *moyens*, et se nomment par conséquent des *choses* ; en revanche, les êtres raisonnables sont appelés des *personnes*, parce que leur nature les distingue déjà comme des fins en soi, c'est-à-dire comme quelque chose qui ne peut pas être utilisé simplement comme moyen, et par conséquent, dans cette mesure, limite tout arbitre [49] (et constitue un objet de respect). Il ne s'agit donc pas là de fins simplement subjectives, dont l'existence, comme effet de notre action, a une valeur *pour nous* , mais ce sont des *fins objectives*, c'est-à-dire des choses dont l'existence est en soi-même une fin, et plus précisément une fin telle que ne peut venir la remplacer nulle autre au service de laquelle devraient se placer les fins objectives en devenant de *simples* moyens : de fait, en l'absence de telles fins objectives, on ne trouverait nulle part rien qui possédât une *valeur absolue* ; mais si toute valeur était conditionnée, donc contingente, aucun principe pratique suprême ne pourrait jamais être découvert pour la raison.

ₑmoral

④ S'il doit donc y avoir un principe pratique suprême et, vis-à-vis de la volonté humaine, un impératif catégorique, il faut que ce soit quelque chose de tel qu'à partir de la représentation de ce qui est nécessairement une fin pour chacun (parce que c'est une *fin en soi*), il définisse un (429) principe *objectif* de la volonté, que par conséquent il puisse servir de loi pratique universelle. Le fondement de ce principe est celui-ci : *la nature raisonnable existe comme fin en soi.* C'est ainsi que l'homme se représente nécessairement sa propre existence ; dans cette mesure il s'agit donc d'un principe *subjectif* d'actions humaines. Mais tout autre être raisonnable se représente également de cette façon son existence, cela précisément en conséquence du même principe rationnel qui vaut aussi pour moi * ; il s'agit donc en même temps d'un principe *objectif* à partir duquel doivent pouvoir être déduites, comme d'un principe pratique suprême, toutes les lois de la volonté. L'impératif pratique sera donc le suivant : *agis de façon telle que tu traites l'humanité, aussi bien dans ta personne que dans la personne de tout autre, toujours en même temps comme fin, jamais simplement comme moyen* [50]. Nous allons voir si un tel principe se peut mettre en œuvre.

⑤ Pour en rester aux exemples précédents :

*Premièrement,* d'après le concept du devoir nécessaire envers soi-même, celui qui songe au suicide se demandera si son action peut être compatible avec l'idée de l'humanité *comme fin en soi*. Si, pour fuir une situation pénible, il se détruit lui-même, il se sert d'une personne simplement comme d'un *moyen* en vue de préserver une situation supportable jusqu'à la

---

* Cette proposition, je l'énonce ici comme un postulat. Dans la dernière section, on en trouvera les raisons.

fin de la vie. Mais l'homme n'est pas une chose, par conséquent pas quelque chose qui peut être traité *simplement* comme moyen : au contraire faut-il que, dans toutes ses actions, il soit toujours considéré comme une fin en soi. Je ne puis disposer en rien de l'homme en ma personne, pour le mutiler, le corrompre ou le tuer. (Je dois ici laisser de côté ce que serait une détermination plus précise de ce principe, telle qu'elle servirait à éviter toute incompréhension, par exemple quand il faut recourir pour me maintenir en vie à l'amputation des membres, quand j'expose ma vie à un danger pour la conserver, etc. ; cette détermination plus complète appartient à la morale proprement dite).

⑥ *Deuxièmement*, en ce qui concerne le devoir nécessaire ou obligé envers d'autres hommes, celui qui a en tête de faire à d'autres une promesse mensongère apercevra aussitôt qu'il veut se servir d'un autre être humain *simplement comme d'un moyen*, sans que ce moyen contienne en même temps en lui la fin. Car celui que, par une telle promesse, je veux utiliser en le mettant au service de mes desseins ne peut aucunement être d'accord avec ma façon de procéder envers lui (430) et contenir ainsi lui-même la fin de cette action. C'est de manière plus évidente que cette entrée en contradiction avec le principe de l'humanité d'autrui saute aux yeux quand on emprunte les exemples à des atteintes portées à la liberté ou à la propriété des autres. Car il apparaît alors clairement que celui qui transgresse les droits des hommes a l'intention de se servir de la personne d'autrui simplement comme d'un moyen, sans prendre en considération que les autres hommes, en tant qu'êtres raisonnables, doivent toujours être en même temps estimés comme des fins, c'est-à-dire seulement comme des êtres qui doivent pouvoir aussi contenir en eux la fin correspondant précisément à cette même action *.

* Qu'on n'imagine assurément pas qu'ici la proposition triviale : *quod tibis non vis fieri, etc.*, puisse servir de règle de conduite ou de

⑦*Troisièmement*, pour ce qui touche au devoir contingent (méritoire) envers soi-même, il ne suffit pas que l'action ne contredise pas l'humanité dans notre personne considérée comme fin en soi : il faut aussi qu'elle *s'accorde avec elle*. Or, il y a dans l'humanité des dispositions à une plus grande perfection qui appartiennent à la fin de la nature en ce qui concerne l'humanité dans le sujet que nous constituons ; les négliger pourrait sans doute, tout au plus, coexister avec la *conservation* de l'humanité comme fin en soi, mais non point avec le fait de *favoriser la réalisation* de cette fin.

⑧ *Quatrièmement*, à propos du devoir méritoire envers autrui, la fin naturelle que poursuivent tous les hommes réside dans leur bonheur personnel. Or, certes, l'humanité pourrait continuer d'exister si personne ne contribuait en quoi que ce soit au bonheur d'autrui, mais se bornait à ne pas y porter atteinte délibérément ; cela ne procurerait pourtant qu'un accord négatif et non pas positif avec l'humanité comme fin en soi, si chacun ne s'efforçait pas aussi de favoriser, dans la mesure de ses possibilités, le bonheur d'autrui. Car pour le sujet, qui est une fin en soi, il faut que ses fins, si cette représentation doit exercer sur moi la *totalité* de son effet, soient aussi, autant que possible, *mes* fins.

Ce principe qui veut que l'humanité et toute nature raisonnable en général soient envisagées comme *fin en soi* (constituant ainsi la condition suprême qui vient limiter (431) la liberté des actions de tout homme) n'est pas tiré de l'expérience : en premier lieu à cause

---

principe. Car elle est seulement déduite, avec, qui plus est, diverses restrictions, de ce principe que nous avons établi ; elle ne peut être une loi universelle, puisqu'elle ne contient pas le principe des devoirs envers soi-même, ni non plus celui des devoirs de charité à l'égard d'autrui (car nombreux sont les gens qui admettraient qu'autrui n'ait nul devoir d'agir envers eux avec bienveillance, pourvu simplement qu'ils puissent être dispensés de lui témoigner eux-mêmes de la bienveillance), ni enfin celui des devoirs rigoureux des hommes les uns envers les autres ; car, sur cette base, le criminel serait à même d'argumenter contre le juge qui le punit, etc.

de son universalité, étant donné qu'il s'applique à tous les êtres raisonnables en général — et en ce registre nulle expérience ne suffit pour déterminer quoi que ce soit ; en second lieu parce que l'humanité est représentée ici, non pas comme une fin de l'individu (subjective), c'est-à-dire comme un objet qu'en réalité on se donne soi-même pour fin, mais comme une fin objective qui doit, quelles que soient par ailleurs les fins que nous poursuivions, définir en tant que loi la condition suprême venant limiter toutes les fins subjectives, et parce qu'en conséquence le principe évoqué doit nécessairement dériver de la raison pure. Ce qui constitue en effet le fondement de toute législation pratique réside *objectivement dans la règle* et dans la forme de l'universalité, qui la rend capable (en vertu du premier principe) d'être une loi (à la rigueur, une loi de la nature [51]), mais *subjectivement*, c'est dans la *fin* qu'il faut le rechercher ; mais le sujet de toutes les fins est tout être raisonnable considéré comme fin en soi (en vertu du deuxième principe) : de là procède maintenant le troisième principe pratique de la volonté, en tant que condition suprême de son accord avec la raison pratique universelle, savoir l'*Idée de la volonté de tout être raisonnable comme volonté légiférant de manière universelle* [52].

En vertu de ce principe, on rejette toutes les maximes qui ne peuvent être compatibles avec la propre législation universelle de la volonté. La volonté n'est donc pas purement et simplement soumise à la loi, mais elle lui est soumise de telle manière qu'il faut la considérer en même temps comme *législatrice* et au demeurant comme n'étant soumise à la loi (dont elle peut se tenir elle-même pour l'auteur) que précisément pour cette raison.

Les impératifs, d'après la formulation que nous en avons donnée ci-dessus, qu'il s'agisse de celle qui évoque la conformité des actions à une loi universelle analogue à un *ordre de la nature*, ou de celle qui affirme le *privilège* universel revenant aux êtres raisonnables considérés en eux-mêmes comme des *fins*, excluaient à vrai dire du registre constitutif de leur autorité toute immixtion d'un quelconque intérêt intervenant comme mobile, précisément parce qu'ils étaient représentés comme catégoriques ; mais ils n'étaient *acceptés* comme catégoriques que dans la mesure où l'on se trouvait contraint d'en accepter de tels si l'on voulait expliquer le concept de devoir. En revanche, qu'il y ait des propositions pratiques commandant de manière catégorique, cela ne se pouvait démontrer par soi-même, de même qu'il est tout aussi impossible que s'en accomplisse ici encore, en général dans cette section, la démonstration ; cela seul qui toutefois était possible consistait en ce que la mise à distance de tout intérêt dans le fait de vouloir par devoir, comme signe distinctif spécifique de l'impératif catégorique vis-à-vis de l'impératif hypothétique, fût indiquée aussi dans l'impératif lui-même à l'aide (432) d'une détermination qu'il contiendrait, — et c'est là ce qui se produit dans la troisième formule maintenant disponible du principe, à savoir dans l'Idée de la volonté de tout être raisonnable conçu comme *légiférant universellement*.

Si en effet nous nous représentons une telle volonté, quand bien même une volonté *soumise à des lois* pourrait être encore liée à cette loi par l'intermédiaire d'un intérêt, il est impossible en tout cas qu'une volonté qui est elle-même souverainement législatrice dépende en tant que telle d'un quelconque intérêt ; car une telle volonté qui serait dépendante aurait elle-même encore besoin d'une autre loi, qui viendrait restreindre l'intérêt de son amour-propre à la condition suivante : pouvoir valoir comme loi universelle.

Ainsi le *principe* en vertu duquel toute volonté humaine constitue *une volonté légiférant universellement à travers ses maximes* \*, dès lors simplement qu'il manifesterait de lui-même sa justesse, conviendrait tout à fait bien à l'impératif catégorique, dans la mesure où,

---

\*  Je peux ici être dispensé de produire des exemples permettant d'expliciter ce principe, car ceux qui avaient d'abord explicité l'impératif catégorique et ses formules peuvent tous maintenant servir à cet usage.

précisément en vertu de l'idée de législation universelle, *il ne se fonde sur aucun intérêt* et peut donc, seul parmi tous les impératifs possibles, être *inconditionné* ; ou mieux encore, en inversant la proposition : s'il y a un impératif catégorique (c'est-à-dire une loi s'appliquant à chaque volonté d'un être raisonnable), il peut uniquement ordonner de tout faire en vertu de la maxime d'une volonté qui serait telle qu'elle pourrait en même temps se prendre elle-même pour objet en tant que légiférant de manière universelle ; car c'est alors seulement que le principe pratique est inconditionné, de même que l'impératif auquel le sujet obéit, parce qu'il ne peut se fonder sur le moindre intérêt.

Rien d'étonnant désormais si, quand nous nous retournons vers tous les efforts qui ont été entrepris jusqu'ici pour rendre accessible le principe de la moralité, nous constatons qu'ils ont tous dû échouer. On voyait bien que l'homme se trouve lié par son devoir à des lois, mais on ne prenait pas en compte qu'il *n'est soumis qu'à sa propre législation*, une législation pourtant *universelle*, et qu'il n'est obligé d'agir que conformément à sa propre volonté, mais une volonté qui légifère universellement conformément à la fin de la nature. Car si on se le représentait uniquement comme soumis à une loi (quelle qu'elle soit), celle-ci induirait nécessairement avec elle (433) quelque intérêt sous la forme d'un attrait ou d'une contrainte, parce qu'elle ne procéderait pas comme loi de *sa* volonté, mais que celle-ci serait forcée, conformément à la loi, par *quelque chose d'autre* d'agir d'une certaine manière. Mais en raison de cette conséquence totalement inévitable tout travail pour trouver un principe suprême du devoir était irrémédiablement perdu. Car on ne parvenait jamais au devoir, mais au contraire à la nécessité d'agir par un certain intérêt. Il pouvait au demeurant s'agir d'un intérêt personnel ou d'un intérêt étranger. Quoi qu'il en soit, l'impératif prenait dès lors, nécessairement, une allure conditionnelle et devenait totalement inadapté au commandement moral. J'entends donc désigner ce principe comme

celui de l'*autonomie* de la volonté, par opposition avec
tout autre principe, que pour cette raison j'inscris
dans le registre de l'*hétéronomie*[53].

Le concept qui veut que tout être raisonnable doive
se considérer comme légiférant universellement à travers toutes les maximes de sa volonté, pour se juger
soi-même et ses actions à partir d'un tel point de vue,
conduit à un concept très fécond qui s'y rattache, à
savoir celui d'*un règne des fins*.

En fait, par *règne*, j'entends la liaison systématique
de divers êtres raisonnables par des lois communes.
Or, dans la mesure où des lois déterminent les fins en
fonction de leur validité universelle, si l'on fait abstraction de ce qui vient différencier personnellement
les êtres raisonnables, en même temps que tout le
contenu de leurs fins privées, on parviendra à concevoir un ensemble organisé de façon systématique réunissant toutes les fins (aussi bien celles des êtres raisonnables comme fins en soi que les fins propres que
chacun peut se proposer), c'est-à-dire un règne des
fins, tel qu'il est possible d'après les principes établis
ci-dessus.

Car des êtres raisonnables sont tous soumis à la *loi*
selon laquelle chacun d'eux ne doit *jamais* se traiter
soi-même ni traiter tous les autres *simplement comme
moyen*, mais toujours *en même temps comme fin en soi*.
Mais c'est justement de là *que procède* une liaison systématique d'êtres raisonnables par des lois objectives
communes, c'est-à-dire un règne qui, parce que ces
lois visent précisément la relation de ces êtres les uns
aux autres comme fins et moyens, peut être désigné
comme un règne des fins (même s'il ne s'agit là, à dire
vrai, que d'un idéal).

Or, un être raisonnable appartient en tant que *membre*
au règne des fins si assurément il y légifère de manière
universelle, mais aussi s'il est lui-même soumis à ces
lois. Il y appartient en tant que *souverain* si, en légiférant, il n'est soumis à la volonté d'aucun autre.

(434) L'être raisonnable doit se considérer toujours
comme exerçant son activité de législateur dans un

règne des fins qui est possible par la liberté de la volonté, qu'il y intervienne alors comme membre ou comme souverain. Mais à cette dernière place il ne saurait prétendre simplement par les maximes de sa volonté : il ne peut avoir cette prétention que s'il est un être totalement indépendant, dépourvu de besoins, et tel que rien ne vient limiter sa capacité d'agir adéquatement à sa volonté.

La moralité consiste donc dans le rapport qu'entretient toute action à la législation à la faveur de laquelle seulement un règne des fins est possible. Mais cette législation doit se rencontrer dans tout être raisonnable lui-même et pouvoir procéder de sa volonté, dont le principe est le suivant : n'accomplir nulle action d'après une autre maxime que celle dont il pourrait arriver qu'elle soit une loi universelle, — une maxime qui serait par conséquent simplement telle que *la volonté puisse se considérer elle-même en même temps comme légiférant universellement grâce à sa maxime.* Si, cela dit, les maximes ne sont pas déjà par leur nature nécessairement en accord avec ce principe objectif des êtres raisonnables en tant que légiférant universellement, la nécessité que l'action se conforme à ce principe s'appelle contrainte pratique, c'est-à-dire *devoir.* Le devoir, dans le règne des fins, ne s'adresse pas au souverain, mais bien plutôt à chaque membre, et en vérité à tous dans la même mesure.

La nécessité pratique d'agir d'après ce principe, c'est-à-dire le devoir, ne repose nullement sur des sentiments, des impulsions et des penchants, mais seulement sur la relation des êtres raisonnables les uns avec les autres, — une relation où la volonté d'un être raisonnable doit toujours en même temps être considérée comme *législatrice,* parce que, si tel n'était pas le cas, cet être ne pourrait pas se concevoir comme *fin en soi.* La raison rapporte donc chaque maxime de la volonté, en tant qu'elle légifère universellement, à chaque autre volonté et même à chaque action commise envers soi-même, et cela non pas certes pour un quelconque autre motif pratique ou quelque avantage futur, mais en partant de l'idée de la *dignité* d'un être raisonnable qui n'obéit à nulle loi, si ce n'est celle qu'il instaure en même temps lui-même.

⑨ Dans le règne des fins, tout a ou bien un *prix*, ou bien une *dignité*. A la place de ce qui a un prix on peut mettre aussi quelque chose d'autre en le considérant comme son *équivalent* ; ce qui en revanche est au-dessus de tout prix, et par conséquent n'admet nul équivalent, c'est ce qui possède une dignité.

⑩ Ce qui se rapporte aux inclinations et aux besoins répandus universellement parmi les hommes a un *prix marchand* ; ce qui, même sans supposer un besoin, est conforme à un certain goût, c'est-à-dire à une satisfaction que nous pouvons retirer du (435) simple jeu, sans but, des facultés de notre esprit, cela a un *prix affectif* ; mais ce qui constitue la condition sous laquelle seulement quelque chose peut être une fin en soi, cela n'a pas simplement une valeur relative, c'est-à-dire un prix, mais possède une valeur absolue, c'est-à-dire une *dignité*.

⑪ Or, la moralité est la condition sous laquelle seulement un être raisonnable peut être une fin en soi, étant donné que c'est seulement par elle qu'il est possible d'être un membre législateur dans le règne des fins. La moralité et l'humanité en tant qu'elle est capable de moralité, c'est donc ce qui seul possède de la dignité. L'habileté et le courage dans le travail ont un prix marchand ; l'ingéniosité d'esprit, la vivacité de l'imagination et l'humour ont un prix affectif ; en revanche, la fidélité dans la promesse, la bienveillance accordée pour des raisons de principe (et non par instinct) ont une valeur intrinsèque. La nature, pas plus que l'art, ne contiennent rien qui pourraient remplacer ces dispositions si elles venaient à manquer ; car leur valeur consiste, non pas dans les effets qui en résultent, ni dans l'avantage et le profit qu'elles procurent, mais dans les intentions, c'est-à-dire dans les maximes de la volonté qui sont prêtes à se manifester sur ce mode dans des actions, quand bien même l'issue de telles actions ne leur serait point favorable.

Ces actions n'ont pas besoin non plus d'être recommandées par une quelconque disposition subjective ou par un quelconque goût nous incitant à les envisager immédiatement avec faveur et plaisir, ni de trouver en leur faveur un penchant ou un sentiment spontanés : elles présentent la volonté qui les accomplit comme objet d'un respect immédiat, et il n'y a ici que la raison qui soit requise pour les *imposer* à la volonté, sans les obtenir d'elle par la *flatterie*, ce qui, au reste, constituerait dans le domaine des devoirs une contradiction. Cette façon d'apprécier les choses conduit donc à reconnaître la valeur d'une telle orientation de l'esprit comme dignité, et elle lui accorde un statut à part, infiniment au-dessus de tout prix, avec lequel elle ne peut absolument pas être mise en balance ni comparée sans qu'atteinte soit portée pour ainsi dire à sa sainteté.

Cela étant, qu'est-ce donc qui légitime l'intention moralement bonne ou la vertu à formuler des prétentions si élevées ? Ce n'est rien de moins que la possibilité qu'elle procure à l'être raisonnable de participer à la *législation universelle* et la manière dont elle le rend ainsi capable d'être membre d'un règne possible des fins, ce à quoi il était déjà destiné par sa propre nature comme fin en soi et, précisément pour cette raison, comme législateur dans le règne des fins, comme être libre vis-à-vis de toutes les lois de la nature, n'obéissant exclusivement qu'à celles qu'il édicte lui-même et d'après lesquelles ses maximes peuvent appartenir à une législation universelle (à laquelle, en même temps, il se soumet lui-même) (436). Car rien n'a de valeur en dehors de celle que la loi lui définit. Mais la législation elle-même qui définit toute valeur doit nécessairement, pour cette raison précise, posséder une dignité, c'est-à-dire une valeur inconditionnée, incomparable, pour laquelle le terme de *respect* fournit seul l'expression adéquate de l'appréciation que doit porter sur elle un être raisonnable. L'*autonomie* est donc le fondement de la dignité de la nature humaine et de toute nature raisonnable.

Les trois façons mentionnées de se représenter le principe de la moralité ne sont en fait, au fond, qu'autant de formules d'une seule et même loi, dont chacune réunit en elle, par elle-même, les deux autres. Cela dit, il y a pourtant entre elles une différence, qui certes est plutôt subjectivement qu'objectivement pratique, — je veux dire qu'elle vise à rapprocher une Idée de la raison de l'intuition (en fonction d'une certaine analogie [54]) et, de ce fait, du sentiment. Toutes les maximes ont en effet :

1) une *forme*, qui consiste dans l'universalité, et de ce point de vue la formule de l'impératif catégorique s'exprime ainsi : il faut que les maximes soient choisies comme si elle devaient avoir la valeur de lois universelles de la nature ;

2) Une *matière*, c'est-à-dire une fin, et à cet égard la formule stipule que l'être raisonnable, en tant que par sa nature il est une fin, par conséquent en tant que fin en soi, doit servir pour toute maxime de condition qui vient limiter toutes les fins simplement relatives et arbitraires ;

3) une *détermination complète* de toutes les maximes par cette formule, à savoir que toutes les maximes provenant de notre propre législation doivent s'accorder en un possible règne des fins, semblable à un règne de la nature \*. Le progrès s'accomplit ici comme en suivant les catégories de l'*unité* de la forme de la volonté (de son universalité), de la *pluralité* de la matière (des objets, c'est-à-dire des fins) et de la *totalité* du système qu'elles constituent. Mais on fait mieux en procédant toujours, dans le *jugement* moral, selon la stricte méthode et en prenant pour fondement la formule universelle de l'impératif catégorique : *Agis selon la maxime qui peut en même temps se transformer*

---

\* La téléologie considère la nature comme un règne des fins, la morale considère un possible règne des fins comme un règne de la nature. Là le règne des fins est une idée théorique servant à expliquer ce qui existe. Ici c'est une idée pratique en vue de mettre en œuvre, et cela précisément en conformité à cette idée, ce qui n'existe pas, mais qui peut devenir réel à la faveur de notre conduite.

*elle-même en loi universelle.* (437) Mais si l'on veut aussi procurer à la loi morale un *accès* dans les sujets, il est très utile de soumettre la même action aux trois concepts indiqués et de la rapprocher ainsi, autant qu'il est possible, de l'intuition.

Nous pouvons maintenant terminer par là d'où nous étions partis, à savoir du concept d'une volonté inconditionnellement bonne. La *volonté* est *purement et simplement* bonne qui ne peut être mauvaise, et dont par conséquent la maxime, si elle se transforme en une loi universelle, ne peut jamais se contredire elle-même. Ce principe est donc aussi sa loi suprême : agis à tout moment d'après la maxime dont tu peux vouloir en même temps l'universalité, sur le mode d'une loi ; c'est là l'unique condition sous laquelle une volonté ne peut jamais être en contradiction avec elle-même, et un tel impératif est catégorique. Dans la mesure où la valeur de la volonté en tant qu'elle est une loi universelle pour des actions possibles a quelque analogie avec l'enchaînement universel de l'existence des choses selon des lois universelles, lequel constitue la dimension formelle de la nature en général, l'impératif catégorique peut aussi s'exprimer de cette manière : *Agis selon des maximes qui puissent en même temps se prendre elles-mêmes pour objet comme lois universelles de la nature.* Telle est donc la formule d'une volonté purement et simplement bonne.

La nature raisonnable se distingue des autres par la manière dont elle s'impose à elle-même une fin. Celle-ci serait la matière de toute bonne volonté. Mais étant donné que, dans l'idée d'une volonté purement et simplement bonne sans nulle condition limitative (qui serait constituée par l'atteinte de telle ou telle fin), abstraction doit être absolument faite de toute fin *à réaliser* (en tant que cela ne rendrait bonne toute volonté que relativement), il faut que la fin soit conçue ici, non point comme une fin à réaliser, mais comme une fin *se pouvant définir indépendamment de quoi que ce soit d'autre* [55], donc qu'elle soit conçue de manière seulement négative, c'est-à-dire comme une fin à l'encontre de laquelle nulle action ne peut jamais être accomplie, une fin qui ne peut par conséquent jamais être estimée simplement comme moyen, mais doit toujours en même temps, dans chaque acte de la volonté, l'être en tant que fin. Or, cette fin ne peut être rien d'autre que le sujet même de toutes les fins possibles, parce que celui-ci est en même temps le sujet d'une possible volonté qui soit absolument bonne ; une telle volonté ne peut en effet sans contradiction être mise au compte d'aucun autre objet. Le principe : Agis à l'égard de tout être raisonnable (à ton propre égard comme à celui des autres) de telle façon que cet être possède en même temps dans ta maxime la valeur d'une fin en soi, ne fait donc au fond qu'un avec cet autre énoncé principiel : Agis selon une maxime qui contienne en même temps en elle sa propre capacité de valoir universellement pour tout être raisonnable (438). Car quand je dis qu'en utilisant les moyens appropriés à l'atteinte d'une fin quelconque, je dois limiter ma maxime par cette condition qu'il lui faut valoir universellement comme une loi pour tout sujet, cela ne signifie rien d'autre que ceci : le sujet des fins, c'est-à-dire l'être raisonnable lui-même, ne doit jamais intervenir, au principe de toutes les maximes de nos actions, simplement comme moyen, mais comme suprême condition limitative dans l'utilisation de tous les moyens, c'est-à-dire toujours en même temps comme fin.

Or, il en résulte incontestablement que tout être raisonnable, en tant que fin en soi, devrait pouvoir se considérer, face à toutes les lois auxquelles il peut jamais lui arriver de se trouver simplement soumis, en même temps comme légiférant universellement, dans la mesure où c'est précisément cette aptitude de ses maximes à former une législation universelle qui le distingue comme fin en soi ; de même en résulte-t-il que c'est la dignité de cet être (sa prérogative) vis-à-vis de tous les êtres simplement naturels qui exige qu'il doive envisager ses maximes toujours de son propre point de vue, mais un point de vue qui est en

même temps aussi celui de tout être raisonnable en
tant que législateur (ce pourquoi on désigne aussi de
tels êtres comme des personnes). C'est donc de cette
façon qu'est possible un monde d'êtres raisonnables
(*mundus intelligibilis*) comme règne des fins, et cela
grâce à la législation propre de toutes les personnes
qui en sont considérées comme des membres. Par
conséquent, il faut que tout être raisonnable agisse
comme s'il était toujours par ses maximes un membre
législateur dans le règne universel des fins. Le principe
formel de ces maximes est le suivant : Agis comme si
ta maxime devait en même temps servir de loi universelle (pour tous les êtres raisonnables). Un règne des
fins n'est donc possible que par analogie avec un
règne de la nature, mais alors que le premier n'est
constitué que d'après des maximes, c'est-à-dire des
règles que l'on s'impose à soi-même, le second l'est
seulement d'après des lois régissant des causes efficientes qui sont soumises à une contrainte externe. En
dépit de cela, bien que la totalité qu'est la nature soit
considérée comme une machine, on lui donne pourtant aussi, en tant qu'elle entretient malgré tout une
relation à des êtres raisonnables conçus comme ses
fins, pour cette raison le nom de règne de la nature.
Mais un tel règne des fins serait effectivement mis en
œuvre par des maximes dont l'impératif catégorique
prescrit la règle à tous les êtres raisonnables, *si elles
étaient universellement suivies*. Seulement, quoique
l'être raisonnable ne puisse pas compter que, quand
bien même pour sa part il suivrait point par point ces
maximes, les autres y soient pour autant eux aussi
fidèles, de même qu'il ne saurait compter que le règne
de la nature et son organisation finalisée s'accordent
avec lui, comme membre capable de faire partie d'un
règne des fins, pour constituer un tel règne dont la
possibilité repose sur lui-même, autrement dit : que le
règne de la nature favorise son attente du (439) bonheur, néanmoins cette loi : Agis selon les maximes
d'un membre qui légifère universellement en vue d'un
règne des fins simplement possible, conserve toute sa

force parce qu'elle commande catégoriquement. Et c'est là que réside précisément le paradoxe suivant : seule la dignité de l'humanité en tant que nature raisonnable, sans qu'intervienne une quelconque autre fin à atteindre par là ou un quelconque avantage, par conséquent le respect pour une simple Idée, devrait pourtant servir de prescription non négociable pour la volonté, et c'est précisément dans cette indépendance de la maxime à l'égard de tous les mobiles de ce genre que consiste sa sublimité et que réside ce qui rend tout sujet raisonnable digne d'être un membre législateur dans le règne des fins ; car sinon on ne pourrait se le représenter que comme soumis à la loi naturelle de son besoin. Quand bien même le règne de la nature aussi bien que le règne des fins seraient conçus comme unis sous un souverain, avec alors pour conséquence que le dernier de ces règnes ne demeurerait plus une simple Idée, mais obtiendrait une véritable réalité, il viendrait s'ajouter à cette Idée un puissant mobile, mais jamais cela n'entraînerait pour autant une augmentation de sa valeur intrinsèque ; car néanmoins force serait en tout cas de se représenter toujours ce législateur unique et infini comme tel qu'il ne porterait de jugements sur la valeur des êtres raisonnables que d'après la conduite désintéressée qui leur est prescrite à eux-mêmes uniquement à partir de cette Idée. L'essence des choses ne se transforme pas en fonction de leurs rapports externes, et ce qui, sans que ceux-ci soient pris en compte, constitue à lui seul la valeur absolue de l'homme, c'est aussi ce par référence à quoi il doit être jugé par qui que ce soit, y compris par l'Être suprême. La *moralité* est donc le rapport des actions à l'autonomie de la volonté, c'est-à-dire à la législation universelle qui est possible grâce aux maximes de cette volonté. L'action qui peut être compatible avec l'autonomie de la volonté est *permise* ; celle qui n'est pas compatible avec elle est *interdite*. La volonté dont les maximes s'accordent nécessairement avec la loi de l'autonomie est une volonté *sainte*, absolument bonne. La dépendance d'une volonté qui n'est pas absolument bonne à l'égard du principe de l'autonomie (la contrainte morale) est l'*obligation*. Cette dernière ne peut donc être référée à un être saint. La nécessité objective d'une action qui procède de l'obligation se nomme *devoir*.

On peut à partir de ces brèves considérations s'expliquer désormais sans difficulté comment il arrive que, quoique nous nous figurions sous le concept de devoir une soumission à la loi, nous nous représentons pourtant aussi en même temps par là (440) une certaine sublimité et une *dignité* appartenant à la personne qui remplit tous ses devoirs. Car s'il y a en elle de la sublimité, ce n'est certes pas en tant qu'elle est *soumise* à la loi morale, mais bien plutôt en tant qu'elle est en même temps, vis-à-vis de cette même loi, *législatrice* et qu'elle ne s'y trouve subordonnée que pour cette raison. Nous avons aussi montré ci-dessus comment ce n'est ni la peur, ni l'inclination, mais exclusivement le respect pour la loi qui constitue le mobile susceptible de donner à l'action une valeur morale. Notre volonté personnelle, dans la mesure où elle n'agirait que sous la condition d'une législation universelle rendue possible par ses maximes, je veux dire : l'Idée de cette volonté qui peut être la nôtre, est l'objet véritable du respect, et la dignité de l'humanité consiste précisément en cette capacité qui est la sienne d'être universellement législatrice, avec toutefois pour condition d'être en même temps soumise à cette législation.

### *L'autonomie de la volonté comme principe suprême de la moralité* [56]

L'autonomie de la volonté est la propriété que possède la volonté d'être pour elle-même une loi (indépendamment de toute propriété des objets du vouloir). Le principe de l'autonomie est donc de choisir toujours en sorte que les maximes de son choix soient conçues en même temps, dans le même acte de vouloir, comme loi universelle. Que cette règle pratique soit un impératif, c'est-à-dire que la volonté de chaque être raisonnable y soit liée nécessairement comme à une condition, cela ne peut être démontré par simple analyse des concepts qui se trouvent compris dans cette volonté, parce qu'il s'agit là d'une proposition synthétique ; il faudrait que l'on aille au-delà de la connaissance des objets et que l'on en vienne à une critique du sujet, c'est-à-dire de la raison pure pratique, car cette proposition synthétique qui ordonne apodictiquement doit pouvoir être connue entièrement *a priori* : cette tâche ne relève pas toutefois de la présente section. Que le principe envisagé de l'autonomie soit l'unique principe de la morale, cela seul se peut parfaitement bien expliciter par une simple analyse des concepts de la moralité. Car il se trouve ainsi que le principe de la moralité doit être un impératif catégorique, mais que celui-ci ne commande rien de plus ni rien de moins que justement cette autonomie.

### L'hétéronomie de la volonté comme source de tous les faux principes de la moralité

(441) Quand la volonté recherche la loi qui doit la déterminer n'importe où *ailleurs* que dans la capacité de ses maximes à mettre en place une législation universelle qui soit proprement la sienne, quand par conséquent, allant au-delà d'elle-même, elle cherche cette loi dans la propriété d'un quelconque de ces objets, il en provient toujours de l'*hétéronomie*. Dans ce cas, la volonté ne se donne pas à elle-même la loi, mais c'est l'objet qui la lui donne à travers la relation qu'il entretient avec elle. Cette relation, qu'elle repose alors sur l'inclination ou sur des représentations de la raison, ne peut rendre possibles que des impératifs hypothétiques : je dois faire quelque chose *parce que je veux quelque chose d'autre*. Par opposition, l'impératif moral, donc catégorique, dit : je dois agir de telle ou telle manière, quand bien même je ne voudrais rien

d'autre. Par exemple, l'impératif hypothétique dit : je ne dois pas mentir si je veux continuer d'être honoré ; en revanche, l'impératif catégorique pose : je ne dois pas mentir, quand bien même le mensonge ne m'attirerait pas la moindre honte. Ce dernier impératif doit donc faire abstraction de tout objet, au point que celui-ci n'exerce pas la moindre influence sur la volonté, de telle sorte que la raison pratique (la volonté) n'administre pas simplement un intérêt étranger, mais qu'elle atteste uniquement sa propre autorité impérative comme suprême législation. Ainsi dois-je par exemple chercher à favoriser le bonheur d'autrui, non pas comme si l'existence de ce bonheur avait pour moi quelque importance (que ce soit à la faveur d'une inclination immédiate ou, indirectement, de quelque satisfaction procurée par la raison), mais uniquement parce que la maxime qu'il exclut ne peut être conçue dans un seul et même acte de la volonté comme loi universelle.

### Division de tous les principes possibles de la moralité procédant du concept fondamental de l'hétéronomie dont on a donné la définition

La raison humaine a ici comme partout dans son usage pur, aussi longtemps que la Critique lui a fait défaut, fait la tentative de toutes les voies incorrectes possibles avant de parvenir à rencontrer la seule qui soit vraie.

Tous les principes que l'on peut admettre de ce point de vue sont ou bien empiriques, ou bien rationnels [57]. Les *premiers*, qui procèdent du principe (442) du *bonheur* sont édifiés sur le sentiment physique et moral ; les *seconds*, qui proviennent du principe de la *perfection*, sont édifiés ou bien sur le concept rationnel de celle-ci conçue comme effet possible, ou bien sur le concept d'une perfection existant par elle-même (la volonté de Dieu) envisagée comme cause déterminante de notre volonté.

Des *principes empiriques* ne sont jamais capables de fonder des lois morales. Car l'universalité avec laquelle elles doivent valoir indifféremment pour tous les êtres raisonnables, la nécessité pratique inconditionnée qui doit ainsi leur revenir, s'effondrent si leur principe est tiré de la *constitution particulière de la nature humaine* ou des circonstances contingentes dans lesquelles cette universalité et cette nécessité se trouvent placées. Pourtant, c'est le principe du *bonheur personnel* qui est le plus répréhensible, non seulement parce qu'il est faux et que l'expérience contredit l'allégation selon laquelle le bien-être s'aligne toujours sur le bien-faire, non pas même simplement parce ce que ce principe ne contribue nullement à la fondation de la moralité (de fait, c'est tout autre chose de rendre un homme heureux que de le rendre bon, et de le rendre prudent ou habile à gérer son intérêt que de le rendre vertueux) : ce qui rend en fait un tel principe répréhensible, c'est qu'il met à la base de la moralité des mobiles qui bien plutôt la sapent et anéantissent tout ce qu'elle a de sublime, dans la mesure où ils rangent en une même classe les motivations qui conduisent à la vertu et celles qui inclinent au vice, enseignent uniquement à mieux calculer, mais effacent entièrement la différence spécifique entre vice et vertu ; par opposition, le sentiment moral, ce prétendu sens particulier * (si plate que soit la référence qu'on y fait — dans la mesure où ce sont ceux qui ne parviennent pas à *penser* qui croient trouver un secours par l'intermédiaire du *sentiment*, même pour ce qui dépend uniquement de lois universelles — et si médiocrement que des sentiments se distinguant par nature les uns des autres selon une infinité de degrés

---

* Je mets le principe du sentiment moral au compte de celui du bonheur, parce que tout intérêt empirique promet, par l'agrément que quelque chose, simplement, suscite (que ce soit immédiatement et sans qu'on se soucie de quelconques avantages, ou par considération de tels avantages), d'apporter sa contribution au bien-être. De même doit-on, avec Hutcheson [58], mettre le principe de la sympathie pour le bonheur des autres au compte de ce même principe du sens moral admis par lui.

parviennent à fournir une mesure égale du bien et du mal, étant entendu même que celui qui juge par son sentiment ne peut aucunement juger avec quelque validité pour d'autres), reste cependant plus proche de la moralité et de sa dignité, parce qu'il fait à la vertu l'honneur de lui attribuer *immédiatement* la satisfaction qu'elle nous procure et la haute estime dans laquelle nous la tenons, sans lui exprimer pour ainsi dire en face (443) que ce n'est pas sa beauté, mais uniquement l'intérêt qui nous lie à elle.

Parmi les fondements *rationnels* de la moralité, le concept ontologique de la *perfection* (si vide, si indéterminé et par conséquent si inutilisable qu'il soit pour découvrir dans le champ incommensurable de la réalité possible le *summum* de ce qui nous convient, et bien que, pour distinguer de toute autre la réalité dont il est question ici, il ait une tendance irrémédiable à s'enfermer dans un cercle et qu'il ne puisse éviter de présupposer implicitement la moralité qu'il doit expliquer) est pourtant préférable au concept théologique qui consiste à déduire la moralité à partir d'une volonté divine entièrement parfaite, non seulement du fait que nous n'avons en tout cas nulle intuition de sa perfection, et qu'au contraire nous pouvons seulement dériver cette perfection à partir de nos concepts, parmi lesquels celui de la moralité est le plus éminent, mais parce que, si nous ne procédons pas ainsi (auquel cas, dans cette hypothèse, interviendrait dans l'explication un cercle grossier), le concept qui nous reste envisageable de la volonté de Dieu, issu des attributs qui caractérisent l'amour de la gloire et de la domination, lié aux représentations effrayantes de la puissance et de la vengeance, constituerait le soubassement d'un système de la morale qui serait très exactement à l'opposé de la moralité [59].

En fait, si je devais choisir entre le concept du sens moral et celui de la perfection en général (qui, l'un comme l'autre, ne portent du moins pas atteinte à la moralité, quand bien même ils sont totalement incapables de lui servir de support en jouant le rôle de fondements), je me déterminerais en faveur du dernier dans la mesure où, au moins, il retire à la sensibilité le soin de trancher la question et le confie au tribunal de la raison, en ne décidant certes rien ici, mais en conservant sans la fausser l'Idée (d'une volonté bonne en soi), laissée à son indétermination, dans l'attente d'une détermination plus précise.

Au demeurant, je crois pouvoir être dispensé d'une vaste réfutation de toutes ces doctrines. Une telle réfutation est si facile, elle est même vraisemblablement si bien aperçue par ceux dont la fonction exige qu'ils se déclarent cependant pour l'une de ces théories (dans la mesure où des auditeurs ont bien du mal à supporter la suspension du jugement) que le temps qu'on y consacrerait ne serait que superflu. Ce qui en revanche nous intéresse davantage ici, c'est de savoir que ces principes n'établissent jamais comme premier principe de la moralité autre chose que l'hétéronomie de la volonté et que, pour cette raison précisément, il leur faut, nécessairement, manquer leur but.

(444) Toutes les fois où un objet de la volonté doit être pris pour fondement afin que soit prescrite à celle-ci la règle qui la détermine, cette règle n'est rien qu'hétéronomie ; l'impératif est conditionné, sous la forme suivante : *si* ou *parce que* l'on veut cet objet, on doit agir de telle ou telle manière ; par conséquent, il ne peut jamais commander moralement, c'est-à-dire catégoriquement. Que l'objet détermine alors la volonté par l'intermédiaire de l'inclination, comme dans le principe du bonheur personnel, ou au moyen de la raison orientée vers des objets de notre vouloir possible en général, dans le principe de la perfection, la volonté ne se détermine jamais immédiatement elle-même par la représentation de l'action, mais uniquement par le mobile que constitue pour la volonté l'effet prévu de l'action : *je dois faire quelque chose parce que je veux quelque chose*, et ici il faut encore qu'intervienne comme soubassement, dans ma subjectivité, une autre loi, selon laquelle je veux nécessairement cette autre chose, — loi qui, à son tour, a besoin d'un

impératif qui vient délimiter cette maxime [60]). Puisqu'en effet l'attrait que doit exercer sur la volonté du sujet, en fonction des particularités de sa nature, la représentation d'un objet susceptible d'être atteint par nos propres forces relève de la nature du sujet, que ce soit de la sensibilité (de l'inclination et du goût) ou de l'entendement et de la raison (qui s'appliquent à un objet avec satisfaction en fonction de la disposition particulière de leur nature), ce serait donc en vérité la nature qui donnerait la loi — auquel cas celle-ci ne peut alors être connue et démontrée comme telle que par expérience, est par conséquent contingente et inapte dans ces conditions à servir de règle apodictique pratique, du type de ce que doit être la règle morale : en fait, elle n'est *jamais qu'une hétéronomie* de la volonté, la volonté ne se donne pas à elle-même la loi, mais c'est une impulsion étrangère qui la lui donne par l'intermédiaire d'une nature du sujet qui le dispose à la recevoir.

La volonté absolument bonne, dont le principe doit être un impératif catégorique, ne contiendra donc, en tant qu'elle est indéterminée à l'égard de tous les objets, que la *forme du vouloir* en général, et cela comme autonomie, — autrement dit : la capacité de la maxime de toute bonne volonté à s'établir elle-même comme loi universelle et même comme l'unique loi que la volonté de tout être raisonnable s'impose à elle-même sans prendre pour soubassement un quelconque mobile et intérêt attachés à cette maxime.

*Comment une telle proposition pratique synthétique* a priori *est possible*, et pourquoi elle est nécessaire, c'est un problème dont la solution ne se trouve plus dans les limites de la Métaphysique des mœurs : nous n'avons pas même (445) affirmé ici la vérité d'un tel énoncé, encore moins prétendu avoir en notre possession un moyen de le démontrer. Nous avons seulement indiqué, par le développement du concept de moralité qui est universellement admis, qu'une autonomie de la volonté s'y trouve inévitablement attachée, ou plutôt en constitue le fondement. Celui donc qui tient la moralité pour quelque chose de consistant et non pas pour une idée chimérique dépourvue de vérité doit aussi admettre ce que nous avons indiqué comme en étant le principe. Exactement comme la première, cette section était donc purement analytique. Que la moralité ne soit pas une chimère (ce qui s'ensuit dès lors que l'impératif catégorique est vrai, et avec lui l'autonomie de la volonté, et s'il est absolument nécessaire en tant que principe *a priori*), cela requiert que soit *possible* un *usage synthétique de la raison pure pratique* dont nous ne pouvons cependant pas faire la tentative sans mettre en place préalablement une *Critique* de cette faculté même de la raison : d'une telle Critique, nous avons à présenter dans la dernière section les traits principaux qui sont suffisants pour notre projet.

# TROISIÈME SECTION

## PASSAGE DE LA MÉTAPHYSIQUE DES MŒURS
## À LA
## CRITIQUE DE LA RAISON PURE PRATIQUE

### Le concept de la liberté est la clef de
### l'explication de l'autonomie de la volonté

(446) La *volonté* est une sorte de causalité des êtres vivants, en tant qu'ils sont raisonnables, et la *liberté* serait la propriété de cette causalité dans la mesure où elle peut produire son action indépendamment de causes étrangères qui la *déterminent*, tout comme la *nécessité naturelle* est la propriété que possède la causalité de tous les êtres dépourvus de raison d'être déterminée à l'activité par l'influence de causes étrangères.

L'explicitation ainsi fournie de la liberté est *négative*, et par conséquent inféconde en vue d'en apercevoir l'essence ; simplement en découle-t-il un concept *positif* de la liberté qui est d'autant plus riche et plus fécond. Puisque le concept d'une causalité induit avec lui celui de *lois* d'après lesquelles, par quelque chose que nous nommons cause, autre chose, à savoir l'effet, doit être posé, la liberté, quand bien même elle n'est certes pas une propriété de la volonté se soumettant à des lois de la nature, n'est cependant nullement, pour autant, sans lois : bien au contraire doit-elle être une causalité se déployant suivant des lois immuables, mais qui sont des lois d'une espèce particulière ; car sinon une volonté libre serait un non-sens. La nécessité naturelle était une hétéronomie des causes efficientes ; car tout effet n'était possible que d'après cette loi selon laquelle quelque chose d'autre déterminait la cause efficiente à exercer sa causalité ; dès lors, que peut donc bien être la (447) liberté de la volonté, si ce n'est une autonomie, c'est-à-dire la propriété qu'a la volonté de constituer pour elle-même une loi ? Mais cette proposition : la volonté est pour elle-même, dans toutes ses actions, une loi, renvoie simplement au principe qui veut que l'on n'agisse que d'après une maxime qui se puisse prendre aussi elle-même pour objet en tant que loi universelle. Or, c'est là, précisément, la formule de l'impératif catégorique et le principe de la moralité : une volonté libre et une volonté soumise à des lois morales sont donc une seule et même chose.

Si l'on suppose donc la liberté de la volonté, la moralité s'en déduit, avec son principe, par simple analyse du concept d'une telle liberté. Cependant, le principe en question est toujours une proposition synthétique : une volonté absolument bonne est celle dont la maxime peut toujours se contenir elle-même en tant que loi universelle, puisque, par analyse du concept d'une volonté absolument bonne, cette propriété de la maxime ne peut être découverte. Mais de telles propositions synthétiques ne sont possibles que dans la mesure où deux connaissances, par leur liaison avec une troisième où elles peuvent se rencontrer réciproquement, sont reliées entre elles. Le concept *positif* de la liberté procure ce troisième terme, lequel ne peut être, comme pour les causes physiques, la nature du monde sensible (dans le concept duquel se trouvent compris celui de quelque chose qui joue le rôle de cause et celui de *quelque chose d'autre* avec quoi la cause est en relation et qui joue le rôle d'effet). Ce qu'est ce troisième terme auquel la liberté nous renvoie et dont nous avons *a priori* une idée ne se peut encore ici, dès maintenant, indiquer, de même que l'on ne peut encore rendre concevable la déduction du concept de la liberté à partir de la raison pure pratique, ni non plus, en conséquence, la possibilité d'un impératif catégorique : pour cela, quelque préparation est encore nécessaire.

### La liberté doit être supposée comme propriété de la volonté de tous les êtres raisonnables

Il ne suffit pas d'attribuer, pour quelque raison que ce soit, la liberté à notre volonté si nous n'avons pas de raison suffisante d'accorder aussi cette même liberté à tous les êtres raisonnables. Car, étant entendu que la moralité ne nous sert de loi qu'en tant que nous sommes des *êtres raisonnables*, elle doit valoir aussi pour tous les êtres raisonnables, et puisqu'elle doit être dérivée uniquement de la propriété de la liberté, il faut aussi prouver que la liberté constitue une propriété de la volonté de tous les êtres raisonnables, — et il ne suffit pas de la démontrer à partir de certaines prétendues expériences (448) de la nature humaine (ce qui au demeurant est absolument impossible et ne peut être établi qu'*a priori*), mais on doit la prouver comme appartenant à l'activité d'êtres raisonnables en général doués d'une volonté. Je dis donc : tout être qui ne peut agir autrement que *sous l'idée de la liberté* est *ipso facto*, du point de vue pratique, réellement libre, ce qui revient à dire que toutes les lois qui sont liées indissolublement à la liberté valent pour lui exactement comme si sa volonté était proclamée aussi libre en elle-même, et cela d'une manière qui puisse valoir aux yeux de la philosophie théorique *.

* Cette démarche, consistant à n'admettre la liberté, d'une façon suffisante pour notre dessein, que dans la mesure où elle est prise pour fondement, *sous la simple forme de l'Idée*, par des êtres raisonnables lors de leurs actions, je la suis afin de pouvoir m'éviter l'obligation de démontrer aussi la liberté du point de vue théorique. Car,

Dès lors j'affirme qu'à tout être raisonnable qui a une volonté, nous devons accorder nécessairement aussi l'idée de la liberté, sous laquelle seulement il agit. Car dans un tel être nous nous représentons une raison qui est pratique, c'est-à-dire qui possède une causalité à l'égard de ses objets. Or, on ne peut aucunement se représenter une raison qui, avec sa pleine conscience, recevrait à l'endroit de ses jugements une direction venue du dehors ; car, si tel était le cas, le sujet attribuerait, non point à sa raison, mais à une impulsion la détermination de sa faculté de juger. La raison doit donc se considérer elle-même comme l'auteur de ses principes, indépendamment d'influences étrangères : par conséquent, il lui faut, comme raison pratique, autrement dit comme volonté d'un être raisonnable, se regarder elle-même comme libre ; en d'autres termes, la volonté de cet être ne peut être sa volonté propre que sous l'Idée de la liberté, et il faut donc, du point de vue pratique, qu'une telle volonté soit attribuée à tous les êtres raisonnables.

### De l'intérêt qui s'attache aux idées de la moralité

Nous avons en définitive ramené le concept déterminé de la moralité à l'Idée de la liberté ; mais nous ne pouvions démontrer celle-ci comme quelque chose de réel, pas même en nous et dans la nature humaine ; nous (449) avons simplement vu qu'il nous faut la présupposer si nous voulons nous représenter un être comme raisonnable et comme doué d'une conscience de sa causalité à l'égard des actions, c'est-à-dire comme doué d'une volonté, et ainsi trouvons-nous qu'exactement pour le même motif, il nous faut attribuer à tout être doué de raison et de volonté cette

---

même si cette dernière démonstration demeure inaccomplie, les mêmes lois qui obligeraient un être réellement libre valent néanmoins pour un être qui ne peut agir autrement que sous l'Idée de sa propre liberté. Nous pouvons donc ici nous libérer du fardeau qui accable la théorie.

propriété de se déterminer à agir sous l'Idée de sa liberté [61].

Toutefois, découlait aussi de la supposition de ces Idées la conscience d'une loi concernant l'agir, à savoir que les principes subjectifs des actions, c'est-à-dire les maximes, doivent toujours être choisis de telle manière qu'ils puissent aussi valoir objectivement, c'est-à-dire comme des principes universels, en servant par conséquent à notre législation universelle. Mais pourquoi dois-je en fait me soumettre à ce principe, et cela en tant qu'être raisonnable en général, faisant ainsi en sorte que doivent s'y soumettre aussi tous les autres êtres doués de raison ? Je veux bien admettre qu'aucun intérêt ne m'y *pousse*, car il n'en résulterait alors nul impératif catégorique ; mais il faut pourtant bien que, nécessairement, j'y *prenne* un intérêt et que j'aperçoive comment cela se fait ; car ce *devoir* est proprement un *vouloir* qui vaut pour tout être raisonnable à la condition que la raison, chez lui, ne soit pas empêchée d'être pratique. Pour des êtres qui, comme nous, sont affectés par une sensibilité qui leur fournit des mobiles d'une autre sorte, des êtres chez qui ne se produit pas toujours ce que la raison ferait simplement par elle-même, cette nécessité de l'action ne se manifeste que par un *devoir*, et la nécessité subjective se distingue de la nécessité objective.

Il semble donc que nous ayons simplement présupposé dans l'Idée de la liberté proprement la loi morale, c'est-à-dire le principe même de l'autonomie de la volonté, et que nous n'ayons pu en démontrer, en lui-même, la réalité ni la nécessité objective ; et dans ce cas nous aurions certes, quoi qu'il en soit, obtenu un résultat tout à fait important, du fait qu'au moins nous aurions déterminé le vrai principe de façon plus exacte que ce n'avait été le cas auparavant, mais quant à sa validité et à la nécessité pratique de s'y soumettre, nous ne serions en rien plus avancés : car aux questions de savoir pourquoi donc la validité universelle de notre maxime, posée sous la forme d'une loi, doit être la condition limitative de nos actions, et sur quoi nous fondons la valeur que nous attribuons à cette manière d'agir (laquelle valeur doit être si grande que nulle part il ne peut y avoir d'intérêt plus élevé), ou encore comment il peut se produire que l'homme puisse croire n'éprouver qu'ainsi le sentiment de sa valeur personnelle (450), vis-à-vis de laquelle celle d'un état agréable ou désagréable doit être comptée pour rien, — à ces questions, nous ne saurions fournir aucune réponse satisfaisante.

Assurément, nous trouvons bien que nous pouvons prendre un intérêt à une qualité personnelle ne contribuant nullement à améliorer notre situation, pourvu qu'elle nous rende capables de prendre part à ce qui peut intéresser cette dernière au cas où la raison devrait dispenser une telle amélioration, c'est-à-dire que le simple fait d'être digne du bonheur, même en l'absence du motif résidant dans la possibilité d'y participer, peut par soi-même intéresser ; mais ce jugement n'est en fait que l'effet de l'importance que nous avons déjà supposée aux lois morales (quand, par l'Idée de la liberté, nous nous arrachons à tout intérêt empirique). En revanche, que nous devions nous y arracher, c'est-à-dire nous considérer comme libres dans l'action, et pourtant nous tenir pour soumis à certaines lois afin de trouver uniquement dans notre personne une valeur susceptible de nous dédommager de la perte de tout ce qui valorise notre condition, et comment c'est possible, par conséquent *d'où la loi morale tient son pouvoir d'obliger*, nous ne pouvons encore l'apercevoir par ce moyen.

Ici se manifeste, on doit en convenir franchement, une sorte de cercle d'où, semble-t-il, il est impossible de sortir. Nous admettons que nous sommes libres dans l'ordre des causes efficientes pour nous penser comme soumis à des lois morales dans l'ordre des fins, et nous nous pensons comme soumis à ces lois parce que nous nous sommes attribué la liberté de la volonté ; car la liberté et la législation propre de la volonté sont, l'une comme l'autre, autonomie, et par conséquent ce sont des concepts réciproques, — mais il en résulte que l'on ne peut utiliser l'un pour expliquer l'autre et rendre raison de lui : en fait, tout au plus peut-on s'en servir pour, d'un point de vue logique, rapporter des représentations apparemment différentes d'un seul et même objet à un concept unique (comme on réduit diverses fractions de même valeur à leur plus petit commun dénominateur).

Mais il nous reste encore une issue : rechercher si, quand nous nous concevons par la liberté comme des causes efficientes *a priori*, nous n'adoptons pas un autre point de vue [62] que lorsque nous représentons nous-mêmes d'après nos actions comme des effets que nous pouvons voir devant nos yeux.

Il y a une remarque qui ne requiert pas précisément, pour être formulée, une réflexion subtile, mais dont on peut admettre que sans doute l'entendement le plus commun est à même de la faire, assurément à sa manière, à la faveur d'un pouvoir obscur de discernement (451) relevant de la faculté de juger, que cet entendement commun appelle sentiment : c'est que toutes les représentations qui nous viennent sans que notre arbitre l'ait décidé (comme celles des sens) ne nous font connaître les objets que tels qu'ils nous affectent, ce pourquoi nous reste inconnu ce qu'ils peuvent bien être en soi ; et par conséquent, en ce qui concerne cette sorte de représentations, malgré nos plus grands efforts d'attention et en dépit de toute la clarté que l'entendement peut toujours simplement venir y ajouter, nous ne pouvons en tout cas parvenir qu'à la connaissance des *phénomènes*, jamais à celles des *choses en soi*. Dès que cette distinction est faite (au demeurant est-ce le cas si simplement on a remarqué la différence entre les représentations qui nous sont données en venant du dehors, vis-à-vis desquelles nous sommes passifs, et celles que nous produisons uniquement de nous-mêmes, à travers lesquelles nous manifestons notre activité), il s'ensuit directement qu'on doit admettre et accepter, derrière les phénomènes, en tout cas quelque chose d'autre encore qui n'est pas phénomène, à savoir les choses en soi, bien que nous nous résolvions volontiers à considérer que, puisqu'elles ne peuvent jamais nous être connues, mais ne le sont toujours que selon la manière dont elles nous affectent, nous ne parvenons pas à nous approcher d'elles davantage et nous ne pouvons jamais savoir ce qu'elles sont en elles-mêmes. Cela entraîne inévitablement une distinction, certes grossière, entre un *monde sensible* et un *monde intelligible*, dont le premier peut en outre être fort différent selon la diversité de la sensibilité chez les différents types de spectateurs du monde, alors que le second, qui est au fondement du premier, reste toujours identique. Même de se connaître lui-même tel qu'il est en soi, l'homme ne peut se vanter d'en être capable d'après la connaissance qu'il a de lui par le sens intime. Car dans la mesure où, du moins, il ne se crée pas pour ainsi dire lui-même et acquiert, non pas *a priori*, mais de façon empirique, le concept qu'il a de lui, il est naturel que ce soit aussi par le sens intime qu'il puisse être informé de lui-même, et par conséquent uniquement à travers la phénoménalisation de sa nature et à la faveur de la façon dont sa conscience est affectée, alors qu'il lui faut pourtant admettre, au-delà de cette dimension de son propre sujet qui est composée de purs phénomènes, encore quelque chose qui en est à la base, à savoir son Moi, quelles que puissent en être par elles-mêmes les qualités ; et ainsi, du point de vue de la simple perception et de la réceptivité des sensations, il doit nécessairement se mettre au nombre de ce qui appartient au *monde sensible*, alors que, du point de vue de ce qui peut en lui être pure activité (du point de vue de ce qui accède à la conscience, non pas du tout par affection des sens, mais de manière immédiate), il lui faut se mettre au nombre de ce qui appartient au *monde intelligible*, dont pourtant il ne connaît rien de plus.

Telle est la conclusion à laquelle l'homme qui réfléchit aboutit sur toutes les choses (452) qui peuvent se présenter à lui ; vraisemblablement pourrait-on la rencontrer aussi dans l'entendement le plus commun qui, comme c'est bien connu, est très enclin à attendre toujours derrière les objets des sens encore quelque chose d'invisible, agissant par soi-même, mais qui en revanche gâte cette tournure d'esprit en donnant aussitôt à cet invisible une dimension à son tour sensible, c'est-à-dire en voulant en faire l'objet de l'intuition, et en ne se retrouvant pas ainsi plus avancé.

Or, l'homme trouve effectivement en lui une faculté par laquelle il se distingue de toutes les autres choses, y compris de lui-même en tant qu'il est affecté par des objets, et cette faculté n'est autre que la *raison*. Comme spontanéité pure celle-ci est encore supérieure à l'entendement sur le point suivant : bien que l'entendement soit aussi spontanéité et qu'il ne contienne pas seulement, comme la sensibilité, des représentations qui ne naissent que quand on est affecté par des choses (par conséquent lorsque l'on est passif), il ne peut pourtant à partir de son activité produire d'autres concepts que ceux qui servent uniquement à *soumettre les représentations sensibles à des règles* et ainsi à les réunir dans une conscience, étant entendu que, sans cet usage de la sensibilité, il ne penserait absolument rien ; au contraire, la raison témoigne, à travers ce que l'on appelle les Idées, d'une spontanéité si pure qu'elle s'élève par là bien au-delà de tout ce que la sensibilité ne peut que lui fournir et qu'elle manifeste sa plus éminente fonction en distinguant l'un de l'autre le monde sensible et le monde intelligible, mais en assignant par là à l'entendement même ses limites.

C'est la raison pour laquelle un être raisonnable, en tant qu'il constitue une *intelligence* (et non pas, par conséquent, du côté de ses facultés inférieures), doit se considérer comme appartenant, non pas au monde sensible, mais au contraire au monde intelligible ; par conséquent, il a deux points de vue d'où il peut se considérer lui-même et connaître les lois selon lesquelles il lui faut utiliser ses facultés, par suite les lois de toutes ses actions : *d'un côté*, en tant qu'il appartient au monde sensible, il se trouve soumis à des lois de la nature (hétéronomie) ; *deuxièmement,* en tant qu'il appartient au monde intelligible, il est soumis à des lois qui, en toute indépendance vis-à-vis de la nature, sont fondées non pas empiriquement, mais uniquement dans la raison.

En tant qu'il est un être raisonnable, appartenant par conséquent au monde intelligible, l'homme ne peut se représenter la causalité de sa propre volonté jamais autrement que sous l'Idée de la liberté ; car l'indépendance à l'égard des causes déterminantes du monde sensible (telle que la raison doit toujours se l'attribuer à elle-même) est liberté. Or, à l'Idée de liberté, est indissolublement associé le concept de l'*autonomie* tandis qu'à celui-ci est associé le principe universel de la moralité, lequel, dans le registre de l'Idée, (453) est au fondement de toutes les actions des êtres *raisonnables*, exactement comme la loi de la nature est au fondement de tous les phénomènes.

Par là est détruit le soupçon que nous avions éveillé plus haut, en vertu duquel un cercle vicieux se dissimulerait dans notre démarche concluant de la liberté à l'autonomie et de celle-ci à la loi morale : le soupçon était que nous ne prenions peut-être pour principe l'Idée de liberté qu'en ayant pour horizon la loi morale, pour ensuite, en retour, déduire celle-ci de la liberté, que par conséquent nous ne pourrions donner absolument aucune raison de cette loi, mais qu'il ne s'agissait là que d'une pétition de principe, — un principe que des âmes bien pensantes nous accorderont sans doute volontiers, mais que nous ne parviendrions jamais à établir comme une proposition démontrable. En fait, nous voyons bien maintenant que, quand nous nous pensons comme libres, nous nous transportons dans le monde intelligible, comme membre de celui-ci, et nous reconnaissons l'autonomie de la volonté avec sa conséquence, la moralité ; si nous nous représentons en revanche dans notre soumission au devoir, nous nous considérons comme appartenant au monde sensible et cependant, en même temps, au monde intelligible.

*Comment un impératif catégorique est-il possible ?*

L'être raisonnable se met au nombre, comme intelligence, de ce qui appartient au monde intelligible, et c'est uniquement comme cause efficiente appartenant à ce monde qu'il nomme sa causalité une *volonté*. De l'autre côté, il a pourtant aussi conscience de lui-même comme constituant un élément du monde sensible, dans le cadre duquel ses actions se trouvent comme de simples phénomènes de cette causalité, sans que jamais la possibilité de telles actions puisse être aperçue à partir de cette causalité que nous ne connaissons pas ; au contraire, au lieu d'être ainsi appréhendées, elles doivent être comprises, en tant qu'elles appartiennent au monde sensible, comme déterminées par d'autres phénomènes, à savoir des désirs et des inclinations. Si j'étais simplement membre du monde intelligible, mes actions seraient donc parfaitement conformes au principe de l'autonomie de la volonté pure ; si j'étais simplement un élément du monde sensible, elles devraient être tenues pour totalement conformes à la loi naturelle des désirs et des inclinations, par conséquent à l'hétéronomie de la nature. (Dans la première perspective, elles reposeraient sur le principe suprême de la moralité ; dans la seconde, sur celui du bonheur.) Mais dans la mesure où *le monde intelligible contient le fondement du monde sensible, donc aussi de ses lois*, et qu'en ce sens, eu égard à ma volonté (qui appartient totalement au monde intelligible), il est une source immédiate de législation et doit donc aussi être conçu comme tel, je devrais me reconnaître, bien que d'un autre côté je doive m'envisager comme un être (454) appartenant au monde sensible, soumis pourtant à la loi du premier, c'est-à-dire à la raison qui en contient la loi dans l'Idée de la liberté, et donc à l'autonomie de la volonté, — par conséquent je devrais considérer les lois du monde intelligible comme constituant pour moi des impératifs et les actions conformes à ce principe comme définissant des devoirs.

Et en ce sens des impératifs catégoriques sont possibles du fait que l'Idée de la liberté fait de moi un membre d'un monde intelligible : en conséquence, si j'étais uniquement tel, toutes mes actions *seraient* toujours conformes à l'autonomie de la volonté, mais dans la mesure où je me perçois en même temps comme membre du monde sensible, elles *doivent* l'être ; ce devoir-être *catégorique* représente une proposition synthétique *a priori* en ceci qu'en plus de ma volonté affectée par des désirs sensibles, vient s'ajouter encore l'Idée de cette même volonté, mais en tant que volonté pure et par elle-même pratique, appartenant au monde intelligible, laquelle volonté pure contient la condition suprême de la première selon la raison (à peu près comme aux intuitions du monde sensible viennent s'ajouter des concepts de l'entendement qui ne signifient par eux-mêmes rien que la forme d'une loi en général et rendent ainsi possibles des propositions synthétiques *a priori* sur lesquelles repose toute connaissance d'une nature).

L'usage pratique de la raison humaine commune confirme l'exactitude de cette déduction. Il n'y a personne, même le pire scélérat, pourvu simplement qu'il soit accoutumé à utiliser par ailleurs la raison, qui, si on lui présente des exemples de loyauté dans les intentions, de constance dans l'adoption de bonnes maximes, de sympathie et d'universelle bienveillance (et cela, qui plus est, associé à de grands sacrifices d'avantages et de confort), ne souhaite pouvoir lui aussi avoir de telles dispositions d'esprit. Simplement ne peut-il pas sans doute, à cause de ses inclinations et de ses mobiles, mettre cela en œuvre dans sa propre personne, ce qui toutefois ne l'empêche pas en même temps de souhaiter se libérer de ses inclinations qui le gênent tant. Il manifeste ainsi qu'il se transporte par la pensée, avec une volonté libérée des mobiles sensibles, dans un tout autre ordre de choses que celui qui est constitué par ses désirs dans le champ de la sensibilité : de fait, il ne peut attendre de ce souhait aucune satisfaction des désirs, par conséquent aucun état de contentement pour l'une quelconque de ses inclinations réelles ou même imaginables (car, par là, l'Idée même qui suscite en lui ce souhait perdrait sa prééminence), mais tout au plus peut-il en espérer une plus grande valeur intrinsèque de sa personne. Mais il croit être cette personne meilleure (455) quand il se place du point de vue qui est celui d'un membre du monde intelligible, ce à quoi l'Idée de la liberté, c'est-à-dire de l'indépendance vis-à-vis des causes *déterminantes* du monde sensible, le contraint malgré lui ; et lorsqu'il s'est placé de ce point de vue, la conscience se forge en lui d'une bonne volonté qui constitue, de son propre aveu, la loi pour la volonté mauvaise qui est la sienne en tant que membre du monde sensible, — une loi dont il reconnaît le prestige en la transgressant même. Le devoir-être moral est donc ce qu'il veut proprement et nécessairement comme membre d'un monde intelligible, et il n'est conçu par lui comme devoir-être que dans la mesure où il se considère en même temps comme un membre du monde sensible.

#### De la limite extrême de toute philosophie pratique

Tous les hommes se pensent comme libres dans leur volonté. De là procèdent tous les jugements portés sur des actions telles qu'elles auraient *dû être*, bien qu'elles *n'aient pas été* telles. Pourtant, cette liberté n'est pas un concept de l'expérience et elle ne peut même pas l'être, parce que le concept en subsiste toujours quand bien même l'expérience montre le contraire des exigences [63] qui, dans la supposition de la liberté, sont représentées comme nécessaires. De l'autre côté, il est également nécessaire que tout ce qui arrive soit déterminé inévitablement selon des lois de la nature, et cette nécessité naturelle n'est pas non plus un concept de l'expérience, précisément parce qu'il s'agit là d'un concept qui véhicule avec lui celui de la nécessité, par conséquent celui d'une connaissance *a priori*. Mais ce concept d'une nature est confirmé par l'expérience et doit même être indispensablement supposé si une expérience, c'est-à-dire une connaissance cohérente des objets des sens selon des lois universelles, doit être possible. De là vient que la liberté est seulement une *Idée* de la raison dont la réalité objective est en soi douteuse, alors que la nature est un *concept de l'entendement* qui démontre et doit nécessairement démontrer sa réalité à travers des exemples issus de l'expérience.

Bien que ce soit là le point de départ d'une dialectique de la raison (car, en ce qui concerne la volonté, la liberté qui lui est attribuée semble être en contradiction avec la nécessité de la nature, et, face aux deux voies qui se séparent ainsi, la raison, *du point de vue spéculatif*, trouve celle de la nécessité naturelle beaucoup mieux tracée et bien plus utilisable que celle de la liberté), pourtant, *du point de vue pratique*, le sentier de la liberté est le seul sur lequel il nous soit possible de faire usage de notre raison dans la conduite de notre vie (456) ; par conséquent, il devient tout aussi impossible à la philosophie la plus subtile qu'à la raison humaine la plus commune d'écarter la liberté par des ratiocinations. Cette raison doit donc bel et bien supposer que nulle contradiction ne se laisse rencontrer entre la liberté et la nécessité naturelle des mêmes actions humaines, puisqu'elle ne saurait pas davantage renoncer au concept de la nature qu'à celui de la liberté.

Cependant, il faut pour le moins supprimer de manière convaincante cette apparente contradiction, bien que l'on ne puisse jamais comprendre comment la liberté est possible. Car si la simple Idée de la liberté se contredit elle-même, ou entre en contradiction avec la nature, qui est tout aussi nécessaire, elle devrait être purement et simplement abandonnée au profit de la nécessité naturelle.

En fait, il est impossible d'échapper à cette contradiction dès lors que le sujet, qui s'imagine libre, se conçoit lui-même, quand il se dit libre, *dans le même sens*, ou *exactement sous le même rapport* que lorsqu'il se considère, vis-à-vis de la même action, comme soumis à la loi de la nature [64]. C'est par conséquent une tâche incontournable de la philosophie spéculative que de montrer pour le moins que son illusion à l'égard de cette contradiction repose sur la manière dont nous concevons l'homme, quand nous le désignons comme libre, en un autre sens et sous un autre rapport que lorsque nous le tenons pour soumis, en tant qu'élement de la nature, aux lois de celle-ci ; et il faut ajouter que ces deux dimensions, non seulement *peuvent* fort bien être compatibles, mais qu'elles doivent même être conçues comme *nécessairement unies* dans le même sujet, — étant donné que, sinon, on ne pourrait rendre compte du fait que nous devrions charger la raison d'une Idée qui, bien que se laissant unir *sans contradiction* à une autre Idée elle-même suffisamment confirmée, nous enferme cependant dans une situation embarrassante à la faveur de laquelle la raison, dans son usage théorique, se trouve acculée dans les pires difficultés. Mais ce devoir incombe uniquement à la philosophie spéculative, afin qu'elle puisse ouvrir la voie à la philosophie pratique. Vouloir lever cette apparente contradiction ou la laisser de côté sans s'en préocupper ne dépend donc pas du bon plaisir du philosophe ; car, dans ce dernier cas, la théorie est en la matière un *bonum vacans* à la possession duquel le fataliste peut prétendre avec raison et dont il peut chasser toute morale en la dénonçant comme une propriété que la théorie prétend posséder sans avoir pour cela aucun titre.

On ne peut pourtant pas encore dire ici que commencent les frontières de la philosophie pratique. Car il ne lui appartient aucunement de trancher ce débat, mais elle exige simplement de la raison spéculative que celle-ci mette un terme à la discorde où elle se trouve elle-même plongée par l'embarras qu'elle éprouve dans les questions théoriques (457), afin que la raison pratique dispose de calme et de sécurité face aux assauts extérieurs qui pourraient venir lui contester le terrain sur lequel elle veut s'édifier.

Reste que la prétention légitime, inscrite même dans la raison humaine commune, à la liberté de la volonté se fonde sur la conscience et la supposition admises de l'indépendance de la raison à l'égard de causes déterminantes simplement subjectives, lesquelles constituent globalement ce qui relève seulement de la sensation, par conséquent ce qui a été rassemblé sous la dénomination générale de sensibilité. L'homme qui se considère comme intelligence s'établit par là dans un tout autre ordre des choses et dans une relation à des principes déterminants d'une tout autre espèce, quand il se conçoit comme une intelligence douée de volonté et donc de causalité, que quand il se perçoit comme un phénomène dans le monde sensible (ce qu'effectivement il est aussi) et qu'il subordonne sa causalité à une détermination extérieure selon des lois de la nature. Or, il se persuade bientôt que ces deux dimensions peuvent et même doivent intervenir conjointement. Car qu'une *chose dans le registre phénoménal* (appartenant au monde sensible) soit soumise à certaines lois dont elle-même se trouve indépendante *comme chose ou être en soi*, cela ne contient pas la moindre contradiction ; mais que l'être humain doive se représenter et se concevoir lui-même de cette double manière, cela repose, pour ce qui concerne la première appréhension, sur la conscience qu'il a de lui-même comme d'un objet affecté par les sens, pour ce qui touche à la seconde, sur la conscience qu'il a de lui-même comme intelligence, c'est-à-dire comme se trouvant indépendant, dans l'usage de la raison, des impressions sensibles (par conséquent, comme appartenant au monde intelligible).

De là vient que l'homme prétend posséder une volonté qui ne laisse mettre à son compte rien qui appartienne simplement à ses désirs et à ses inclinations, et conçoit au contraire comme possibles par elle, et comme nécessaires, des actions qui ne peuvent intervenir que par renoncement à tous les désirs et à toutes les incitations sensibles. La causalité de semblables actions est incrite en lui comme intelligence, ainsi que dans les lois des effets et des actions se produisant selon les principes d'un monde intelligible, — monde dont assurément il ne sait rien de plus, si ce n'est qu'en lui c'est exclusivement à la raison, plus précisément à la raison pure, indépendante de la sensibilité, qu'il appartient de donner la loi : dans la mesure où ce n'est que dans ce monde, en tant qu'intelligence, qu'il est le Moi véritable (en tant qu'homme, il n'est en revanche que le phénomène de lui-même), ces lois s'adressent à lui immédiatement et catégoriquement, tant et si bien que ce vers quoi le poussent inclinations et impulsions (par conséquent, toute la nature du monde sensible) ne peut porter atteinte aux lois de son vouloir entendu comme intelligence (458) ; il en résulte même qu'il ne prend pas la responsabilité de ces sollicitations et qu'il ne les attribue pas à son Moi véritable, c'est-à-dire à sa volonté, mais qu'il s'impute assurément l'indulgence dont il pourrait faire preuve à leur égard s'il leur concédait une influence sur ses maximes au désavantage des lois rationnelles de la volonté.

En pénétrant *par la pensée* dans un monde intelligible, la raison pratique n'outrepasse nullement ses limites, ce qui ne serait le cas que si elle voulait *se percevoir* ou *se sentir* à l'intérieur de ce monde. Il ne s'agit ici que d'une représentation négative par rapport au monde sensible, lequel ne donne pas de lois à la raison dans la détermination de la volonté, et une telle représentation n'acquiert une dimension positive que dans la mesure où cette liberté, comme détermination négative, est associée en même temps à une faculté (positive) et même à une causalité de la raison que nous appelons une volonté, à savoir la faculté d'agir de telle manière que le principe des actions soit conforme à la propriété essentielle d'une cause rationnelle, c'est-à-dire à la condition qui veut que la maxime, établie comme loi, soit universellement valable. Mais si la raison pratique allait en outre chercher dans le monde intelligible un *objet de la volonté*, c'est-à-dire un mobile, elle outrepasserait ses limites et elle se vanterait de connaître quelque chose dont elle ne sait rien. Le concept d'un monde intelligible est donc simplement un *point de vue* que la raison se voit contrainte d'adopter hors des phénomènes *pour se penser elle-même comme pratique*, ce qui ne serait pas possible si les influences de la sensibilité étaient déterminantes pour l'homme, mais qui en tout cas est nécessaire dans la mesure où ne doit pas lui être contestée la conscience qu'il a de lui-même comme intelligence, par conséquent comme cause rationnelle et agissant par raison, c'est-à-dire comme cause produisant librement ses effets. Cette représentation véhicule certes avec elle l'Idée d'un autre ordre et d'une autre législation que ceux du mécanisme naturel, qui concerne le monde sensible, et elle rend nécessaire le concept d'un monde intelligible (c'est-à-dire la totalité des êtres raisonnables comme choses en soi), mais sans la moindre prétention à aller ici par la pensée au-delà de ce qui est uniquement la condition *formelle*, à savoir l'universalité de la maxime de la volonté érigée en loi, par conséquent l'autonomie de cette volonté qui seule peut être compatible avec sa liberté ; en revanche, toutes les lois qui sont déterminées par référence à un objet produisent une hétéronomie qui ne se peut rencontrer que dans des lois de la nature et ne peut en outre concerner que le monde sensible.

En fait, la raison outrepasserait toutes ses limites dès lors qu'elle s'aviserait de *s'expliquer* comment une raison pure peut être pratique (459), ce qui se confondrait entièrement avec le problème d'expliquer *comment la liberté est possible*.

Car nous ne pouvons expliquer que ce que nous savons ramener à des lois dont l'objet peut être donné dans une quelconque expérience possible. Mais la liberté est une simple Idée, dont la réalité objective ne peut en aucune manière être rendue manifeste d'après des lois de la nature, par conséquent pas davantage dans une quelconque expérience possible, et qui, parce qu'on ne peut jamais lui faire correspondre un exemple en fonction de quelque analogie, ne peut donc jamais être saisie, ni même simplement aperçue. Elle n'a de valeur qu'à titre de supposition nécessaire de la raison dans un être qui croit être conscient d'une volonté, c'est-à-dire d'une faculté encore fort différente de la simple faculté de désirer (j'entends : une faculté de se déterminer à agir comme intelligence, par conséquent selon des lois de la raison, en toute indépendance vis-à-vis des instincts naturels). Cela dit, là où disparaît une détermination selon des lois de la nature, cesse aussi toute *explication*, et il ne reste plus d'autre ressource que de *présenter sa défense*, c'est-à-dire de rejeter les objections de ceux qui prétendent avoir vu plus profondément dans l'essence des choses et qui, pour cette raison, déclarent avec aplomb la liberté impossible. On peut uniquement leur montrer que la contradiction qu'ils prétendent avoir découverte ici n'a pas d'autre réalité que celle-ci : pour donner à la loi de la nature une valeur en ce qui concerne les actions humaines, il leur fallait nécessairement considérer l'homme comme phénomène ; or, maintenant qu'on exige d'eux qu'ils aient à se le représenter, en tant qu'intelligence, aussi comme chose en soi, ils le considèrent toujours, même ici, comme phénomène, — auquel cas, assurément, le fait d'isoler sa causalité (c'est-à-dire sa volonté) vis-à-vis de toutes les lois naturelles du monde sensible dans un seul et même sujet participerait d'une contradiction, laquelle toutefois disparaît s'ils consentent à réfléchir et acceptent de convenir, comme de juste, que, derrière les phénomènes, doivent pourtant nécessairement se trouver à leur fondement (bien que de manière dissimulée) les choses en soi, dont on ne peut exiger que les lois régissant leur causalité doivent être les mêmes que celles auxquelles sont soumis leurs phénomènes.

L'impossibilité subjective d'*expliquer* la liberté de la

volonté se confond avec celle de découvrir et de rendre concevable un *intérêt* * (460) que l'homme serait susceptible de prendre à des lois morales [65] ; et pourtant, de fait, il y prend un intérêt dont le fondement présent en nous correspond à ce que nous appelons le sentiment moral, — ce sentiment qui a été faussement donné par quelques-uns pour la mesure de notre jugement moral, alors qu'il doit bien plutôt être considéré comme l'effet *subjectif* que la loi produit sur la volonté, ce dont seule la raison indique les principes objectifs.

Pour qu'il soit possible de vouloir ce que la raison ne prescrit comme devant être accompli qu'à l'être qui est raisonnable et se trouve aussi affecté par les sens, appartient certes à la raison une faculté d'inspirer à cet être un *sentiment de plaisir ou de satisfaction* associé à l'accomplissement du devoir, par conséquent une causalité par laquelle la raison détermine la sensibilité conformément à ses principes. Mais il est totalement impossible d'apercevoir, c'est-à-dire d'expliquer *a priori*, comment une simple Idée, qui par elle-même ne contient en soi rien de sensible, produit une impression de plaisir ou de peine ; car c'est là une espèce particulière de causalité dont, comme à propos

---

* Un intérêt est ce à la faveur de quoi la raison devient pratique, c'est-à-dire devient une cause déterminant la volonté. De là vient qu'on dit seulement à propos d'un être raisonnable qu'il prend un intérêt à quelque chose, alors que les créatures dépourvues de raison ressentent simplement des impulsions sensibles. (460) La raison ne prend un intérêt immédiat à l'action que si la validité universelle de la maxime de l'action considérée est un principe suffisant de détermination de la volonté. Un tel intérêt est le seul qui soit pur. Mais si la raison ne peut déterminer la volonté que par l'intermédiaire d'un autre objet du désir ou qu'à travers la supposition d'un sentiment particulier du sujet, elle ne prend à l'action qu'un intérêt médiat, et dans la mesure où la raison ne peut, sans expérience, se rendre accessibles par elle seule ni des objets de la volonté, ni un sentiment particulier qui serait au soubassement de cette dernière, l'intérêt ne saurait alors être qu'empirique et ne peut nullement être un intérêt rationnel. L'intérêt logique de la raison (favoriser le développement de ses connaissances) n'est jamais immédiat, mais il présuppose des fins auxquelles son usage se trouve lié.

de toute causalité, nous ne pouvons absolument rien déterminer *a priori*, mais concernant laquelle nous devons, pour cette raison, interroger uniquement l'expérience. Seulement, dans la mesure où celle-ci ne peut fournir de relation de cause à effet qu'entre deux objets de l'expérience, mais comme ici la raison pure doit être, par l'intermédiaire de simples Idées, la cause d'un effet qui réside assurément dans l'expérience, expliquer comment et pourquoi l'*universalité de la maxime érigée en loi*, par conséquent la moralité, nous intéresse, nous est, à nous autres hommes, totalement impossible. Pour autant, la seule certitude, c'est que, si quelque chose, en la matière, a pour nous de la valeur, ce n'est pas *parce que cela nous intéresse* (car c'est là de l'hétéronomie et une dépendance de la raison pratique à l'égard de la sensibilité, c'est-à-dire (461) à l'égard d'un sentiment remplissant la fonction de principe, et dans ce cas la raison pratique ne pourrait jamais être moralement législatrice) : au contraire, ce qui présente pour nous un intérêt nous intéresse parce qu'il a une valeur pour nous en tant qu'hommes, étant donné qu'il procède de notre volonté comme intelligence, par conséquent de notre Moi véritable ; *de fait, ce qui appartient au simple phénomène est nécessairement subordonné par la raison à ce qui caractérise la chose en soi.*

La question de savoir comment un impératif catégorique est possible ne peut donc être résolue que dans la mesure où l'on parvient à indiquer l'unique supposition à laquelle se trouve soumise sa possibilité, à savoir l'Idée de la liberté, ainsi que dans la mesure où l'on peut apercevoir la nécessité de cette supposition, ce qui est suffisant pour *l'usage pratique* de la raison, c'est-à-dire pour convaincre de la *validité de cet impératif*, donc aussi de la loi morale ; mais comment cette supposition elle-même est possible, cela ne se laisse jamais apercevoir par aucune raison humaine. Cela dit, une fois supposé que la volonté d'une intelligence est libre, son *autonomie*, en tant que condition formelle sous laquelle seulement elle peut être déterminée, en est une conséquence nécessaire. Supposer cette liberté de la volonté n'est même pas seulement (comme peut le montrer la philosophie spéculative) tout à fait *possible* (sans entrer en contradiction avec le principe de la nécessité naturelle inscrite dans la liaison des phénomènes du monde sensible), mais encore est-il nécessaire *d'un point de vue pratique*, c'est-à-dire en Idée, pour un être ayant conscience de sa causalité par la raison, donc d'une volonté (distincte des désirs), d'en faire la supposition à titre de condition dans toutes les actions procédant de son arbitre. Mais *comment* une raison pure, sans qu'interviennent, d'où qu'ils puissent provenir, d'autres mobiles, peut par elle-même être pratique ; autrement dit : comment le simple *principe de la validité universelle de toutes ses maximes érigées en lois* (lequel principe serait assurément la forme d'une raison pure pratique), sans autre matière (objet) de la volonté auquel on pourrait par avance prendre un quelconque intérêt, peut par lui-même servir de mobile et produire un intérêt susceptible d'être désigné comme purement moral ; ou, en d'autres termes encore : *comment une raison pure peut être pratique*, expliquer cela, c'est ce dont toute raison humaine est entièrement incapable, et toute peine aussi bien que tout travail pour en rechercher l'explication correspondent à du temps perdu.

C'est là exactement le même type d'entreprise que si je cherchais à élucider comment la liberté même, en tant que causalité d'une volonté, est possible. Car, ce faisant, j'abandonne le principe de l'explication philosophique (462) et n'en ai point d'autre. Certes pourrais-je aller voleter dans le monde intelligible, qui me reste encore, dans le monde des intelligences ; mais bien que j'en possède une *Idée*, au demeurant bien fondée, je n'en ai pas cependant la moindre *connaissance* et ne puis jamais non plus en obtenir aucune en mobilisant tout l'effort de ma raison naturelle. Une telle Idée désigne simplement un quelque chose qui demeure quand j'ai exclu des principes de détermination de ma volonté tout ce qui appartient au monde sensible, uniquement en vue de limiter le principe des mobiles issus du champ de la sensibilité, cela en en traçant les frontières et en montrant qu'il ne contient pas en lui tout et n'importe quoi, mais qu'en dehors de lui il y a encore bien davantage ; mais concernant ce qu'il y a ainsi qui en excède les limites, je n'ai aucune connaissance supplémentaire. De la raison pure, qui pense cet idéal, il ne me reste, après avoir fait abstraction de toute matière, c'est-à-dire de toute connaissance des objets, que la forme, à savoir la loi pratique de la validité universelle des maximes et, en conformité avec cette loi, la raison à concevoir, en relation à un monde intelligible pur, comme une cause efficiente possible, c'est-à-dire comme une cause déterminant la volonté ; le mobile doit ici être entièrement absent, à moins que cette Idée d'un monde intelligible ne doive elle-même constituer le mobile, autrement dit : ce à quoi la raison prend originairement un intérêt ; mais rendre cela compréhensible est précisément le problème que nous ne pouvons résoudre.

Ici est donc la limite ultime de toute recherche morale ; mais déterminer une telle limite, c'est même déjà d'une grande importance pour que, d'une part, la raison n'aille pas chercher partout dans le monde sensible, d'une manière dommageable pour la moralité, l'élément suprême susceptible de lui servir de mobile, ainsi qu'un intérêt compréhensible, mais empirique, et pour que, d'autre part, elle n'aille pas non plus battre des ailes avec impuissance dans l'espace, vide pour elle, des concepts transcendants qu'on appelle le monde intelligible, et se perdre parmi des chimères. Au reste, l'Idée d'un pur monde intelligible entendu comme un tout réunissant toutes les intelligences, auquel nous appartenons nous-mêmes en tant qu'êtres raisonnables (bien que, par ailleurs, nous soyons en même temps membres du monde sensible), demeure toujours une Idée utilisable et licite pour une croyance rationnelle, quand bien même tout savoir atteint son terme aux limites de ce monde, afin de produire en nous un vif intérêt pour la loi morale grâce à l'idéal grandiose d'un règne universel des *fins en soi* (des êtres raisonnables) auquel nous ne pouvons appartenir comme membres que dans la mesure où nous nous conduisons scrupuleusement d'après des maximes de la liberté, comme si elles étaient des lois de la nature (463).

### *Remarque conclusive*

L'usage spéculatif de la raison *à l'égard de la nature* conduit à l'absolue nécessité d'admettre quelque cause suprême du *monde* ; l'usage pratique de la raison *à l'égard de la liberté* conduit aussi à une absolue nécessité, mais c'est seulement celle des *lois des actions* d'un être raisonnable comme tel. Or, c'est là un *principe* essentiel de tout usage de notre raison que de déployer sa connaissance jusqu'à la conscience de sa *nécessité* (car, sinon, ce ne serait pas une connaissance de la raison). Mais c'est aussi une *limitation* tout autant essentielle de cette même raison qu'elle ne puisse apercevoir ni la *nécessité* de ce qui est ou de ce qui arrive, ni celle de ce qui doit arriver, si elle ne pose pas à titre de principe une *condition* sous laquelle cela est, arrive ou doit arriver. Or, en procédant ainsi, à travers la constante recherche de la condition, la satisfaction de la raison ne peut qu'être toujours à nouveau différée. Elle cherche par conséquent sans répit l'absolument nécessaire et se voit contrainte de l'admettre, sans disposer d'aucun moyen de se le rendre compréhensible, assez heureuse qu'elle est si elle parvient simplement à découvrir le concept qui s'accorde avec cette présupposition. Il n'y a donc nul reproche à adresser à notre déduction du principe suprême de la moralité, mais c'est plutôt la raison humaine en général qu'il faudrait blâmer de ne pas être capable de rendre compréhensible dans sa nécessité absolue une loi pratique inconditionnée (comme doit l'être l'impératif catégorique) ; en effet, qu'elle ne veuille pas y parvenir en recourant à une condition, c'est-à-dire par l'intermédiaire d'un quelconque intérêt posé comme principe, on ne peut lui en tenir rigueur, étant donné que ce ne serait plus alors une loi morale, autrement dit une loi suprême de la liberté. Et ainsi, sans doute, ne comprenons-nous pas la nécessité pratique inconditionnée de l'impératif moral, mais nous comprenons en tout cas son *incompréhensibilité*, ce qui constitue bien tout ce que l'on peut exiger à bon droit d'une philosophie qui s'efforce d'accéder, dans les principes, jusqu'aux limites de la raison humaine.

# INTRODUCTION

## À LA

## MÉTAPHYSIQUE DES MŒURS

# I

*Du rapport des facultés de l'esprit humain
aux lois morales*

(VI, 211) La *faculté de désirer* est la faculté d'être, par ses représentations, cause des objets de ces représentations. La faculté que possède un être d'agir conformément à ses représentations s'appelle la *vie* [66].

Au désir ou à l'aversion est *premièrement* toujours associé le *plaisir* ou le *déplaisir* dont la réceptivité se nomme *sentiment* ; mais l'inverse n'est pas toujours vrai. Car il peut y avoir un plaisir qui ne soit lié d'emblée à aucun désir de l'objet, mais uniquement à la représentation que l'on se fait d'un objet (peu importe alors que l'objet existe ou non). Aussi, *deuxièmement*, le plaisir ou le déplaisir pris à l'objet du désir ne précède-t-il pas toujours le désir, et il n'en saurait être toujours considéré comme la cause, mais peut tout autant en être regardé comme l'effet.

Cela dit, si on appelle *sentiment* la capacité d'éprouver du plaisir ou du déplaisir à l'occasion d'une représentation, c'est que l'un et l'autre contiennent, dans ce qui touche à notre représentation, *l'élément purement subjectif*, et non point du tout une relation à un objet en vue de la possible connaissance de celui-ci * (ni non plus en vue de la connaissance de notre (212) état) ; au reste en effet, même des sensations, outre la qualité qui leur est attachée à cause de la nature du sujet (par exemple, la sensation du rouge, du doux, etc.), entretiennent pourtant aussi, comme ingrédients d'une connaissance, un rapport à un objet, alors que le plaisir ou le déplaisir (ceux que l'on prend au rouge ou au doux) n'expriment absolument rien de l'objet, mais purement et simplement une relation au sujet.

On peut appeler *plaisir pratique* celui qui est nécessairement lié au désir (de l'objet dont la représentation affecte ainsi le sentiment), que ce plaisir soit cause ou effet du désir. En revanche, on pourrait appeler plaisir seulement contemplatif ou *satisfaction inactive* le plaisir qui n'est pas nécessairement lié au désir de l'objet, et qui au fond n'est donc pas un plaisir pris à l'existence de l'objet de la représentation, mais qui ne s'attache qu'à la représentation et à elle seulement. Le sentiment qui correspond à la dernière sorte de plaisir, nous le nommons *goût*. De celui-ci, il ne sera donc pas question, dans une philosophie pratique, comme d'un concept *qui en ferait partie naturellement*, mais tout au plus *de manière épisodique*. Mais en ce qui concerne le plaisir pratique, la détermination de la faculté de désirer, que ce plaisir doit nécessairement précéder en

---

* On peut définir en général la sensibilité par l'élément subjectif de nos représentations ; car l'entendement rapporte avant tout les représentations à un objet, c'est-à-dire qu'il ne *pense* quelque chose que par leur intermédiaire. Or, l'élément subjectif de nos représentations peut être tel qu'il puisse être aussi rapporté à un objet en vue de parvenir à la connaissance de celui-ci (selon la forme ou la matière, étant entendu que, dans le premier cas, il se nomme intuition pure, dans le second sensation) ; dans cette hypothèse, la sensibilité, comme réceptivité de la représentation ainsi forgée, est le *sens*. Ou bien (212) l'élément subjectif de la représentation ne peut aucunement devenir l'*ingrédient d'une connaissance*, parce qu'il ne contient *exclusivement* que la relation de la représentation au sujet, et rien qui soit exploitable pour la connaissance de l'objet ; et alors cette réceptivité de la représentation se nomme *sentiment*, lequel contient l'effet de la représentation (qu'elle soit sensible ou intellectuelle) sur le sujet et est du ressort de la sensibilité, quand bien même la représentation peut pour sa part relever de l'entendement ou de la raison.

tant qu'il joue le rôle de cause, s'appellera au sens strict *désir*, là où les désirs devenus habituels se nommeront *penchants*, et puisque la liaison du plaisir avec la faculté de désirer, dans la mesure où cette liaison est jugée comme valable par l'entendement d'après une loi universelle (même si c'est tout au plus pour le sujet), s'appelle *intérêt*, le plaisir pratique est dans ce cas un intérêt du penchant ; lorsqu'en revanche le plaisir ne peut que suivre une détermination antécédente de la faculté de désirer, il devra recevoir le nom de plaisir intellectuel et l'intérêt pris à l'objet devra être désigné comme un intérêt de la raison ; car si l'intérêt était sensible et non pas simplement fondé sur de purs principes de la raison (213), la sensation devrait nécessairement être liée au plaisir et pouvoir déterminer ainsi la faculté de désirer. Quoique, là où il faut admettre simplement un pur intérêt de la raison, on ne puisse lui substituer nul intérêt du penchant, nous pouvons pourtant, pour satisfaire à l'usage de la langue, accorder à un penchant, même quand il s'agit d'un penchant pour ce qui ne peut être qu'objet d'un plaisir intellectuel, un désir habituel procédant d'un pur intérêt de la raison, avec toutefois pour conséquence que ledit penchant ne serait alors pas la cause, mais l'effet de ce dernier intérêt, — et nous pourrions le désigner comme un *penchant indépendant des sens (propensio intellectualis)*.

La *concupiscence* (la convoitise) doit elle aussi être distinguée du désir lui-même, en tant qu'elle vient stimuler sa détermination. Elle est toujours une détermination sensible de l'esprit, mais telle qu'elle n'a pas encore abouti à un acte de la faculté de désirer.

La faculté de désirer selon des concepts, en tant que le principe qui la détermine à l'action se trouve en elle-même et non pas dans l'objet, se nomme faculté *de faire ou ne pas faire à son gré*. Dans la mesure où elle est associée à la conscience de la faculté d'agir pour produire l'objet, elle s'appelle *arbitre* ; mais si elle ne lui est pas associée, l'acte de celle-ci s'appelle un *vœu*. La faculté de désirer dont le principe interne de détermination, par conséquent aussi ce qui suscite son assentiment, se trouve dans la raison du sujet, s'appelle la *volonté*. La volonté est donc la faculté de désirer, considérée non pas tant (comme l'arbitre) dans son rapport à l'action que bien plutôt dans sa relation au principe qui détermine l'arbitre à l'action ; et elle n'a pour elle-même aucun principe de détermination proprement dit, mais, dans la mesure où elle peut déterminer l'arbitre, elle est la raison pratique elle-même.

L'*arbitre*, mais aussi le simple *vœu* peuvent être compris sous la volonté, dans la mesure où la raison peut en général déterminer la faculté de désirer. L'arbitre qui peut être déterminé par la *raison pure* s'appelle le *libre arbitre*. Celui qui n'est déterminable que par le *penchant* (impulsion sensible, *stimulus*) serait un arbitre animal (*arbitrium brutum*). L'arbitre humain, par opposition, est tel qu'il est certes *affecté* par des impulsions, mais sans être *déterminé* par elles, et en lui-même (en laissant de côté toute pratique acquise par la raison) il n'est donc pas pur : il peut toutefois être déterminé à agir par une volonté pure. La *liberté* de l'arbitre est cette indépendance de sa détermination vis-à-vis des impulsions sensibles ; c'est là le concept négatif de la liberté. Le concept positif en est (214) la capacité de la raison pure à être par elle-même pratique. Mais cette capacité n'est pas possible autrement que par la soumission des maximes de chaque action à la condition de leur aptitude à être érigées en loi universelle. Car, en tant que raison pure appliquée à l'arbitre indépendamment de l'objet de celui-ci, la raison pratique, comme faculté des principes (et il s'agit ici des principes pratiques, donc : comme faculté législatrice), ne peut — dans la mesure où la matière de la loi lui fait défaut — ériger en loi suprême et en principe de détermination de l'arbitre rien de plus que la forme même qui est constitutive de l'aptitude des maximes de l'arbitre à devenir une loi universelle ; et comme les maximes de l'homme, issues de causes subjectives, ne s'accordent pas d'elles-mêmes avec de telles lois objectives, elle ne peut que prescrire cette loi purement et simplement comme impératif qui interdit ou commande.

Ces lois de la liberté se nomment *morales*, à la différence des lois de la nature. Dans la mesure où elles ne concernent que des actions purement extérieures et leur légalité, elles sont désignées comme *juridiques* ; mais dès lors qu'en outre elles (les lois) doivent elles-mêmes être les principes de détermination des actions, elles sont *éthiques* et l'on dit alors que l'accord avec les lois juridiques définit la *légalité* de l'action, l'accord avec les lois éthiques définit sa *moralité* [67]. La liberté à laquelle se rapportent les lois juridiques ne peut être que la liberté au sens extérieur du terme, mais celle à laquelle se rapportent les lois éthiques est la liberté de l'arbitre au sens tant extérieur qu'intérieur du terme, dans la mesure où l'arbitre est déterminé par des lois de la raison. Ainsi dit-on dans la philosophie théorique : dans l'espace, il n'y a que les objets du sens externe, alors que dans le temps se trouvent tous les objets, aussi bien ceux du sens externe que ceux du sens interne, cela parce que les représentations des deux types d'objets sont en tout cas des représentations et, en ce sens, relèvent toutes du sens interne. De même, si l'on peut bien considérer la liberté de l'arbitre au sens extérieur ou au sens intérieur du terme, ses lois doivent cependant, en tant que lois pures pratiques de la raison pour le libre arbitre en général, être en même temps des principes internes de détermination de ce dernier, bien qu'elles ne puissent pas toujours être considérées sous ce rapport.

## II

### *De l'idée et de la nécessité d'une métaphysique des mœurs*

Que l'on doive disposer pour la science de la nature, qui a affaire aux objets du sens externe, de principes *a priori*, et qu'il (215) soit possible, et même nécessaire, de faire précéder d'un système de ces principes, sous le nom de science métaphysique de la nature, celle qui s'applique à des expériences particulières, à savoir la physique, cela a été démontré ailleurs [68]. Simplement, cette dernière (du moins quand il s'agit pour elle de protéger ses énoncés contre l'erreur) peut admettre sur le témoignage de l'expérience plus d'un principe comme universel, bien qu'un tel principe, s'il doit avoir une validité universelle au sens strict du terme, doive être dérivé de fondements *a priori* : c'est de cette manière que Newton admit comme fondé sur l'expérience le principe de l'égalité de l'action et de la réaction dans l'influence réciproque des corps et l'étendit cependant à toute la nature matérielle. Les chimistes vont encore plus loin et fondent entièrement sur l'expérience leurs lois les plus universelles concernant la combinaison et la séparation des matières sous l'effet de leurs propres forces, tout en ayant tellement confiance en l'universalité et la nécessité de ces lois qu'ils ne redoutent de découvrir aucune erreur dans les recherches entreprises d'après elles.

Seulement, il en va différemment avec les lois morales. C'est uniquement dans la mesure où elles peuvent être *considérées* comme fondées *a priori* et comme nécessaires qu'elles ont valeur de lois. Mieux : les concepts et jugements qui portent sur nous-mêmes et sur nos conduites n'ont aucune signification morale si leur contenu se réduit à ce qu'il est possible d'apprendre de l'expérience, et si l'on se laisse égarer au point de prendre pour principe moral quelque chose qui dérive de cette source, on court le risque de s'exposer aux erreurs les plus grossières et les plus funestes.

Si la morale n'était qu'une doctrine du bonheur, il n'y aurait aucun sens à se mettre en quête pour elle de principes *a priori*. Car, si évidente que puisse apparaître la capacité de la raison à apercevoir avant même l'expérience par quels moyens on peut atteindre à une jouissance durable des vraies joies de la vie, tout ce que l'on enseigne *a priori* à ce propos est ou bien tautologique, ou bien admis de façon totalement infondée. Seule l'expérience peut enseigner ce qui nous procure de la joie. Les tendances naturelles qui nous poussent vers la nourriture, l'activité sexuelle, le repos, le mouvement, de même que (d'après le développement de nos dispositions naturelles) les tendances à l'honneur, à l'élargissement de notre connaissance, etc., peuvent seules faire connaître, et encore n'est-ce pour chacun que selon sa manière propre, où il faut *situer* cette joie, et c'est également cette tendance qui peut lui enseigner les moyens grâce auxquels elle se doit *rechercher*. Tout semblant d'argumentation *a priori* n'est ici au fond rien d'autre que l'expérience élevée par induction à l'universalité (216), laquelle universalité (*secundum principia generalia, non universalia*) est au demeurant si misérable en ce domaine qu'on ne peut qu'accorder à chacun un nombre infini d'exceptions pour qu'il parvienne à adapter ce choix de son genre de vie à son penchant particulier et à sa réceptivité au plaisir, et pour qu'à la fin, à ses dépens ou à ceux d'autrui, du moins il devienne simplement prudent.

Cela dit, avec les préceptes de la moralité, il en va autrement. Ils commandent à chacun, sans prendre en compte ses penchants, simplement parce que et dans la mesure où il est libre et possède une raison pratique. L'enseignement des lois morales n'est pas puisé dans l'observation de soi-même et de l'animalité présente en l'homme, ni dans la perception du cours du monde, de ce qui arrive et de la façon dont on agit (bien que le mot allemand *Sitten*, exactement comme le latin *mores*, signifie uniquement les manières et la façon de vivre), mais c'est au contraire la raison qui ordonne comment on doit agir, quand bien même aucun exemple d'une telle conduite ne se serait encore trouvé : aussi ne se soucie-t-elle aucunement de l'avantage que nous pouvons en retirer et qu'au reste seule l'expérience pourrait nous apprendre. Car, bien qu'elle nous permette certes de rechercher notre avantage de toutes les façons possibles et qu'en outre, en s'appuyant sur des témoignages issus de l'expérience, elle puisse promettre avec vraisemblance, notamment si la prudence vient s'en mêler, que s'ensuivront de l'obéissance à ses commandements des avantages en moyenne plus grands que ceux qui résulteraient de leur transgression, ce n'est pourtant pas là ce qui fonde l'autorité de ses préceptes en tant que *commandements*, mais elle se sert de ces avantages (comme d'incitations) uniquement comme d'un contrepoids à opposer aux séductions contraires pour compenser à l'avance dans le jugement pratique l'erreur d'une balance partiale et avant tout pour dès lors faire pencher ce jugement dans un sens conforme au poids des principes *a priori* d'une raison pure pratique.

Si, par conséquent, un système de la connaissance *a priori* par simples concepts se nomme *métaphysique*, une philosophie pratique qui a pour objet, non pas la nature, mais la liberté de l'arbitre présupposera et exigera une métaphysique des mœurs. En d'autres termes : *posséder* une telle métaphysique est même un *devoir*, et tout homme la possède en lui-même, bien qu'en général ce soit seulement de façon confuse ; car comment pourrait-il croire posséder en lui-même, sans principes *a priori*, une législation universelle ? Mais, tout comme, dans une métaphysique de la nature, il y a nécessairement aussi, concernant ces principes suprêmes et universels qui définissent une nature en général, des principes d'application aux objets de l'expérience, de même une métaphysique des mœurs (217) ne pourra pas non plus manquer de posséder de tels principes, et nous devrons souvent prendre pour objet la *nature* particulière de l'homme, laquelle n'est connue que par l'expérience, pour y *indiquer* les conséquences résultant des principes moraux universels, sans que pour autant quelque chose soit ainsi retiré à la pureté de ces principes, ni que leur origine *a priori* en soit rendue douteuse. Ce qui équivaut à dire qu'une métaphysique des mœurs ne peut être fondée sur l'anthropologie, mais qu'elle peut cependant lui être appliquée.

Le pendant d'une métaphysique des mœurs, comme l'autre membre de la division de la philosophie pratique en général, serait l'anthropologie morale, laquelle contiendrait les conditions — mais uniquement celles qui sont subjectives —, aussi bien négatives que positives, de la *mise en œuvre* des lois de la première dans la nature humaine, à savoir : la formation, la diffusion et l'affermissement des principes moraux (dans l'éducation, dans l'instruction scolaire et populaire), de même que d'autres préceptes et prescriptions se fondant sur l'expérience. On ne peut se passer d'une telle anthropologie morale, mais elle ne peut en aucune manière précéder la métaphysique des mœurs, ni être fondue avec elle, dans la mesure où, si c'était le cas, on prendrait le risque de produire des lois morales fausses ou du moins tolérantes, faisant apparaître comme inaccessible ce qui n'aurait pas été atteint uniquement parce que la loi n'aurait pas été considérée ni exposée dans sa pureté (alors même que là est sa force), ou parce que l'on utiliserait, en vue de ce qui est en soi conforme au devoir et correspond au bien, des mobiles absolument inauthentiques et impurs ne laissant subsister aucun principe moral sûr, ni comme fil conducteur du jugement, ni comme discipline de l'esprit dans la soumission au devoir, dont la prescription doit n'être donnée, purement et simplement, qu'*a priori*, par la raison pure.

Cela étant, pour ce qui concerne la division supérieure, sous laquelle s'inscrit celle qui vient d'être évoquée, à savoir la division de la philosophie en philosophie théorique et philosophie pratique, et le fait que cette dernière ne puisse être autre que la philosophie morale, je me suis déjà expliqué ailleurs (dans la *Critique de la faculté de juger* [69]). Tout ce qui est pratique et qui doit être possible d'après les lois de la nature (ce dont s'occupe spécifiquement l'art) dépend entièrement, quant à sa règle, de la théorie de la nature ; seul ce qui est pratique selon les lois de la liberté peut avoir des principes qui sont indépendants de toute théorie, — car il n'y a aucune théorie qui aille au-delà des déterminations de la nature. La philosophie ne peut donc, dans sa partie pratique (à côté de sa partie théorique), (218) comprendre aucune doctrine *techniquement pratique*, mais simplement une doctrine *moralement pratique*, et si la capacité de l'arbitre à se conformer à des lois de la liberté, par opposition à la nature, devait ici aussi être appelée *art*, un tel art devrait alors être compris comme celui qui rend possible un système de la liberté semblable au système de la nature : à vrai dire, un art divin, si nous étions en mesure de mener aussi pleinement à bien par son intermédiaire ce que la raison nous prescrit et d'en mettre en œuvre l'Idée.

## III

### *De la division d'une métaphysique des mœurs* *

Dans toute législation (peu importe qu'elle prescrive des actions internes ou externes, et qu'elle prescrive ces dernières soit *a priori* par la simple raison, soit par l'arbitre d'un autre), il y a deux parties : *premièrement*, une *loi* qui représente *objectivement* comme nécessaire l'action à accomplir, c'est-à-dire qui fait de

* La *déduction* de la division d'un système, c'est-à-dire la démonstration de sa complétude aussi bien que de la *consistance* dont il fait preuve dans la mesure où le passage entre le concept divisé et le contenu de la division s'accomplit dans toute la série des subdivisions sans l'intervention d'aucun saut (*divisio per saltum*), est une des conditions les plus difficiles à remplir pour celui qui construit un système. Même la question de savoir quel est le *concept suprême divisé* pour la division du *juste* et de l'*injuste* (*aut fas aut nefas*) a sa difficulté. C'est l'*acte du libre arbitre* en général. Il en va de même lorsque les professeurs d'ontologie prennent comme point de départ le *quelque chose* et le *rien* sans se rendre compte qu'il s'agit déjà là des termes d'une division et qu'à cette division manque encore le concept divisé, lequel ne peut être autre que le concept d'un *objet* en général.

cette action un devoir ; *deuxièmement*, un mobile qui relie *subjectivement* à la représentation de la loi la détermination de l'arbitre à cette action, — seconde partie qui, par conséquent, consiste en ce que la loi fait du devoir le mobile. Par la première partie, l'action est représentée comme devoir, ce qui correspond à une pure connaissance théorique de la détermination possible de l'arbitre, c'est-à-dire des règles pratiques ; par la seconde, l'obligation d'agir d'une certaine manière se trouve liée dans le sujet à un principe de détermination de l'arbitre en général.

Chaque législation peut donc (quand bien même, du point de vue de l'action qu'elle érige en devoir, elle s'accorde avec une autre, — par exemple, les actions (219) peuvent parfaitement dans tous les cas être extérieures) être différente cependant du point de vue du mobile. La législation qui fait d'une action un devoir et érige en même temps ce devoir en mobile est *éthique*. Celle, en revanche qui n'intègre pas le mobile dans la loi et par conséquent admet aussi un autre mobile que l'idée du devoir elle-même est *juridique*. A propos de cette dernière, on aperçoit aisément que ces mobiles qui diffèrent de l'idée du devoir doivent nécessairement être empruntés aux principes pathologiques de détermination de l'arbitre que sont les penchants et les aversions, et parmi eux plus spécialement aux aversions, parce que ce doit être une législation contraignante et non pas un appât qui séduise.

On appelle la simple concordance ou non-concordance d'une action avec la loi, abstraction faite du mobile de celle-ci, la *légalité* (conformité à la loi), tandis que celle où l'idée du devoir issu de la loi est en même temps le mobile de l'action correspond à la *moralité* (éthique) de celle-ci.

Les devoirs pratiqués d'après la législation juridique ne peuvent être que des devoirs extérieurs, parce que cette législation ne réclame pas que l'idée de ce devoir, qui est intérieure, soit par elle-même principe de détermination de l'arbitre du sujet agissant, et, dans la mesure où elle requiert cependant un mobile approprié aux lois, elle ne peut rattacher à la loi qu'un mobile extérieur. La législation éthique, au contraire, érige certes aussi des actions intérieures en devoirs, mais sans exclure pour autant les actions extérieures : elle porte en fait sur tout ce qui est devoir en général [70]). Mais, précisément parce que la législation éthique intègre dans sa loi le mobile intérieur de l'action (l'idée du devoir), laquelle détermination ne doit absolument pas exercer d'influence sur la législation extérieure, la législation éthique ne peut être extérieure (pas même celle d'une volonté divine), quand bien même, *en tant que devoirs*, elle admet certes pour mobiles dans sa législation les devoirs qui reposent sur une autre législation, en l'occurrence une législation extérieure.

D'où l'on peut voir que tous les devoirs, simplement parce qu'ils sont des devoirs, appartiennent à l'éthique ; mais leur *législation* n'est pas toujours pour autant contenue dans l'éthique : au contraire, pour beaucoup d'entre eux, lui est-elle étrangère. Ainsi l'éthique commande-t-elle que je remplisse l'engagement que j'ai pris dans un contrat, quand bien même l'autre partie ne saurait m'y contraindre : simplement, elle admet la loi (*pacta sunt servanda* [71]) et le devoir qui lui correspond comme procédant de la doctrine du droit (220). Donc, ce n'est pas dans l'éthique, mais dans le *Jus* que s'inscrit la législation selon laquelle des promesses consenties doivent être tenues. A cet égard, l'éthique enseigne simplement que, même si le mobile que la législation juridique associe à ce devoir, c'est-à-dire la contrainte extérieure, disparaît, l'idée du devoir est à elle seule déjà suffisante à titre de mobile. Car s'il n'en était pas ainsi et si la législation elle-même n'était pas juridique, si par conséquent le devoir qui en procède n'était pas un véritable devoir de droit (à la différence du devoir de vertu), on inscrirait l'acte de prêter serment de fidélité (consistant à tenir sa promesse dans un contrat) dans la même classe que les actions de bienveillance et le fait de s'y engager, ce qui ne doit aucunement se produire. Ce n'est pas un devoir de vertu que de tenir sa promesse, mais c'est un devoir de droit, à l'accomplissement duquel on peut être contraint. En revanche, c'est pourtant une action vertueuse (une preuve de vertu) que de le faire quand bien même il n'y a à *redouter* aucune contrainte. La doctrine du droit et la doctrine de la vertu se distinguent donc non pas tant par des devoirs différents qui relèveraient de chacune d'elles, que par la différence de leur législation, qui associe à la loi l'un ou l'autre mobile.

La législation éthique (même si, pour leur part, les devoirs peuvent bien être extérieurs) est celle qui ne *saurait* être extérieure ; la législation juridique est celle qui peut aussi être extérieure. Ainsi est-ce un devoir extérieur que de tenir la promesse que l'on a engagée dans un contrat ; mais le commandement d'agir ainsi pour cette simple raison que c'est là un devoir, sans prendre en compte un autre mobile, appartient uniquement à la législation *intérieure*. Si l'obligation est mise au compte de l'éthique, ce n'est donc pas en tant qu'il s'agirait d'une espèce particulière de devoir (une espèce particulière d'actions auxquelles on est obligé) — car c'est là, aussi bien en éthique qu'en droit un devoir extérieur —, mais c'est parce que la législation, dans le cas mentionné, est une législation intérieure et qu'elle ne peut avoir aucun législateur extérieur. Pour la même raison, les devoirs de bienveillance, quoiqu'ils soient des devoirs extérieurs (obligations à des actions extérieures), sont cependant mis au compte de l'éthique, parce que leur législation ne peut être qu'intérieure. L'éthique possède certes aussi ses devoirs particuliers (par exemple les devoirs envers soi-même), mais elle a cependant aussi avec le droit des devoirs en commun : ce qu'elle n'a pas en commun avec le droit, c'est seulement la modalité de l'*obligation*. Car accomplir des actions uniquement parce que ce sont des devoirs et faire du principe du devoir lui-même, d'où que ce dernier puisse procéder, le mobile suffisant de l'arbitre, c'est là la dimension propre de la législation éthique. (221) Ainsi y a-t-il donc certes de

nombreux devoirs qui sont *directement éthiques*, mais la
législation intérieure fait aussi, globalement, de tous
les autres devoirs des devoirs indirectement éthiques.


# IV

*Concepts préliminaires de la métaphysique des mœurs*
(philosophia practica universalis)


Le concept de la *liberté* est un pur concept de la
raison qui, précisément de ce fait, est transcendant
pour la philosophie théorique, c'est-à-dire qu'il est tel
qu'on ne peut en fournir aucun exemple adéquat dans
une quelconque expérience possible : c'est donc un
concept qui ne constitue pas un objet d'une expérience qui soit pour nous possible, et qui ne peut
valoir aucunement comme principe constitutif, mais
exclusivement comme principe régulateur — et, à vrai
dire, uniquement négatif — de la raison spéculative ;
en revanche, dans l'usage pratique de la raison, il fait
la preuve de sa réalité par des principes pratiques qui,
comme lois d'une causalité de la raison pure, déterminent l'arbitre indépendamment de toutes conditions
empiriques (indépendamment du sensible en général)
et démontrent en nous la présence d'une volonté pure
dans laquelle les concepts et les lois morales trouvent
leur origine.

C'est sur ce concept positif (du point de vue pratique) de la liberté que se fondent des lois pratiques
inconditionnées qui sont désignées comme *morales*,
lesquelles, vis-à-vis de nous dont l'arbitre est affecté
de façon sensible et ne se conforme donc pas par lui-
même à la volonté pure, mais au contraire entre souvent en contradiction avec elle, sont des *impératifs*
(commandements ou interdits), et même, plus précisément, des impératifs catégoriques (inconditionnés),
— ce par quoi ils se distinguent des impératifs techni-

ques (les préceptes de l'art), qui, eux, ne commandent toujours que de manière conditionnelle : d'après ces impératifs catégoriques, certaines actions sont permises ou interdites, c'est-à-dire moralement possibles ou impossibles, tandis que quelques-unes d'entre elles ou leurs contraires sont moralement nécessaires, c'est-à-dire obligatoires, — d'où procède dès lors, pour ces dernières, le concept d'un devoir dont l'accomplissement ou la transgression sont certes associés aussi à un plaisir ou à un déplaisir d'un genre particulier (du genre qui correspond à un *sentiment* moral), mais un plaisir ou un déplaisir que nous ne prenons nullement en compte dans les lois pratiques de la raison (parce qu'ils ne concernent pas le *principe* des lois pratiques, mais seulement l'*effet* subjectif qu'elles ont sur l'esprit lorsqu'elles déterminent notre arbitre, et parce que — sans ajouter ni retirer quoi que ce soit, d'un point de vue objectif, c'est-à-dire en les jugeant de manière rationnelle, à leur valeur ou à leur influence — ce plaisir et ce déplaisir peuvent être fort différents selon la diversité des sujets).

(222) Les concepts qui vont suivre sont communs aux deux parties de la métaphysique des mœurs.

L'*obligation* est la nécessité d'une action libre accomplie par soumission à un impératif catégorique de la raison.

*Remarque* : L'impératif est une règle pratique par laquelle l'action, en elle-même contingente, est *rendue* nécessaire. Il se distingue d'une loi pratique en ceci que celle-ci représente certes la nécessité d'une action, mais sans que soit considéré si celle-ci est déjà en soi inscrite dans le sujet agissant (par exemple, dans le cas d'un être saint) comme une nécessité *interne* ou si (dans le cas de l'homme) elle est contingente ; car dans la première de ces deux situations n'intervient aucun impératif. L'impératif est donc une règle dont la représentation *rend* nécessaire l'action subjectivement contingente, et qui représente par conséquent le sujet en tant que tel comme devant être *forcé* (nécessité) à s'accorder avec cette règle. L'impératif catégo-

rique (inconditionné) est celui qui pense et rend
nécessaire l'action, non pas de manière médiate, à travers la représentation d'une *fin* qui pourrait être
atteinte par l'action, mais à travers la simple représentation de cette action elle-même (de sa forme), donc
de manière immédiate, comme objectivement nécessaire ; nulle autre doctrine pratique que celle qui prescrit l'obligation (la doctrine des mœurs) ne peut
fournir des exemples de tels impératifs. Tous les
autres impératifs sont *techniques* et, dans leur totalité,
ils sont conditionnés. Le fondement de la possibilité
d'impératifs catégoriques réside en tout cas en ceci
qu'ils ne se rapportent à aucune autre détermination
de l'arbitre (par laquelle une intention peut lui être
attribuée) que, purement et simplement, sa *liberté*.

*Licite* (*licitum*) est une action qui ne contredit pas
l'obligation ; et cette liberté qui n'est limitée par
aucun impératif venant s'y opposer se nomme la
*faculté d'agir* (*facultas moralis*). Par là se laisse aisément
comprendre ce que serait une action *illicite* (*illicitum*).

Le *devoir* est cette action à laquelle chacun est
obligé. Il est donc la matière de l'obligation, et il peut
s'agir (quant à l'action) d'un seul et même devoir,
quand bien même nous pouvons certes y être obligés
de diverses manières.

*Remarque* : L'impératif catégorique, dans la mesure
où il énonce une obligation concernant certaines
actions, est une *loi* moralement pratique (223). Toutefois, du fait que l'obligation ne contient pas seulement une nécessité pratique (du type de celle
qu'énonce une loi en général), mais aussi une dimension de *contrainte*, l'impératif, dans sa notion, est soit
une loi qui commande, soit une loi qui interdit, selon
laquelle l'acte de commettre l'action ou celui de s'en
abstenir est représenté comme devoir. Une action qui
n'est ni commandée, ni interdite est simplement *licite*,
parce qu'à son sujet il n'y a absolument aucune loi qui
vienne limiter la liberté la faculté d'agir, et donc non
plus aucun devoir. Une telle action est dite moralement indifférente (*indifferens, adiaphoron, res merae*

*facultatis*). On peut demander s'il y a de telles actions et, au cas où il y en aurait, si, pour que quelqu'un soit libre de faire quelque chose à son gré ou de ne pas le faire, est requise encore, outre la loi impérative (*lex praeceptiva, lex mandati*) et la loi prohibitive (*lex prohibitiva, lex vetiti*), une loi permissive (*lex permissiva*). Si c'est le cas, la faculté d'agir ne concernerait pas toujours une action indifférente (*adiaphoron*) ; car, pour une telle action, si on la considère d'après les lois morales, aucune loi particulière ne serait requise [72].

Le terme d'*acte* désigne une action, dans la mesure où elle se trouve soumise à des lois d'obligation, par conséquent aussi dans la mesure où le sujet y est considéré du point de vue de la liberté de son arbitre. L'agent est, à travers un tel acte, considéré comme l'*auteur* de l'effet qui en résulte, et cet effet, en même temps que l'action elle-même, peuvent lui être *imputés*, si l'on connaît préalablement la loi en vertu de laquelle une obligation pèse sur eux.

Une *personne* est ce sujet dont les actions sont susceptibles d'une *imputation*. La personnalité *morale* n'est donc rien d'autre que la liberté d'un être raisonnable sous des lois morales (alors que la personnalité psychologique est seulement la faculté de se rendre conscient de l'identité de soi-même dans les diverses situations de son existence) ; d'où il résulte qu'une personne ne peut être soumise à d'autres lois que celles qu'elle se donne elle-même (soit seule, soit du moins en même temps que d'autres).

Une *chose* est un être qui n'est susceptible d'aucune imputation. Tout objet du libre arbitre, quand il est lui-même privé de liberté, s'appelle donc chose (*res corporalis*).

*Juste* ou *injuste* en général (*rectum aut minus rectum*) est un acte dans la mesure où il est conforme ou contraire au devoir (*factum licitum aut illicitum*) (224), le devoir lui-même pouvant alors, dans son contenu ou dans son origine, être de quelque espèce que ce soit. Un acte contraire au devoir se nomme *transgression* (*reatus*).

Une transgression *non préméditée* qui peut cependant être imputée s'appelle une simple *faute (culpa)*. Une transgression *préméditée* (c'est-à-dire celle qui est associée à la conscience d'être une transgression) se nomme *crime (dolus)*. Ce qui est conforme aux lois extérieures reçoit le nom de *juste (justum)* ; ce qui n'y est point conforme, celui d'*injuste (injustum)*.

Un *conflit des devoirs (collisio officiorum s. obligationum)* serait, entre eux, le rapport qui ferait que l'un supprimerait l'autre (en entier ou en partie). Or, dans la mesure où le devoir et l'obligation en général sont des concepts qui expriment la *nécessité* objective pratique de certaines actions et comme deux règles opposées l'une à l'autre ne peuvent être en même temps nécessaires, mais qu'au contraire, si agir suivant l'une d'elles est un devoir, agir suivant la règle opposée, non seulement n'est pas un devoir, mais est même contraire au devoir, *une collision de devoirs* et d'obligations n'est absolument pas pensable (*obligationes non colliduntur*[73]). Toutefois, il se peut parfaitement que, dans un seul et même sujet et dans la règle qu'il se prescrit, se combinent deux *raisons* de l'obligation (*rationes obligandi*), dont l'une ou l'autre cependant n'est pas suffisante pour avoir pouvoir d'obligation (*rationes obligandi non obligantes*[74]), en sorte que, dès lors, l'une de ces raisons ne définit pas un devoir. Quand deux principes de ce genre viennent à s'opposer, la philosophie pratique ne dit pas que la plus forte obligation doit avoir le dessus (*fortior obligatio vincit*), mais que le *principe d'obligation* qui est le plus fort conserve sa place (*fortior obligandi ratio vincit*).

D'une manière générale, les lois qui obligent et pour lesquelles une législation extérieure est possible se nomment des *lois externes (leges externae)*. Parmi elles, celles dont l'obligation peut être connue *a priori* par la raison même sans législation extérieure sont certes des lois externes, mais ce sont des lois *naturelles* ; celles au contraire qui n'obligent pas sans une véritable législation extérieure (et qui, sans cette dernière, ne seraient donc pas des lois) s'appellent des

lois *positives*. Il est donc possible de concevoir une
législation extérieure qui contienne uniquement des
lois positives ; mais il faudrait cependant, dans ce cas,
que puisse précéder une loi naturelle, qui fonderait
l'autorité du législateur (c'est-à-dire la faculté
d'obliger d'autres hommes par son simple arbitre).

(225) Le principe qui fait de certaines actions un
devoir est une loi pratique. La règle que l'agent se
donne à lui-même comme principe pour des raisons
subjectives s'appelle sa *maxime* ; de là vient que, pour
des lois uniques, les maximes des agents peuvent
cependant être très différentes.

L'impératif catégorique, qui énonce simplement
d'une manière générale ce qui est obligation, est celui-
ci : Agis d'après une maxime qui puisse valoir en
même temps comme une loi universelle ! Tu dois
donc commencer par considérer tes actions d'après
leur principe subjectif ; mais pour ce qui est de savoir
si ce principe a aussi une valeur objective, tu ne peux
le savoir que d'après la manière dont, quand ta raison
le soumet à l'épreuve qui consiste à te penser toi-
même, à travers un tel principe, comme légiférant universellement, il se qualifie pour une telle législation
universelle.

La simplicité de cette loi, par comparaison avec les
grandes et multiples conséquences qui peuvent en être
tirées, en même temps que l'autorité qu'elle possède
dans ses commandements, alors même que pourtant
elle n'introduit apparemment pas avec elle de mobile,
ne peut assurément, au premier abord, que
déconcerter. Mais si, dans cet étonnement sur une
faculté de notre raison, savoir celle de déterminer l'arbitre par la simple idée de la qualification d'une
maxime pour atteindre à l'*universalité* pratique d'une
loi, nous apprenons que c'est précisément avec ces lois
pratiques (les lois morales) que commence à se révéler
une propriété de l'arbitre à laquelle ne serait parvenue
aucune raison spéculative, ni à partir de principes *a
priori*, ni à la faveur de quelque expérience, et dont, si
jamais elle y était parvenue, la possibilité n'aurait pu

être démontrée théoriquement par rien, alors même que ces lois pratiques démontrent irréfutablement cette même propriété, à savoir la liberté, — il deviendra alors moins déconcertant de trouver ces lois *indémontrables*, à la manière des postulats mathématiques, et pourtant *apodictiques*, en voyant en même temps s'ouvrir devant soi tout un champ de connaissances pratiques, là où, à cette même Idée de la liberté et même à chacune de ses autres Idées du suprasensible, la raison doit trouver closes, dans le registre théorique, absolument toutes les voies d'accès. L'accord d'une action avec la loi du devoir est la *légalité* (*legalitas*), celle de la maxime de l'action avec la loi définissant la *moralité* (*moralitas*) de cette même action. Mais ce qui constitue une *maxime*, c'est le principe *subjectif* de l'action, dont le sujet se fait lui-même une règle (définissant comment il veut agir). En revanche, le principe du devoir est ce que la raison lui ordonne absolument, par conséquent objectivement (indiquant comment il *doit* agir).

(226) Le principe suprême de la doctrine des mœurs est donc : Agis selon une maxime qui puisse en même temps valoir comme loi universelle. Toute maxime qui n'est pas qualifiée pour cela est contraire à la morale.

*Remarque* : De la volonté procèdent les lois ; de l'arbitre les maximes. Ce dernier, chez l'homme, est un libre arbitre ; la volonté qui ne porte sur rien d'autre que sur la loi ne peut être dite ni libre, ni non libre, parce qu'elle ne s'applique pas à des actions, mais immédiatement à la législation destinée aux maximes des actions (donc à la raison pratique elle-même) : de là vient qu'elle est aussi absolument nécessaire et qu'elle n'est elle-même *susceptible* de recevoir aucune contrainte. C'est donc uniquement l'*arbitre* qui peut être dit libre.

Cela dit, la liberté de l'arbitre ne peut être définie par la faculté de choisir d'agir pour ou contre la loi (*libertas indifferentiae*) — comme sans doute quelques-uns s'y sont essayé —, quoique l'arbitre *en tant que phénomène* en fournisse dans l'expérience de multiples exemples. Car nous ne connaissons la liberté (telle que c'est avant tout par la loi morale qu'elle nous est révélée) que comme une propriété *négative* en nous, consistant à n'être *contraints* à l'action par aucun principe de détermination sensible. En revanche, *en tant que noumène*, c'est-à-dire considérée d'après le pouvoir qui est celui de l'homme simplement comme intelligence, nous ne pouvons aucunement la présenter *dans le registre théorique* telle qu'elle est *contraignante* vis-à-vis de l'arbitre sensible, par conséquent selon sa propriété positive. La seule chose que nous puissions bien apercevoir, c'est que, même si l'homme comme *être sensible* manifeste, d'après l'expérience, une faculté de choisir, non pas simplement en se conformant à la loi, mais aussi en s'opposant à elle, ce n'est pourtant pas par là que sa liberté pourrait être définie comme celle d'un *être intelligible*, parce que des phénomènes ne peuvent rendre compréhensible aucun objet suprasensible (au nombre desquels figure en tout cas le libre arbitre) ; nous pouvons voir aussi que la liberté ne peut jamais consister en ce que le sujet raisonnable puisse aussi opérer un choix venant contredire sa raison (législatrice), quand bien même l'expérience témoigne assez souvent que cela arrive (ce dont nous ne pouvons du moins comprendre la possibilité). Car autre chose est d'accepter un énoncé (issu de l'expérience), autre chose d'en faire le *principe d'explication* (du concept de libre arbitre) et le caractère distinctif général (du libre arbitre par rapport à l'*arbitrium brutum s. servum*) : sous la première forme en effet, (227) il n'est nullement affirmé que cette caractéristique appartient *nécessairement* au concept, alors que, sous la seconde forme, cela est requis. La liberté qui se rapporte à la législation interne de la raison est à vrai dire la seule qui soit un pouvoir d'agir ; la possibilité de s'écarter d'une telle législation équivaut à une impuissance. Comment alors expliquer ce pouvoir d'agir par cette impuissance ? Une définition qui vient ajouter encore au concept pratique sa mise en œuvre est une *définition bâtarde* (*definitio hybrida*) qui présente le concept sous un faux jour.

Une loi (une loi moralement pratique) est une proposition qui contient un impératif catégorique (commandement). Celui qui commande (*imperans*) à l'aide d'une loi est le législateur (*legislator*). Il est l'auteur (*auctor*) de l'obligation établie par la loi, mais non pas toujours l'auteur de la loi. Dans le dernier cas, la loi serait positive (contingente) et arbitraire. La loi qui nous oblige *a priori* et inconditionnellement par notre propre raison peut aussi être exprimée comme procédant de la volonté d'un suprême législateur, c'est-à-dire d'un législateur qui n'a que des droits et ne connaît point de devoirs (comme procédant par conséquent de la volonté divine), ce qui cependant n'a pas d'autre signification que celle de l'idée d'un être moral dont la volonté constitue pour tous une loi, sans qu'on le pense cependant comme l'auteur de cette loi.

L'*imputation* (*imputatio*) au sens moral est le *jugement* par lequel quelqu'un se trouve considéré comme *auteur* (*causa libera*) d'une action, laquelle s'appelle alors un *acte* (*factum*) et est soumise à des lois ; si ce jugement implique en même temps les conséquences juridiques résultant de cet acte, il s'agit d'une imputation exécutoire (*imputatio judiciaria s. valida*) ; en revanche, si tel n'était pas le cas, il s'agirait seulement d'une imputation *judicatoire* (*imputatio dijudicatoria*). La personne (physique ou morale) qui a la faculté de prononcer des imputations exécutoires s'appelle le *juge* ou encore le tribunal (*judex s. forum*).

Ce que quelqu'un fait, conformément au devoir, qui *va au-delà* de ce à quoi il est contraint par la loi, est *méritoire* (*meritum*) ; ce qu'il fait qui correspond simplement à la loi consiste à *s'acquitter de ce qu'il doit* (*debitum*) ; ce qu'enfin il fait qui se trouve en deçà de ce que la loi exige est un *démérite* moral (*demeritum*). L'effet *juridique* d'un démérite est la *peine* (*poena*) ; celui d'un acte méritoire est la *récompense* (*praemium*) (à supposer que, promise dans la loi, elle en ait constitué la motivation) ; la (228) conformité de la conduite à ce qui est *dû* n'a pas le moindre effet juridique. La *rétribution* gracieuse (*remuneratio s. repensio benefica*) n'entretient aucune *relation juridique* avec l'acte.

*Remarque* : les bonnes ou mauvaises conséquences d'une action qui est due, de même que les conséquences de l'omission d'une action méritoire, ne peuvent pas être imputées au sujet (*modus imputationis tollens* [75]).

Les bonnes conséquences d'une action méritoire, de même que les conséquences négatives d'une action illégale peuvent être imputées au sujet (*modus imputationis ponens* [76]).

C'est *subjectivement* que le degré d'*imputabilité* (*imputabilitas*) des actions doit être apprécié, en fonction de la grandeur des obstacles qui doivent avoir été surmontés à cette occasion. Plus grands sont les obstacles naturels (de la sensibilité), plus restreint est l'obstacle moral (du devoir), plus l'*acte bon* est alors imputable au mérite ; c'est le cas, par exemple, si je sauve d'un grand danger, en consentant pour ma part à un sacrifice considérable, un homme qui m'est tout à fait étranger.

Au contraire, plus restreint est l'obstacle naturel, plus grand est l'obstacle procédant des principes du devoir, plus la transgression (en tant que démérite) est susceptible d'imputation. D'où vient que l'état d'esprit — savoir : si le sujet a commis l'acte sous l'emprise de l'affect ou avec une calme préméditation — crée dans l'imputation une différence qui a des conséquences.

# NOTES

1. Kant part ici d'une division de la philosophie qui remonte à Aristote et aux Stoïciens, mais dont il faut souligner qu'elle n'est pas la sienne propre. On sait qu'aussi bien dans la *Critique de la raison pure* (A 804, B 832) que dans sa *Logique* (AK, IX, 25) il privilégiait une autre distinction, établie à partir des questions qui circonscrivent le « domaine de la philosophie » : ainsi, selon la version du cours de logique (la plus développée), la philosophie se diviserait-elle en métaphysique (« que puis-je savoir ? »), morale (« que dois-je faire ? »), religion (« que m'est-il permis d'espérer ? ») et anthropologie (« qu'est-ce que l'homme ? ») — avec la possibilité de « tout ramener à l'anthropologie, puisque les trois questions se rapportent à la dernière ». Voir aussi *Leçons de métaphysique* (AK, XVIII), tr. par M. Castillo, Livre de Poche, 1993, p. 119-120.

2. Où l'on voit qu'à l'époque de la *Fondation*, le lexique qu'utilisera Kant dans la *Doctrine du droit* et dans la *Doctrine de la vertu* n'est pas encore en place : en 1785, l'éthique ou philosophie morale désigne l'ensemble de la philosophie pratique — tant juridique qu'« éthique » au sens restreint que prendra le terme en 1797. D'autre part, comme on le verra dans les lignes suivantes, l'éthique est ici présentée, dans une première approche, comme recouvrant aussi bien la « métaphysique des mœurs » (ou « morale ») que la dimension empirique de la philosophie morale (« anthropologie pratique ») : la suite de la Préface entreprend de redresser cet usage « populaire » de la notion, en montrant (AK, 390) pour quelles raisons il faut refuser de désigner proprement comme « philosophie morale » (donc éthique) une philosophie qui mélange « principes purs » et « principes empiriques » ; dans le même esprit, en 1797, la dimension empirique tombera en dehors de l'éthique entendue comme partie de la philosophie transcendantale.

3. Sur la logique comme *canon* (science des règles ou des lois a *priori* de l'usage de l'entendement et de la raison), voir *Logique*, tr. par L. Guillermit, Vrin, 2ᵉ éd., 1970, p. 11 sqq. Contrairement à un usage de provenance aristotélicienne, Kant refuse que la logique puisse constituer « un *organon* des sciences » : « Par *organon*, nous entendons l'indication de la manière de parvenir à une connaissance

déterminée. Or, cela implique que je connaisse déjà l'objet de la science à produire selon certaines règles. Un *organon* des sciences n'est donc pas une simple logique, puisqu'il présuppose la connaissance précise des sciences, de leurs objets et de leurs sources » — ce dont ne peut disposer la logique qui, « en sa qualité de propédeutique universelle de tout usage de l'entendement et de la raison en général », ne peut « empiéter sur les sciences ni anticiper leur matière ». Voir aussi *Critique de la raison pure*, A 50-53 / B 74-77, A 796 / B 824, tr. par J. Barni, revue par A. Delamarre et F. Marty, *Œuvres philosophiques de Kant*, sous la direction de F. Alquié, Bibliothèque de la Pléiade, I, p. 811-814 et (pour les lignes suivantes) p. 1359 : « J'entends par canon l'ensemble des principes *a priori* du légitime usage de certains pouvoirs de connaître en général. Ainsi la logique générale dans sa partie analytique est un canon pour l'entendement et la raison en général, mais seulement quant à la forme, car elle fait abstraction de tout contenu ».

4. Contrairement à ce que suggère F. Alquié (Bibl. de la Pléiade, II, p. 1444, n. 4), le terme d'« anthropologie pratique » qui apparaît ici (et plus bas sous la forme : « anthropologie empirique ») doit être soigneusement distingué de ce qu'en un sens beaucoup plus déterminé Kant appellera en 1798 « anthropologie du point de vue pragmatique ». Voir sur ce point notre présentation de l'*Anthropologie*, Garnier-Flammarion, 1993, p. 7, p. 33-34 : là où l'« anthropologie pratique » évoquée en 1785 recouvrirait toute la partie empirique de la philosophie morale, l'« anthropologie pragmatique » s'attachera à la question plus précise de savoir ce que l'homme, comme liberté, peut et doit faire de la nature présente en lui.

5. Première allusion à un thème qui sera développé au début de la Deuxième section — savoir que les commandements moraux s'adressent, non à l'homme, mais à tout « être raisonnable fini ».

6. La *Philosophia practica universalis methodo scientifica pertractata* de Christian Wolff date de 1738-1739 (Francfort, 2 vol.). Wolff avait distingué dans la philosophie pratique quatre parties, la « philosophie pratique universelle », à laquelle Kant fait ici allusion, précédant l'« éthique » ou « morale », l'« économique » et la « politique » : considérée globalement, la partie « pratique » de la philosophie énonce « les principes généraux qui doivent diriger les actions libres » ; dans ce cadre, il revient à la « philosophie pratique universelle » ou « droit naturel » de « séparer les unes des autres les actions bonnes et les actions mauvaises », et donc d'« exposer le critère des actions libres », lesquelles seront ensuite spécifiées dans les domaines individuels (éthique), domestique (économie) et collectif (politique) (*Philosophia practica*, I, § 3-6).

7. Posant la question de l'unité de la raison, qui est aussi celle de l'unité de la philosophie (théorique et pratique), Kant n'imagine alors pas encore, selon toute vraisemblance, sous quelle forme il sera appelé à la traiter et en quels termes il entreprendra de la résoudre — savoir sous la forme d'une *Critique de la faculté de juger* et dans les termes d'une *réflexion* (au sens précis qu'a cette notion chez lui) sur l'Idée du progrès de l'humanité comme *culture* : par référence à une telle Idée, la théorie du « passage » de la nature à la liberté à travers le procès de culture permet d'articuler la raison

théorique (qui a pour objet la nature) et la raison pratique (qui a pour objet la liberté).

8. Sur le renoncement ultérieur à l'intitulé de « critique de la raison *pure* pratique », on se reportera à la *Critique de la raison pratique*, AK, V, 15-16, tr. par L. Ferry et H. Wismann, Bibl. de la Pléiade, p. 609 : « La raison pour laquelle cette critique n'est pas intitulée Critique de la raison *pure* pratique, mais simplement Critique de la raison pratique en général, bien que le parallélisme de la raison pratique avec la raison spéculative semble exiger le premier titre, ressort assez clairement du traité qu'on va lire. Son objet est simplement d'établir *qu'il existe une raison pure pratique*, et c'est dans ce but qu'il critique le *pouvoir pratique* de la raison. S'il y réussit, il n'a pas besoin de critiquer le *pouvoir pur lui-même* afin de voir si la raison, en s'attribuant un tel pouvoir, ne *transgresse* pas ses limites dans une vaine présomption (comme il arrive à la raison spéculative). Car si, en tant que raison pure, elle est réellement pratique, elle prouve sa réalité et celle de ses concepts par le fait, et nulle argutie ne peut lui contester la possibilité d'être pratique ». Voir aussi V, 15-16, tr., p. 623-624.

9. Souvent dénoncée comme ambiguë pour rendre *ein guter Wille*, l'expression française « bonne volonté » n'a pas davantage été corrigée depuis Delbos que l'imprécise traduction de *Grundlegung* par « fondements » ; je me suis résolu à franchir là aussi le pas, et donc à parler de « volonté bonne » (la « volonté mauvaise » n'est au demeurant pas non plus, exactement, la « mauvaise volonté »).

10. « Apparemment anodine, cette disqualification des *talents* (complétée par *Critique de la raison pratique*, AK, V, 41, tr. par L. Ferry et H. Wismann, Bibl. de la Pléiade, II, p. 657) est en réalité d'une très grande portée. Dans une philosophie pour laquelle seule la volonté bonne (la volonté d'agir par devoir, par pur respect pour la loi) est authentiquement morale, les talents, en tant que dons *naturels*, ne sauraient par eux-mêmes avoir la moindre valeur *éthique* : non seulement ils peuvent être mis au service des intérêts les plus égoïstes, voire du crime, mais surtout c'est intrinsèquement, en raison directe de la représentation de la moralité que présupposerait leur valorisation, qu'ils se trouvent ici mis hors jeu. Car, érigée en principe de la moralité, l'idée d'*excellence*, chère à l'éthique des Anciens (comme on peut l'apercevoir chez Aristote), participe de la conviction que la vertu consiste dans le perfectionnement de dons de la *nature* ou dans l'accomplissement d'une fonction inhérente à la *nature* propre de l'homme, et est ainsi inséparable de la référence à l'ordre naturel d'un *cosmos* finalisé : l'éthique kantienne, qui exprime à cet égard les valeurs constitutives de la modernité, situe au contraire la vertu dans l'arrachement à la naturalité présente en nous. En ce sens, la disqualification des *talents* est directement solidaire d'une perspective où c'est l'*effort* de la volonté pour résister aux inclinations ou aux penchants de notre nature égoïste, ainsi que le *mérite* inhérent à un tel effort, qui seuls définissent l'activité vertueuse : comment, dans ces conditions, la volonté bonne (c'est-à-dire la volonté libre et autonome) ne constituerait-elle pas le point de départ de la philosophie morale ?

11. Sur les notions de « tempérament » et, *infra*, de « caractère »,

on consultera l'*Anthropologie du point de vue pragmatique*, deuxième partie, AK, VII, 285 sqq., tr. par A. Renaut, Garnier-Flammarion, 1993, p. 261 sqq.

12. Repris et développé dans la *Critique de la raison pratique*, le thème fameux selon lequel la vertu rend, non pas heureux, mais simplement *digne* de l'être, est bien évidemment dirigé contre l'eudémonisme, qui fait du bonheur le but de l'existence humaine : par là se trouve complétée la rupture, si marquée au point de départ de la *Fondation*, avec les perspectives de l'éthique aristotélicienne.

13. Sur cette traduction de *Affect* par le même terme disponible en français (et non plus, selon l'usage antérieur, par « émotion »), voir la note 36 de ma traduction de l'*Anthropologie*.

14. Tout le développement vise à resituer la valeur de l'action, non dans son résultat, mais dans son intention.

15. Dans l'esprit de Kant, la critique des morales du bonheur et la dénonciation du principe d'utilité (si l'on veut : la critique de l'eudémonisme et celle de l'utilitarisme) sont inséparables — comme il le soulignera nettement dans l'*Anthropologie* (AK, VII, 130, tr. citée, p. 55) : « L'*égoïste moral* est celui qui rapporte toutes les fins à soi, qui ne voit d'utilité que dans ce qui lui est utile, et peut même, *eudémoniste* qu'il est, ne donner pour principe déterminant à sa volonté que l'utilité, que le bonheur personnel, et non pas la représentation du devoir ».

16. Lorsque Kant écrit la *Fondation*, il vient, dans l'opuscule intitulé *Idée d'une histoire universelle d'un point de vue cosmopolitique* (1784), de thématiser cette notion de « dessein de la nature » : « Etant donné qu'il (= le philosophe) ne peut supposer dans l'ensemble chez les hommes et dans leur jeu aucun *dessein personnel* raisonnable, il lui faut chercher s'il ne peut découvrir dans la marche absurde des choses humaines un *dessein de la nature* à partir duquel serait du moins possible, à propos de créatures qui procèdent sans plan personnel, une histoire selon un plan déterminé de la nature » (AK, VIII, 18, tr. par L. Ferry, Bibl. de la Pléiade, II, p. 188). Et l'on sait (voir notamment la proposition III) que Kant situe ce « dessein de la nature », concernant le genre humain, dans le fait de « ne pas être guidé par l'instinct », mais de « tirer tout de lui-même » — ce pourquoi elle a donné « à l'homme la raison ainsi que la liberté du vouloir qui se fonde sur elle ».

17. Cette définition de l'« être organisé » sera reprise et approfondie dans la *Critique de la faculté de juger*, notamment aux § 64 sqq.

18. Dans tout ce passage, l'allusion est transparente à Rousseau et à sa critique de la culture dans le *Discours sur les sciences et les arts* (1750). A noter qu'en 1798, dans l'*Anthropologie* (AK, VII, 326 sqq., tr. citée, p. 315 sqq.), Kant tentera cependant d'esquisser une lecture « optimiste » de Rousseau.

19. Cette conformité au devoir suffit à ce que l'action soit *légale* : elle ne garantit pas pour autant qu'elle soit *morale*.

20. Kant reviendra sur la question du suicide au § 6 de la *Doctrine de la vertu*.

21. « Pathologique », que Kant oppose à « pratique » ou à « moral », signifie : déterminé par la sensibilité. Dans l'opuscule de

1796 intitulé *Sur un ton supérieur nouvellement pris en philosophie* (AK, VIII, 395, tr. par A. Renaut, Bibl. de la Pléiade, III, p. 403), Kant désigne comme « pathologique » le cas où un désir (ou une aversion) « doit *précéder la loi* pour que l'action ait lieu », tandis que, pour qu'il y ait moralité, « la loi doit nécessairement précéder » le désir (au sens où la volonté morale est celle qui est mise en mouvement par la position d'un pur « il faut »).

22. Kant considère comme « première proposition » celle qui énonce que l'action n'est morale que si elle est accomplie par devoir, et non pas seulement conformément au devoir.

23. En ce sens, le respect est bien un sentiment, mais pour ainsi dire un sentiment qui va à l'encontre de tout ce qui, en l'homme, exprime la « nature » (inclinations, penchants) : ce pourquoi il peut intervenir dans l'expérience morale sans y introduire une dimension « pathologique ».

24. On sait quel débat célèbre est intervenu sur cette question entre Benjamin Constant et Kant. En mai 1796, dans *Des réactions politiques*, Constant écrivait en son chapitre VIII : « Le principe moral que dire la vérité est un devoir, s'il était pris de manière absolue et isolée, rendrait toute société impossible. Nous en avons la preuve dans les conséquences directes qu'a tirées de ce premier principe un philosophe allemand qui va jusqu'à prétendre qu'envers des assassins qui vous demanderaient si votre ami qu'ils poursuivent n'est pas réfugié dans votre maison, le mensonge serait un crime » (rééd., Flammarion, « Champs », 1988, avec une préface de Ph. Raynaud, p. 136). Constant ajoutait que « toutes les fois qu'un principe démontré apparaît inapplicable, c'est que nous ignorons le principe intermédiaire qui contient le moyen de l'application » : en l'occurrence, le principe selon lequel, puisque « l'idée de devoir est inséparable de celle de droit », « dire la vérité n'est donc un devoir qu'envers ceux qui ont droit à la vérité. Or, nul homme n'a droit à la vérité qui nuit à autrui » (p. 137). Le texte de Constant parut en traduction allemande dans la revue de K.F. Cramer, « La France en l'an 1797 » — l'éditeur précisant dans une note que « Kant est le philosophe dont il est question dans ce passage ». L'exemple de Constant évoque un de ceux que Kant utilise dans la *Doctrine de la vertu*, § 9, « Questions casuistiques ». La *Doctrine de la vertu* n'étant parue qu'après le texte de Constant, c'est cependant à partir de la seule *Fondation* que celui-ci développe sa critique. Kant lui répondit en 1797 dans *Sur un prétendu droit de mentir par humanité*, AK, VIII, 423-430, tr. par L. Ferry, Bibl. de la Pléiade, III, p. 433-441 : à celui qu'il désigne symétriquement comme le « philosophe français » (et qui, en fait, sera suisse jusqu'en 1824), il objecte que, si sa remarque est « à la fois pertinente et juste » sur les termes du problème posé par l'application des principes, il ne saurait y avoir en *l'occurrence* de « principe intermédiaire » — dans la mesure où le « devoir de véracité » constitue « un *devoir absolu* dont la validité s'étend à toutes les relations ». La fin de sa réponse (tr. citée, p. 439-440) esquisse une théorie de l'application, allant « d'une métaphysique du droit (qui fait abstraction de toutes les conditions de l'expérience) à un principe de la politique (qui applique ces concepts aux cas de l'expérience) : il en résulte que, même si « le

mécanisme de l'administration du droit et la façon dont il doit être correctement organisé » (= le produit de l'application) procèdent de « décrets » qui, au moins pour une part, sont « tirés de la connaissance empirique des hommes », « le droit ne doit jamais être adapté à la politique, mais c'est bien plutôt la politique qui, doit, toujours être adaptée au droit ». La question restait cependant si complexe aux yeux de Kant qu'il revint longuement sur le problème du mensonge, à la fois dans une note de la *Doctrine du droit* (« Division de la doctrine du droit », B) et dans le § 9, déjà cité, de la *Doctrine de la vertu*.

25. Cette exclusion d'une prise en compte, dans le choix éthique, des conséquences de l'acte a trouvé chez Max Weber sa contestation la plus célèbre, à travers la distinction *entre éthique de la conviction* et *éthique de la responsabilité* : « Toute activité orientée selon l'éthique peut être subordonnée à deux maximes totalement différentes et irréductiblement opposées. Elle peut s'orienter selon l'éthique de la responsabilité ou selon l'éthique de la conviction. Cela ne veut pas dire que l'éthique de la conviction est identique à l'absence de la responsabilité et l'éthique de la responsabilité à l'absence de conviction. Toutefois il y a une opposition abyssale entre l'attitude de celui qui agit selon les maximes de l'éthique de la conviction — dans un langage religieux, nous dirions : « Le chrétien fait son devoir et en ce qui concerne le résultat de son action il s'en remet à Dieu » —, et l'attitude de celui qui agit selon l'éthique de la responsabilité, qui dit : « Nous devons répondre des conséquences prévisibles de nos actes » [...] Il n'existe aucune éthique au monde qui puisse négliger ceci : pour atteindre des fins « bonnes », nous sommes la plupart du temps obligés de compter avec, d'une part, des moyens moralement malhonnêtes ou pour le moins dangereux et, d'autre part, la possibilité ou encore l'éventualité de conséquences fâcheuses. Aucune éthique au monde ne peut nous dire non plus à quel moment et dans quelle mesure une fin moralement bonne justifie les moyens et les conséquences moralement dangereuses [...] Il semble donc que c'est bien le problème de la justification des moyens par la fin qui voue en général à l'échec l'éthique de la conviction » (*Le Savant et le politique*, tr. fr., Plon, 10/18, 1959, p. 172-173). Le problème a été repris, expressément contre Kant, par H. Jonas, *Le Principe responsabilité* (1979), tr. par J. Greisch, Cerf, 1990, notamment p. 128 sqq., p. 171 sqq. Voir aussi, sur cette question, la discussion de l'éthique kantienne par l'« éthique de la discussion », chez Habermas (notamment *De l'éthique de la discussion* (1991), tr. par M. Hunyadi, Cerf, 1992, p. 30 sqq.) et K. O. Apel (notamment *L'Éthique de la discussion : sa portée, ses limites*, in *Encyclopédie philosophique*, P.U.F., I, p. 159 sqq.).

26. Dans le domaine théorique, on sait que le point de départ de Kant fut le spectacle des antinomies de la raison pure, c'est-à-dire de la « dialectique » à la faveur de laquelle la raison entre en contradiction avec elle-même : c'est pour résorber ce « scandale » que Kant entreprit d'écrire une *Critique de la raison pure* (lettre à Garve du 21 septembre 1798, AK, XII, p. 257 sq.).

27. A. Philonenko identifie l'allusion de Kant comme renvoyant

à Marc, X, 17 et à Luc, XVIII, 18 (*Fondements de la métaphysique des mœurs*, Vrin, 1980, p.78, note 54).

28. Pour la deuxième fois, Kant prend soin de dissocier métaphysique des mœurs et anthropologie empirique, en soulignant que les principes moraux, se trouvant déduits de la raison pure pratique, doivent valoir pour tout être raisonnable (fini), et non pas seulement pour l'homme.

29. J.G. Sulzer (1720-1779), qui fut le traducteur des *Essais* de Hume et l'auteur d'une *Allgemeine Theorie der schönen Künste* (1771-1774), était un de ces « philosophes populaires » critiqués dans les pages précédentes.

30. Contrairement à V. Delbos, suivi sur ce point par A. Philonenko et F. Alquié, je conserve ici le texte de l'édition de l'Académie : *dieses ganzen praktischen oder reinen Vernunfterkenntnisses*, rituellement corrigé depuis Arnoldt (qui substitue *aber* à *oder*. Si l'on entend le *oder* au sens d'un *vel* latin (= autrement dit, c'est-à-dire), je ne vois pas en quoi l'expression fait difficulté et aurait besoin d'être rectifiée : au demeurant, Kant ne saurait évoquer une connaissance rationnelle pratique en présidant qu'elle est « cependant » pure, puisque toutes les pages qui précèdent viennent de montrer au contraire que rapporter les principes de la moralité à la raison pratique équivaut (*oder, vel*) à s'abstenir d'y mêler le moindre élément empirique (elle est donc rationnelle, c'est-à-dire pure).

31. Troisième référence à la validité de la morale pour tout être raisonnable (fini), et non pas simplement pour l'être humain. Sur la portée « anti-psychologiste » de cette distinction, absente de la première édition de la *Critique de la raison pure*, présente, dans la seconde, dès le § 1, de l'« Esthétique transcendantale », voir A. Renaut, *L'Ère de l'individu*, Gallimard, 1989, pp. 277-288.

32. Ce pourquoi l'impératif s'adresse bien, certes, à tout être raisonnable, mais à tout être raisonnable *fini*.

33. Assez complexe si on ne perçoit pas nettement ce qui la structure, cette division des impératifs combine donc deux principes de classement :

— Selon la modalité de la fin, ils peuvent être problématiques (fin possible), assertoriques (fin réelle = le bonheur) ou apodictiques (fin nécessaire).

— Selon la forme de la relation qui les caractérise en tant que jugements, ils sont hypothétiques ou catégoriques : d'un tel point de vue formel, il est clair en effet qu'aussi bien les impératifs problématiques de l'habileté que les impératifs assertoriques de la prudence sont hypothétiques (= ils ont la forme de la relation principe-/conséquence : si..., alors...) ; en revanche, les impératifs moraux sont catégoriques — ce terme intervenant, non pour désigner, comme on le croit souvent, le caractère nécessaire de l'impératif (c'est le terme d'apodictique qui exprime ce caractère), mais pour qualifier le jugement qu'est ici l'impératif, envisagé du point de vue de la relation : un jugement catégorique a la simple forme de la relation sujet/prédicat (le devoir est de...), et non pas celle de la relation principe/conséquence. Plus techniquement dit : le jugement catégorique correspond à la catégorie de substance, en ce sens qu'il pose un substrat qui ne peut plus être prédicat — en l'occurrence :

une fin qui n'est pas le prédicat d'une autre fin, comme c'est le cas, en revanche, de telle ou telle démarche susceptible d'être le prédicat possible de tel ou tel désir (si je veux prendre du plaisir à consommer une boisson agréable, je puis, pour reprendre un exemple cher à Kant, me procurer du vin des Canaries) ; bref, la fin morale n'est plus accident d'une autre fin, mais (ainsi s'explique le recours de Kant à une notion souvent mal comprise) elle est « fin en soi », c'est-à-dire essentielle (par opposition à : accidentelle) ou véritable. De là aussi l'expression de « règne des fins » (= des véritables fins) pour désigner la moralité. Si l'on voulait figurer cette double classification des impératifs, il faudrait donc dresser le tableau suivant, correspondant aux réponses possibles à la question de savoir ce que peut être un impératif :

|  |  | Du point de vue de la *relation* | |
|  |  | hypothétiques | catégoriques |
| Du point de vue de la *modalité* | problématiques | HABILETÉ | |
|  | assertoriques | PRUDENCE | |
|  | apodictiques | | MORALITÉ |

34. Avec les impératifs de la prudence (qui correspondent, selon Kant, à l'éthique aristotélicienne), une seule des deux déterminations constitutives de ce qui est objectivement (et non pas subjectivement) pratique se trouve en fait conquise. Car pour qu'une quelconque fin soit morale, il faut certes qu'elle soit objective, c'est-à-dire universelle (correspondant à une « loi »), par opposition à une fin simplement subjective (correspondant à une « maxime » qui obéit à des mobiles) : l'universalisation possible de la fin constitue bien un premier critère de l'objectivité pratique, au sens où la fin doit valoir pour tous, et donc ne pas être une simple « opinion de la volonté » (*Willensmeinung*), analogue, dans le domaine pratique, d'un jugement de perception dans le domaine théorique. On perçoit sans peine au demeurant que cette première condition de l'objectivité pratique s'exprime dans la première formule de l'impératif catégorique (agir de façon que « je puisse aussi vouloir que ma maxime devienne une loi universelle »), et que c'est par là que les concepts du bien et du mal (*Gut* / *Böse*) vont devoir être distingués de ceux de l'agréable et du désagréable (*Wohl* / *Übel*). Reste qu'avec cette détermination de l'objectivité d'une fin n'est encore cernée qu'une des deux dimensions de la moralité. Car pour qu'une fin soit objective, il faut aussi qu'elle soit *non contradictoire* : si en effet est pleinement objective une fin d'où est absente toute subjectivité (au sens

de la subjectivité qui s'exprime dans tous les actes inspirés par les données des sens et du sentiment), l'objectivité parfaite de la fin coïncidera avec sa complète rationalité — ce qui implique qu'elle ne puisse être contradictoire. En d'autres termes : l'incohérence est immorale. Or, c'est cette deuxième caractéristique de l'objectivité pratique (présente par exemple *in Doctrine de la vertu*, § 19) qui disqualifie les doctrines selon lesquelles, comme c'est le cas chez Aristote, le Bien s'identifie au Bonheur. Car, d'un point de vue aristotélicien, on pourrait accorder à Kant qu'assurément, pour être bonne (objective), une fin doit être universalisable, mais que tel est précisément le cas du Bonheur, puisque, comme le constate Pascal après Aristote, « tous les hommes recherchent d'être heureux » (ce que d'ailleurs Kant admet pleinement — au point qu'il reconnaît là une fin qu'on ne saurait expulser radicalement de l'éthique sans rendre le devoir impraticable : voir *Doctrine de la vertu*, Introduction, V, B, qui correspond à la formule de la *Critique de la raison pratique* selon laquelle « la raison a une charge qu'elle ne peut décliner à l'égard de la sensibilité »). Mais en dépit de cette intégration indirecte parmi les conditions de la moralité (qui coupe court à bien des développements sommaires sur le rigorisme kantien), le bonheur ne saurait constituer une fin objective, bien qu'elle soit universelle — car la recherche du bonheur est par elle-même contradictoire : anticipant sur une thèse largement reprise par la pensée contemporaine (chez Nietzsche, puis chez Freud), Kant a en effet montré dès la Première section de la *Fondation* (AK, IV, 399) que la poursuite de la satisfaction des désirs (inclinations ou penchants) est par essence tragique, vouée à l'échec — dans la mesure où les désirs sont contradictoires entre eux, la satisfaction de certains penchants portant nécessairement préjudice à d'autres penchants et la recherche de la satisfaction étant, de toute façon, infinie. Le bonheur est donc impossible, et l'existence qui s'épuise à le rechercher (qui prend pour fin la satisfaction de *toutes* les inclinations) est intrinsèquement contradictoire, puisqu'il est exclu en fait de les satisfaire toutes et qu'il lui faudra sans cesse établir des compromis plus ou moins pénibles, au prix de certains *renoncements* (ce qui précisément contredit la fin adoptée).

35. Cette utilisation de l'épithète de « pragmatique » ne doit pas déconcerter le lecteur qui tenterait de l'accorder avec celle qu'en fera, en 1798, l'*Anthropologie du point de vue pragmatique* : dans ce dernier ouvrage, Kant nomme « pragmatique » tout le domaine où il s'agit d'user d'un moyen en vue d'une fin, donc le champ global des actions humaines, indépendamment de leur orientation vers le bien moral ; que, dans la *Fondation*, il désigne comme « pragmatique » ce qui relève du souci du bien-être en général procède d'une détermination plus restrictive, caractérisée là aussi par la relation moyen/fin, mais où la fin est le bonheur.

36. Jeu de mots : *Unglück / Glückseligkeit*, malheur / bonheur.

37. À rapprocher de *Critique de la raison pratique*, AK, V, 25, tr. citée, p. 635 : « Être heureux est nécessairement ce que désire tout être raisonnable, mais fini. »

38. Toute cette réflexion sur le bonheur est à mettre en parallèle avec *Critique de la raison pratique*, AK, V, 34-37, tr. citée, p. 648-652.

39. Perspective (agir par intérêt) qui sera discutée plus en détail dans la suite de cette Deuxième section, mais qui rencontrerait la réduction utilitariste du principe de moralité au principe d'utilité : on sait que, dans l'*Anthropologie*, Kant citera Helvétius (AK, VII, 150, tr. citée, p. 82) et que, dans la *Doctrine du droit*, il discute, à propos de la peine de mort, les thèses de Beccaria, disciple de Helvétius et défenseur, comme ce dernier, d'une morale de l'intérêt.

40. Ce pourquoi, vis-à-vis de la définition de la *Fondation* comme recherche du « principe ultime de la moralité », il est légitime de désigner l'impératif catégorique comme constituant d'ores et déjà ce principe : les formules de l'impératif ne feront qu'en expliciter le sens (AK, IV, 420), et l'autonomie de la volonté correspondra à sa condition de possibilité/pensabilité, c'est-à-dire à ce que nous devons supposer si nous voulons nous représenter cet impératif comme possible (Troisième section) — et, de ce point de vue, le passage de l'impératif catégorique à l'autonomie de la volonté consiste, non pas à remonter en deçà de lui dans l'ordre de la fondation, mais simplement à soumettre le principe à une interrogation de type transcendantal.

41. Le passage de l'impératif comme exigence d'universalisation à la première formule qui l'exprime dissimule en fait une problématique d'une redoutable complexité, et l'on a trop peu souvent attiré l'attention sur sa présence dans ce texte si célèbre. S'il doit être appliqué (notamment : si des actions particulières, survenant dans le monde sensible doivent pouvoir être subsumées sous l'exigence d'universalisation de leur maxime), le principe ultime de la moralité, qui ne fournit encore, à travers la première formule, qu'un *concept général* du bien moral, doit devenir, pour le sujet pratique, l'objet d'une représentation. Or, on sait, depuis la *Critique de la raison pure* et le chapitre sur le schématisme des concepts de l'entendement, qu'il n'y a pas de représentation (*Vorstellung*) possible des concepts généraux sans leur présentation (*Darstellung*) dans l'intuition — opération qui correspond précisément à ce que Kant décrivait alors en termes de schématisation (temporalisation). Dans le domaine pratique, une opération analogue se devrait donc concevoir — ce qui, toutefois, est ici particulièrement délicat, puisqu'on voit mal de prime abord comment l'objectivité pratique pourrait être « présentée » (c'est-à-dire, si la présentation en était conçue selon le modèle du schématisme de la première *Critique*, temporalisée ou sensibilisée) alors que la définition même de cette objectivité suppose, Kant vient de s'en expliquer longuement, l'abstraction de tout élément sensible : qui plus est, la suite de la *Fondation* le montrera, l'impératif catégorique — tel qu'il exprime l'objectivité pratique — n'a de sens que par référence à l'Idée de liberté, c'est-à-dire par référence à ce qui relève de l'intelligible, du nouménal, donc semble ne pouvoir donner lieu à nulle présentation (dans le sensible ou le temporel). Difficulté très sérieuse, donc, dans la mesure où, si l'objectivité pratique ne pouvait être présentée, elle ne pourrait acquérir nulle signification véritable (elle serait irreprésentable pour le sujet) — et dès lors aucun acte ne se laisserait jamais repérer comme moral (les concepts sous lesquels il faudrait pour cela le subsumer demeureraient hors représentation, donc seraient

inapplicables). Ce problème (qui communique directement avec celui de l'*application*, à son niveau le plus fondamental) ne sera pleinement résolu qu'en 1788, dans la *Critique de la raison pratique*, plus précisément dans les pages consacrées à la «typique de la faculté de juger pure pratique» (AK, V, 67-71, tr. citée, p. 690-695). Selon une argumentation serrée, Kant y montrera que l'analogue du schème (ce qu'il appelle «type») est ici, lorsqu'il s'agit de l'objectivité pratique, la forme de la loi, plus précisément : la forme de la *conformité à la loi* (*Gesetzmässigkeit*) — laquelle correspond bien, en effet, à la définition de ce qui est moralement objectif (pour qu'une action soit morale, il faut, en vertu de l'impératif catégorique, que la maxime puisse en prendre la forme d'une loi), mais définit aussi *la nature au sens formel* — si l'on veut : la forme de la nature sensible, telle que les phénomènes s'en laissent rassembler sous des lois. De fait, si l'on fait abstraction du contenu des phénomènes naturels (la nature au sens matériel) pour n'en retenir que la forme (savoir : qu'ils se conforment à des lois, c'est-à-dire à des relations universelles et non contradictoires), il devient possible de se représenter, à travers cette conformité des phénomènes naturels à des lois (la nature au sens formel), ce que peut signifier la conformité des maximes, dans le registre pratique, à des lois (les critères de cette conformité : universalité et non-contradiction, se pouvant alors transposer d'une légalité à l'autre). Car la présentation ainsi rendue possible ne fait pas déchoir l'objectivité pratique dans le sensible, puisque la *Darstellung* n'intervient nullement ici dans une intuition (ce pourquoi elle n'est pas une schématisation au sens strict), mais dans un concept (celui de la nature au sens formel) — alors même qu'il s'agit cependant malgré tout d'une présentation, en ce sens que la légalité de la nature (par exemple, le principe de causalité, ou n'importe quelle autre loi) se trouve, elle, être intuitivement présentable (en vertu de ce qu'a établi à cet égard la *Critique de la raison pure* grâce à la théorie du schématisme et à ses prolongements dans le chapitre sur les «analogies de l'expérience»). En ce sens, se demander si les maximes sont universalisables, c'est s'interroger sur leur capacité à former une *nature* au sens de la *forme de la nature* : la loi naturelle est donc le type (l'analogue) de la loi morale — ce qui signifie que, n'en étant que l'analogue, elle n'en constitue qu'une présentation incomplète : elle présente la légalité sous la forme de la conformité extérieure à la loi, donc en laissant de côté la question des mobiles — autrement dit (et il faudrait mesurer les conséquences de cette constatation) : la présentation est plus adéquate pour la légalité juridique d'un acte (conformité extérieure à la loi) que pour la moralité proprement dite (qui requiert en outre le respect). Quoi qu'il en soit, si, en 1785, Kant ne met pas encore en place l'argumentation qui justifie que soit trouvée dans la nature au sens formel une présentation capable de symboliser la moralité, l'analogie fonctionne déjà, expressément, dans la façon dont la première formule de l'impératif catégorique fait référence à la légalité universelle de la nature.

42. La distinction entre les «devoirs de l'homme envers soi-même» et les «devoirs de l'homme envers les autres» est présente chez Christian Wolff : voir *Principes du droit de la nature et des gens*,

extraits du *Jus naturae* (1740-1748) et du *Jus gentium* (1749) traduits par J.H. Samuel Formey, 1758, Amsterdam (repr., Bibliothèque de Philosophie politique et juridique, Caen, 1988), I, pp. 16-70.

43. La division entre « devoirs parfaits » et « devoirs imparfaits » (qui, avec un contenu sensiblement différent, date de *Eine Vorlesung über Ethik*, 1775, éd. P. Menzer, Berlin, 1924) sera effectivement explicitée dans la *Doctrine de la vertu*, Introduction, VII. D'ici là, c'est la *Critique de la raison pratique* qui aura apporté sur cette distinction la précision la plus éclairante en la faisant apparaître, dans la table des catégories de la liberté qui énonce les déterminations les plus générales de l'objet pratique (= de ce qu'est une fin morale) (AK, V, 66, tr. citée, p. 688-689), au niveau de la troisième catégorie de la modalité. Le sujet peut en effet considérer de trois manières l'exigence d'une fin :

— Il peut l'envisager comme une fin simplement *possible*, ce qui est le cas quand il la détermine selon la distinction de ce qui est permis et de ce qui est défendu : le « permis » équivaut à ce qu'il est possible de faire, sans que le sujet moral se trouve pour autant contraint de le faire (modalité la moins « morale » selon laquelle une fin peut surgir, puisque l'exigence de la loi ne s'y trouve point contenue).

— Une fin peut ensuite être considérée selon les catégories du devoir et de ce qui est contraire au devoir : dans cette optique, toute l'exigence de la loi ne se trouve pas non plus encore prise en compte, puisque, si ces catégories descriptives cernent bien, dans la réalité des actions *existantes*, ce qui existe conformément à la loi et ce qui n'existe pas conformément à la loi, elles ne me prescrivent pas concrètement les fins auxquelles je suis obligé.

— C'est seulement avec la troisième catégorie de la modalité (*nécessaire/contingent*) que se trouve cernée plus concrètement la dimension d'obligation propre au devoir. Or, précisément, Kant distingue de ce point de vue deux types de devoirs : les devoirs parfaits sont ceux qui, juridiques ou moraux, se trouvent parfaitement définis et apparaissent donc comme rigoureusement *nécessaires* (ce pourquoi ils prennent une forme négative : tu ne dois pas — par exemple : mentir, te suicider, etc. —, en tant que la loi morale les impose strictement et que par conséquent ils demandent une abstention n'admettant pas de degré ni d'exception) ; les devoirs imparfaits prennent une forme positive : tu dois — par exemple : te cultiver (*Doctrine de la vertu*, Introduction, VIII) — et correspondent à des devoirs de vertu, dont l'accomplissement est un « mérite », mais dont la transgression n'équivaut pas à l'« absence de valeur morale ». C'est évidemment au seul niveau de ces devoirs « larges » qu'il peut y avoir incertitude sur ce qu'il faut faire selon le lieu et selon le temps, et qu'il y a donc place pour le discernement moral qui examine les conditions de l'action : il peut donc y avoir ici, et ici seulement (donc dans la *Doctrine de la vertu*), matière à une « casuistique ».

44. Sur ce personnage important de l'anthropologie culturelle de Kant, voir A. Philonenko, notamment *Théorie kantienne de l'histoire*, Vrin, 1986, p. 36 sqq.

45. Le texte porte : *Abtheilung*, division. Delbos, suivi par A. Philonenko et F. Alquié, corrigeait en *Ableitung*, déduction, supposé « préférable ». Outre que je ne vois pas en quoi parler d'une « division » des devoirs à partir de l'impératif serait obscur, la mention d'une « déduction » m'apparaît saugrenue dans le contexte d'une philosophie pratique où tout indique que l'application s'opère par subsomption des cas considérés sous le principe, et non par déduction au sens d'une dérivation logique.

46. Relativement à la question de l'*exception* en matière morale, la position de Kant est plus complexe qu'il n'y paraît ici — comme en témoignera, dans la *Critique de la raison pratique*, l'apparition de l'exception dans la table des catégories de la liberté : se trouvent en effet mentionnées, comme troisième catégorie de la qualité (après les « règles pratiques d'effectuation », qui, correspondant à l'affirmation, sont préceptives, et les « règles pratiques d'abstention », qui, correspondant à la négation, sont prohibitives), des « règles pratiques d'exception », qui correspondent à la limitation et sont dites *exceptives*. Il faut ajouter que, selon l'indication même de Kant, la troisième catégorie de chaque titre, dans cette table, désigne, non seulement une détermination synthétique des deux autres (ce que, formellement, on comprend sans peine, l'exception étant la synthèse de l'effectuation et de l'abstention, puisqu'elle désigne une effectuation sur fond d'abstention), mais la détermination la plus « morale » du titre considéré : comment comprendre alors, vis-à-vis de sa condamnation dans la *Fondation*, que ce soit ici, non l'affirmation d'une fin comme devant être moralement poursuivie (ou sa négation comme a proscrire moralement), mais sa position comme *limitée* (c'est-à-dire comme exception) qui en constitue la qualité la plus objective d'un point de vue pratique ? Deux interprétations apparaissent envisageables :

— Selon le P. Marty (*La Naissance de la métaphysique*, Beauchesne, 1980, p. 243), il faut rapporter cet apparent décalage à l'une des « clefs de la morale kantienne », savoir le fait que l'agent moral est non pas pure volonté raisonnable, mais un être fini possédant des penchants, chez qui par conséquent la reconnaissance de la loi (affirmation) ne peut entraîner son application automatique, mais exige dans certains cas sa négation : l'exception serait en ce sens la synthèse de cette affirmation globale de la loi et de sa négation ponctuelle, car « il y a des situations où la loi objective ne peut s'appliquer sous peine de produire un plus grand mal » (par exemple, dans les cas où se produit un conflit des devoirs). L'exception combinerait donc un respect pour la loi et le sens de la réalité humaine : aussi faudrait-il nuancer la présentation traditionnelle de l'éthique kantienne comme rigoriste, en observant qu'il s'agit en fait d'une morale profondément humaine, permettant un certain « jeu qui se traduit par l'exception ». Qui plus est, cette prise en compte de l'exception fournirait un critère permettant de distinguer droit et morale : là où le droit est pur rigueur (nul n'est censé ignorer la loi), au point qu'une loi juridique admettant des exceptions serait une mauvaise loi, le propre de la loi morale serait d'admettre une certaine dimension prudentielle, au sens aristotélicien du terme, qui correspondrait précisément à ce jeu dans l'application de la loi et se traduirait par l'exception (du point de vue de la qualité, le droit correspondrait aux règles d'effectuation et d'abstention, l'éthique aux règles exceptives — tant et si bien qu'absolutiser les règles éthiques serait confondre vertu et droit, en méconnaissant la liberté intérieure du sujet moral dans l'application de la loi).

— Là contre, on peut suivre cependant B. Rousset, observant justement, dans *La Doctrine kantienne de l'objectivité*, Vrin, 1967, p. 506 sqq., que Kant, dans la *Fondation de la métaphysique des mœurs*, récusait tout droit de faire des exceptions à la règle, parce que l'acceptation de l'exception, niant la détermination posée dans la règle, laisserait à nos choix une marge telle que nous ne disposerions plus, en fait, d'aucun principe de nature à permettre une détermination rigoureuse de l'action. Pour comprendre la mention de l'exception parmi les catégories de la liberté, il faudrait alors apercevoir qu'elle vise des actes éthiquement possibles *en tant que particuliers*, et même nécessaires en un sens (= au sens où le contraire en serait impossible à universaliser), mais pourtant impossibles *en tant qu'universels* : ainsi en est-il par exemple du *sacrifice*, dont l'universalisation serait contradictoire (le sacrifice de tous n'est plus un sacrifice, puisque l'on ne se sacrifie plus pour personne, et il équivaudrait en outre à un suicide collectif), mais qui est « relativement nécessaire » par opposition à l'impossibilité de son contraire (une absence universelle de sacrifice dans le monde moral serait absurde, puisqu'elle équivaudrait au règne de l'égoïsme). Bref, il s'agit là d'un acte indirectement nécessaire, en tant que simplement particulier — si l'on veut : un *devoir d'exception* (*Critique de la raison pratique*, AK, V, 158, tr. citée, p. 797-798). Où l'on voit que, concernant cette question du sacrifice, la position de Kant (qu'il serait intéressant de confronter avec celle de l'utilitarisme) est nuancée : la valeur morale du sacrifice n'est certaine que s'il est décidé par simple égard à la loi morale (que l'absence de sacrifice nierait) et sans considération du bonheur de l'humanité ; *dans ce cas*, le choix du sacrifice définit la *sainteté*, comme sommet (au sens d'un cas-limite) de la moralité — correspondant à une exception au devoir envers soi-même, mais non pas à une exception à la loi morale (puisque c'est l'absence de sacrifice qui la violerait). Voir ici *Doctrine de la vertu*, AK, VI, p. 392-394.

47. *In kategorischen Imperativen* : « dans des impératifs catégoriques ». Ainsi aperçoit-on que, contrairement à ce que laisse souvent entendre une appréhension bien intentionnée, mais scolaire de la philosophie morale de Kant (s'appuyant sur *Fondation*, AK, 421 : « l'impératif catégorique est unique »), le texte kantien n'éprouve aucune gêne à mentionner « des » impératifs catégoriques (cf. déjà AK, 417, où il est question « des » impératifs moraux, ou, plus loin, AK, 431). Le pluriel s'explique, tantôt par référence à la pluralité des formules de l'impératif, tantôt (cf., à titre d'exemple, *Doctrine du droit*, VI, 336-337, où Kant parle de « l'impératif catégorique de la justice pénale », selon lequel « l'homicide doit être puni ») par la manière dont, dans la vie éthique, l'exigence d'universalisation (qui, assurément, est une, mais purement formelle) ne s'exprime que multipliée selon les divers contenus (= les devoirs) que lui donnent

les fins considérées. Voir à cet égard l'*Introduction à la métaphysique des mœurs*, IV, ci-dessous, AK, VI, 221.

48. Sur la critique kantienne de la psychologie empirique et l'impossibilité de conférer à cette discipline un statut scientifique, voir notre Présentation de l'*Anthropologie*, GF-Flammarion, 1993, p. 30 sqq.

49. *Arbitre* traduit *Willkür*. Bien que présent chez Tissot, l'un des plus anciens traducteurs de Kant, dans sa traduction de la *Doctrine du droit* (voir *Principes métaphysiques du droit*, Libr. de Ladrange, 1855, p. 427), l'emploi du terme *arbitre* en ce sens est certes peu usuel en français (ce pourquoi V. Delbos, suivi par F. Alquié, avait traduit par « faculté d'agir », trop éloigné à mon sens de la grille conceptuelle kantienne), mais l'on ne peut plus omettre de considérer aujourd'hui que la traduction trop fréquente de *Willkür* par *libre arbitre* (adoptée ici par A. Philonenko, pourtant fort attentif, en général, à ce glossaire) induit, dans le contexte du criticisme, d'indubitables contresens. Il suffit, pour s'en convaincre, de se reporter à la *Critique de la raison pratique*, Première partie, Livre I, Chapitre 1, § 2, où *Willkür* (traduit fautivement par *libre arbitre* aussi bien chez Gibelin, éd. Vrin, que chez Picavet, P.U.F., mais correctement par L. Ferry et H. Wismann, *Œuvres philosophiques de Kant*, Bibl. de la Pléiade, t. II) désigne clairement la volonté en tant qu'elle est *déterminable* par des principes déterminants qui peuvent être rationnels ou non : l'*arbitre* (*Willkür*) se définit donc comme le déterminable de la volonté, — arbitre qui est « libre » (c'est-à-dire déterminé librement : *freie Willkür, libre arbitre*) quand ses principes déterminants sont rationnels ; en revanche, quand la volonté est déterminée par des impulsions sensibles, c'est-à-dire, dans le langage de Kant, *pathologiquement*, l'arbitre est nommé *arbitrium brutum*. Voir ici même, *Introduction à la métaphysique des mœurs*, AK, VI, 213-214.

50. Deuxième formule de l'impératif catégorique.

51. *Allenfalls*, « à la rigueur » : confirmation que la première formule de l'impératif catégorique, qui présente l'exigence d'universalisation par référence à la légalité de la nature au sens formel, est d'ores et déjà comprise par Kant comme une *analogie*.

52. Troisième formule de l'impératif catégorique, que Kant va expliciter par l'idée d'un « règne des fins ». Il faut surtout noter que la troisième formule, précisant la seconde en faisant de l'être moral une volonté soumise à la loi dans la mesure même où elle est en même temps, vis-à-vis de cette loi, « législatrice », contient déjà en elle la référence à l'autonomie de la volonté.

53. Toute cette analyse de l'échec des philosophies morales antérieures, réduites au registre de l'hétéronomie, est à mettre en parallèle avec *Critique de la raison pratique*, V, 64-65, tr. citée, p. 685-686.

54. Explicitation de la fonction « schématisante » des formules, telles qu'elles visent une « présentation » du principe de la moralité (l'exigence d'universalisation). Kant écrit avec une grande précision qu'il s'agit ici, non de présenter l'Idée dans l'intuition (schématisation au sens strict), mais seulement de la rapprocher de l'intuition — car une présentation dans l'intuition équivaudrait en l'occurrence à dissoudre l'Idée (selon un geste qui, confondant symbole et

schème, ferait de la nature matérielle la présentation de la loi morale — ce que Kant assimile, à la fin du chapitre de la *Critique de la raison pratique* sur la typique de la faculté de juger pratique, au « mysticisme »).

55. « Se pouvant définir indépendamment de quoi que ce soit d'autre » : je traduis ainsi *selbständig*, qui, s'agissant d'une fin, m'est apparu difficile à rendre par des termes faisant référence à une existence (« existant par soi », chez Delbos, puis Philonenko et Alquié).

56. A mettre en parallèle avec *Critique de la raison pratique*, AK, V, 33, tr. citée, p. 647 : « L'autonomie de la volonté est l'unique principe de toutes les lois morales et des devoirs conformes à ces lois. »

57. A comparer avec *Critique de la raison pratique*, V, 40 sqq., tr. citée, p. 656 sqq. — où Kant dresse un tableau des divers principes matériels en attribuant leur identification comme principe de la moralité à une série d'auteurs, d'Epicure ou des stoïciens à Wolff.

58. F. Hutcheson (1694-1747), professeur à l'Université de Glasgow. Kant possédait dans sa bibliothèque deux de ses ouvrages traduits en allemand sous les titres de *Abhandlungen über die Natur und Beherrschung der Leidenschaften und Neigungen und über das moralische Gefühl insbesonderheit* (Leipzig, 1760), et d'*Untersuchung unserer Begriffe von Schönheit und Tugend* (2 vol., Francfort et Leipzig, 1762). Par référence au titre du premier ouvrage, Hutcheson est mentionné, dans le tableau des principes matériels dressé par la *Critique de la raison pratique*, comme défenseur du « sentiment moral ». Kant a été fort proche de ses thèses en 1763 dans ses *Réflexions sur le sentiment du beau et du sublime*.

59. Pour ces deux principes, la *Critique de la raison pratique*, *loc. cit.*, mentionne Wolff et les stoïciens (perfection), Crusius et « d'autres moralistes théologiens » (volonté de Dieu).

60. Argumentation reprise par la deuxième *Critique*, dans les pages sur le « paradoxe de la méthode dans une critique de la raison pratique », savoir que la loi, le « il faut », ici précède le concept du Bien et du Mal comme objet du « il faut » (AK, V, 62 sqq., tr. citée, p. 684 sqq.).

61. Tout ce développement sur la présupposition de la liberté met expressément entre parenthèses la question de la *réalité* de la liberté, dont la démonstration sera tentée, à partir d'une démarche plus radicale, dans la *Critique de la raison pratique*. Toutefois, si l'on relit ces pages de la *Fondation* à partir de la *Critique de la faculté de juger* (et des difficultés suscitées par la nécessité de rendre compatibles la définition de l'objectivité théorique et celle de l'objectivité pratique), elles apparaissent plus proches de ce que semble devoir être le statut ultime de la liberté (ou de l'autonomie) dans le cadre d'une philosophie critique — savoir que l'autonomie n'est que cette présupposition (« principe de la réflexion ») par référence à laquelle le sujet pratique *doit* penser son agir : s'il n'en était pas ainsi, si l'autonomie n'était pas une Idée, il faudrait concevoir le moment pratique de la subjectivité comme pure auto-position, comme spontanéité absolue — et l'on voit mal comment, dans ces conditions, la finitude du sujet, affirmée comme radicale, au plan théorique, dans la *Critique de la raison pure*, ne se trouverait pas relativisée par le

passage au plan pratique. Soutenir, comme le fait ici Kant, que le sujet moral ne peut pas se penser comme tel sans faire référence à l'Idée de liberté, ce n'est donc nullement affirmer qu'il *est* libre, mais simplement que l'Idée de liberté constitue l'horizon de sens pour la pensée de fins susceptibles d'être objectives (morales).

62. La notion de *point de vue* est importante : la question de la réalité de la liberté étant mise entre parenthèses, il reste à faire de la liberté et du déterminisme des « points de vue » (c'est-à-dire des horizons de sens) à partir desquels nous nous pensons nous-mêmes, et cela selon des optiques ou des perspectives susceptibles de différer en fonction du type d'intérêt de la raison (notion que Kant est en train d'introduire dans ces pages) qui anime la réflexion.

63. « Exigences » traduit *Forderungen*. V. Delbos, suivi par A. Philonenko et F. Alquié, a préféré lire : *Folgerungen*, traduit par « conséquences ». Là encore, je ne vois pas la nécessité de cette correction qui, au demeurant, efface ce que suggère *Forderungen* — savoir que la supposition de la liberté obéit aux exigences induites par la représentation que le sujet se fait de lui-même quand il se pense comme sujet moral.

64. Kant se borne ici à reprendre le principe de la solution apportée à la troisième antinomie dans la *Critique de la raison pure*.

65. La notion d'« intérêt de la raison » avait été mise en place dans les pages de la *Critique de la raison pure* qui, sous le titre « De l'intérêt de la raison dans ce conflit avec elle-même », montrent comment la thèse et l'antithèse des antinomies répondent tantôt à ce qu'exige la raison pratique (et qui définit donc « un certain intérêt pratique »), tantôt à ce que requiert la raison théorique (et qui correspond à un « intérêt spéculatif de la raison ») (A466-467, B 494-495, tr. citée, Bibl. de la Pléiade, I, p. 1119 sqq.). Sur cette notion d'intérêt de la raison, voir aussi *infra*, *Introduction à la métaphysique des mœurs*, I, AK, VI, p. 212-213.

66. Voir *Critique de la raison pratique*, AK, V, 10 (note), tr. citée, p. 616 : « La *vie* est le pouvoir qu'a un être d'agir d'après les lois de la faculté de désirer. La *faculté de désirer* est le *pouvoir* qu'il a *d'être par ses représentations cause de la réalité des objets de ces représentations.* Le *plaisir* est *la représentation de l'objet ou de l'action avec les conditions subjectives de la vie,* c'est-à-dire avec le pouvoir de *causalité d'une représentation relativement à la réalité de son objet* (ou avec la détermination des forces du sujet en vue de l'action qui le produit). »

67. L'importante distinction du juridique (*juridisch*) et de l'éthique (*ethisch*) à l'intérieur du domaine moral (*moralisch*) s'opère donc par réflexion sur les lois morales en général (lois de la liberté), conçues par opposition aux lois physiques (lois de la nature). Les lois morales correspondent à toutes les lois « déduites » de la « loi morale suprême » qu'est l'impératif catégorique (loi d'universalisation des maximes) — ce dernier (qui ne donne que la « forme » des lois de la liberté) se trouvant, à travers de telles lois, « appliqué » à la matière des actions sur lesquelles ces lois portent. Or — et là est le principe de cette distinction entre juridique et éthique — ces actions peuvent être de deux types, auxquels vont donc correspondre deux types de lois morales :

— Quand les lois portent sur des actions dont elles définissent seulement la conformité extérieure à la loi morale suprême (la conformité externe à l'impératif catégorique, comprendre que ces actions, à en juger de l'extérieur, ne paraissent pas procéder d'une maxime subjective impossible à universaliser), ce sont des lois d'ordre juridique (*juridisch*), et l'accord avec elles cerne la *légalité* (*Legalität*) des actions considérées.

— Quand « en outre » (*auch*) les lois exigent que l'impératif catégorique soit le principe déterminant des actions (c'est-à-dire que ces actions relèvent intérieurement d'un libre arbitre, autrement dit d'un arbitre déterminé uniquement par la considération de l'impératif), elles sont d'ordre éthique (*ethisch*), et l'accord avec elles cerne la *moralité* (*Moralität*) de ces actions.

68. Dans les *Premiers Principes métaphysiques de la science de la nature* (1786).

69. L'allusion est aux § 1-3 de l'*Introduction* à la *Critique de la faculté de juger*, sur la « division de la philosophie » en philosophie théorique ou philosophie de la nature et philosophie pratique ou philosophie morale, et sur le moyen de les accorder entre elles.

70. La relative difficulté du passage tient au fait que Kant superpose à la distinction, déjà établie dans le premier paragraphe de cette *Introduction*, de l'« extérieur » et de l'« intérieur » quant à la conformité à la loi morale une seconde distinction entre « extérieur » et « intérieur », au sens, cette fois, où un devoir peut être dit « extérieur » s'il oblige à des actes « extérieurs » (par exemple, les actes de bienveillance). La précision vise à montrer que ce n'est pas le contenu de l'acte moral qui le qualifie comme éthique ou juridique (l'éthique contient, aussi bien que le droit, des devoirs extérieurs), mais uniquement la forme de la législation : un devoir extérieur peut être rattaché à l'éthique si l'on considère l'action du point de vue de ce qui en elle détermine l'arbitre et s'il apparaît alors que c'est de l'intérieur (par une législation intérieure, c'est-à-dire par la seule considération de l'impératif catégorique) que l'arbitre se trouve déterminé. Il en résulte, ainsi que va le développer, pour l'essentiel, ce § III, que le juridique se repère par le rôle particulier qu'y joue la contrainte : alors que les actions éthiques sont celles où le devoir est le mobile même de l'action, celles qui sont seulement légales, n'étant qu'extérieurement conformes à la loi morale, ne peuvent être obtenues que grâce à d'autres mobiles contrebalançant ceux qui m'écarteraient de la loi — ces autres mobiles résidant dans la crainte de la sanction. En ce sens, la législation juridique sera donc par définition une législation *contraignante*. Voir ici la *Réflexion 7261* : « Le *jus naturae* considère les actions seulement d'après leur légalité, c'est-à-dire telles qu'elles seraient même si elles avaient été imposées dans leur totalité par la force. L'éthique les considère comme elles devraient l'être, si elles devaient avoir lieu en vertu de pures impulsions morales. »

71. « Il faut observer les contrats. » D'une façon générale, les citations ou termes en latin mentionnés par Kant dans la *Métaphysique des mœurs* et qui concernent surtout le droit sont empruntés à Achenwall, dont Kant a travaillé longuement le *Jus naturale* (voir ses *Reflexionen* sur cet ouvrage, AK, XIX, Handschriftlicher Nachlass, VI, trad. en partie par M. Castillo, *Kant et l'avenir de la culture*,

P.U.F., 1990). Le plus souvent, la signification en est fournie par le texte lui-même : quand ce n'est pas le cas, nous indiquons en note une traduction.

72. Le débat est ici avec G. Hufeland, représentant éminent de l'école juridique kantienne, dont le *Versuch über den Grundsatz des Naturrechts* de 1785 (*Essai sur le fondement du droit naturel*) avait obtenu de Kant un compte rendu (*De l'essai sur le principe fondamental du droit par M. Hufeland*, 1786, tr. par Tissot, in : Kant, *Principes métaphysiques du droit*, Libr. de Ladrange, 1855, p. 347 sqq.). En 1790, dans ses *Lehrsätze des Naturrechts* (*Principes du droit naturel*), Hufeland distinguait, parmi les actions volontaires, celles qui sont licites et celles qui sont illicites comme celles que permet ou proscrit la loi morale. Au sein des actions permises (licites), il distinguait encore celles que la loi morale ordonne (= les devoirs auxquels le sujet est tenu par des obligations) et celles qu'autrui est tenu par ses devoirs de ne pas empêcher — ces dernières correspondant selon lui au droit. C'est cette analyse que Kant conteste en observant qu'une action licite ne peut recevoir nulle législation — puisqu'une loi, même permissive, est nécessairement une restriction à la liberté.

73. « Les obligations n'entrent pas en conflit. »

74. « Principes d'obligation non obligatoires. »

75. « Acte d'imputation acquittant. »

76. « Acte d'imputation inculpant. »

# TABLE DU TOME I

# GF Flammarion

207085-III-2016 – Impression MAURY IMPRIMEUR, 45330 Malesherbes.
N° d'édition L.01EHPNFG0715.C014 – Janvier 1994 – Printed in France.